La TRANSMISSION des PME

PRESSES DE L'UNIVERSITÉ DU QUÉBEC
Le Delta I, 2875, boulevard Laurier, bureau 450
Québec (Québec) G1V 2M2
Téléphone : (418) 657-4399 ▪ Télécopieur : (418) 657-2096
Courriel : puq@puq.ca ▪ Internet : www.puq.ca

Diffusion / Distribution :

CANADA et autres pays

PROLOGUE INC.
1650, boulevard Lionel-Bertrand
Boisbriand (Québec) J7H 1N7
Téléphone : (450) 434-0306 / 1 800 363-2864

FRANCE	**BELGIQUE**	**SUISSE**
AFPU-DIFFUSION	PATRIMOINE SPRL	SERVIDIS SA
SODIS	168, rue du Noyer	Chemin des Chalets
	1030 Bruxelles	1279 Chavannes-de-Bogis
	Belgique	Suisse

Louise CADIEUX et
François BROUARD
Avec la collaboration de Bérangère Deschamps

La TRANSMISSION des PME

Perspectives et enjeux

2009

 Presses de l'Université du Québec
Le Delta I, 2875, boul. Laurier, bur. 450
Québec (Québec) Canada   G1V 2M2

63148332x

*Catalogage avant publication de Bibliothèque
et Archives nationales du Québec et Bibliothèque et Archives Canada*

Cadieux, Louise, 1953-

    La transmission des PME : perspectives et enjeux

    (Entrepreneuriat & PME)

    Comprend des réf. bibliogr.

    ISBN 978-2-7605-1594-9

    1. Entreprises - Transmission. 2. Petites et moyennes entreprises.
3. Entreprises familiales – Transmission. I. Brouard, François, 1960- . II. Titre.
III. Collection.

HD62.7.C32 2009   658.02'2   C2008-941975-8

Nous reconnaissons l'aide financière du gouvernement du Canada
par l'entremise du Programme d'aide au développement
de l'industrie de l'édition (PADIE) pour nos activités d'édition.

La publication de cet ouvrage a été rendue possible
grâce à l'aide financière de la Société de développement
des entreprises culturelles (SODEC).

Mise en pages : INFOSCAN COLLETTE-QUÉBEC

Couverture : RICHARD HODGSON

1 2 3 4 5 6 7 8 9 PUQ 2009 9 8 7 6 5 4 3 2 1

Remerciements

Les auteurs tiennent à remercier Pierre-André Julien pour la patience et l'écoute dont il a fait preuve tout au long de ce projet.

Louise remercie Luc pour sa compréhension et son soutien toujours sans faille.

François désire remercier sa conjointe Line et sa fille Laurence pour leur patience, de même que Camille.

Avis au lecteur

Indépendamment du genre grammatical, les appellations de personnes ou de groupes de personnes visent autant les femmes que les hommes. L'emploi du masculin singulier générique a pour seul but de faciliter la lecture de ce livre.

Le présent texte traite d'un sujet complexe et peut ne pas s'appliquer à certains faits ou circonstances. De plus, la matière et les références mentionnées reflètent des lois et des pratiques sujettes à modification. Le contenu de ce livre ne doit donc en aucune circonstance se substituer aux conseils d'un professionnel spécialisé en la matière.

Tous les soins nécessaires ont été apportés à la préparation du texte; cependant, les auteurs ne se tiennent pas responsables des conséquences de la mise en application de son contenu.

Table des matières

Chapitre 2   Le transfert de la direction: la préparation des acteurs

Liste des encadrés

Liste des figures

Liste des tableaux

Introduction

D ans notre économie, les petites et moyennes entreprises (PME) occupent une place de choix. Par exemple, un rapport récent du ministère du Développement économique, de l'Exportation et de l'Innovation (MDEIE, 2006) estimait qu'en 2003 : 70,3 % des entreprises québécoises procuraient du travail à moins de 5 employés, 19,5 % employaient entre 5 et 19 personnes, 5,8 % entre 20 et 50 et 3,2 % entre 50 et 200, assurant, dans la foulée, un peu plus de la moitié (54,1 %) des emplois pour l'ensemble des secteurs d'activité. Or, la plupart des PME ayant été fondées après les années 1960 (MDEIE, 2006), leurs propriétaires dirigeants doivent maintenant relever un nouveau défi, celui d'assurer la continuité d'entreprises qu'ils ont su mener de main de maître durant de nombreuses années[1].

La problématique de la transmission de l'entreprise n'est pas le lot des PME canadiennes et québécoises seulement. Au contraire. Il s'agit plutôt d'un phénomène répandu dans les pays industrialisés dans la mesure où tous ont à faire face à une pyramide des âges vieillissante des propriétaires dirigeants en poste susceptibles de passer la main de la direction et de la propriété de leur entreprise. À ce sujet, la Commission européenne (CE) estime qu'un tiers des entreprises faisant partie des pays membres aura fait l'objet d'une

---

1. Nous aimerions souligner que, parmi les entreprises créées au cours de ces années, plusieurs sont devenues de très grande taille. À titre d'exemple, nous pensons au Groupe Jean Coutu, qui a ouvert sa première pharmacie en 1969 ; à Couche-Tard, une chaîne d'alimentation qui a vu le jour en 1980 ; à Cascades, une entreprise qui a été créée en 1964 ; ou à d'autres firmes comme Quebecor ou Transcontinental, qui ont respectivement été fondées en 1965 et 1976 et qui figurent toutes parmi les 500 plus grandes entreprises du Québec.

transmission entre 2003 et 2013. De leur rapport déposé en 2006, notons l'Italie, qui évalue à 40 % le nombre d'entreprises qui changeront de mains dans les dix prochaines années, et l'Autriche, qui estime à 23 % le nombre de transmissions entre 2004 et 2013 (CE, 2006). Fait intéressant, en France, c'est à 55 500 qu'on chiffre le nombre annuel des transmissions. Parmi celles-ci, 50 000 concernent des PME procurant de l'emploi à moins de 10 personnes, 5 000 entreprises emploient entre 10 à 50 salariés et 500 en ont entre 50 et 250 (OSEO, 2005). Bref, il est clair que la problématique de la transmission touche toutes les catégories de PME, tant les toutes petites que les plus grandes, et ce, tous secteurs d'activité confondus.

L'ampleur du phénomène, souvent principalement basé sur des données sociodémographiques, doit être considérée avec prudence, puisque, selon le récent rapport d'OSEO (2007) sur l'évolution des PME françaises, ce ne sont pas tous les propriétaires dirigeants en poste qui envisagent de transmettre leur entreprise. La décision de ces propriétaires dépendrait, entre autres, du secteur d'activité, de la taille et du niveau de rentabilité de leur entreprise. Pourtant, quelles que soient leurs particularités, certaines des PME existantes peuvent représenter de bonnes occasions d'affaires pour la nouvelle génération d'entrepreneurs, de plus en plus ouverte à la reprise d'entreprise. À preuve, voici ce que disait un jeune patron de 37 ans alors qu'il venait de se voir remettre un prix pour son dynamisme entrepreneurial : « *Je ne voulais pas créer mon entreprise à partir de zéro* [...] *Il faut de grands efforts et un temps fou pour atteindre 100 000 $ de ventes, mais ce n'est pas difficile de passer de 100 000 $ à 1 M $* » (Froment, 2007, p. A10).

Dans une perspective économique, une transmission d'entreprise réussie présente des avantages allant au-delà du maintien des emplois et de la production des pays touchés par le phénomène. Selon les récents rapports et études consultés sur le sujet, les repreneurs, qu'ils soient familiaux ou non, apportent une nouvelle vigueur aux entreprises existantes ainsi que de meilleures occasions d'affaires pour l'ensemble de leur collectivité (Counot et Mulic, 2004 ; CCE, 2006 ; FCEI, 2005 ; Mandl, 2004 ; OSEO, 2005 ; Sambrook, 2005). Se préoccuper de la problématique de la transmission des PME est, par conséquent, nécessaire pour assurer la vitalité et la souplesse de notre tissu économique et social d'aujourd'hui et de demain. D'autant plus que, pour OSEO (2007, p. 18), « choisir de reprendre une entreprise assure un taux de pérennité plus fort que créer une entreprise entièrement nouvelle : parmi les entreprises créées en 2002, 77 % des reprises sont toujours en activité trois ans après, contre 67 % des créations pures ».

Même si, à court terme, les chances de survie des PME transmises sont meilleures que celles des créations pures (Counot et Mulic, 2004 ; OSEO, 2007), ce choix comporte son lot de particularités et de risques ne pouvant être passés sous silence. À ce chapitre, les résultats de l'étude d'OSEO (2005) menée auprès de plus de 3 000 PME françaises ayant vécu une transmission montrent qu'en moyenne le taux d'échec s'établit à 5 % après deux ans d'exploitation, à 13,5 % après quatre ans et à 21 % après six ans. Pour cet organisme, la fluctuation importante du taux d'échec observé entre la deuxième et la quatrième année d'activité trouverait son explication dans le fait que le nouvel entrepreneur doit réaliser des investissements, adopter de nouvelles orientations, embaucher des salariés, tout en devant rembourser la dette de reprise dans les premières années suivant la transmission. Il faut également tenir compte du fait que les nouveaux dirigeants placent souvent la totalité de leurs économies dans leur projet d'affaires, ne se laissant pas de disponibilités en cas de renflouement nécessaire de la trésorerie si les tendances de marché ne suivent les prévisions financières du plan d'affaires. Mais, avant d'entrer dans le vif du sujet, voyons brièvement quelques concepts et enjeux liés à la problématique qui nous intéresse.

1. LA DÉFINITION DE LA TRANSMISSION

Dans le contexte nous concernant, la transmission signifie que l'entreprise assure sa continuité par la mise en place effective du successeur (dans les cas de transmission familiale) ou du repreneur (dans les autres cas de transmission), de même que par le retrait du prédécesseur (dans les cas de transmission familiale) ou du cédant (dans les autres cas de transmission) de la gouvernance et de la propriété de cette même entreprise. Notons que, de notre point de vue, la transmission découle d'un processus pouvant s'échelonner entre le moment où les protagonistes (prédécesseur/cédant ou successeur/repreneur) commencent à réfléchir à leur projet de transmission ou de reprise et celui où la direction et la propriété de la PME sont officiellement transférés au successeur/repreneur et au cours duquel sont interpellées diverses catégories d'acteurs des environnements interne et externe de cette même entreprise.

La transmission de toute entreprise inclut implicitement le concept de « reprise », qui représente, pour un nouvel entrepreneur, un moyen d'accès à la direction et à la propriété d'une entreprise déjà

existante. Lorsque nous parlons de reprise, la dynamique de la transmission est, par conséquent, abordée dans la perspective du succes-
seur/repreneur. Les cas de figure en matière de reprise sont nombreux,
selon les secteurs d'activité, la santé financière de l'entreprise reprise
(saine ou en difficulté) et les modalités du rachat (héritage, location-
gérance, rachat de titres, rachat de fonds, rachat d'actifs). Aussi, d'une
façon générale, nous comprenons que la reprise représente aussi un
processus qui, par le biais d'une opération de rachat de la part du
successeur/repreneur, aboutit à la continuité de la PME, qu'elle soit
en difficulté ou non, et de tout ce qu'elle contient (structures, ressources
humaines, financières, techniques et commerciales).

2. LA TRANSMISSION DES PME : DEUX TRANSFERTS

La transmission d'une PME comporte deux principaux types de transferts. Le premier concerne le transfert de la direction, le second, celui
de la propriété. Dans la première perspective, celle du **transfert de
la direction**, il s'agit de préparer et d'intégrer le successeur/repreneur
dans ses nouvelles fonctions de gestion, tant sur le plan opérationnel
que stratégique, en même temps que le prédécesseur/cédant se retire
de son rôle de PDG. Pour assurer la réussite du transfert de la direction, plusieurs dimensions sont prises en compte. À preuve, certains
auteurs considèrent comme nécessaire une réflexion stratégique de
la part du prédécesseur/cédant, et cela, bien en amont de la mise en
œuvre du projet de transmission. Selon eux, une telle réflexion favorise une meilleure compréhension d'ensemble des objectifs personnels
et professionnels du prédécesseur/cédant (Marchesnay, 2007) ou un
meilleur choix du candidat à la relève (Barbot et Richome-Huet, 2007 ;
LeBreton-Miller, Miller et Steier, 2004). D'autres incluent dans la
transmission le processus de socialisation du successeur/repreneur,
lequel débute bien avant son entrée officielle dans l'entreprise à titre
de PDG (Barbot et Deschamps, 2004 ; Boussaget, 2007 ; Cadieux, 2007a ;
Deschamps, 2000 ; LeBreton-Miller *et al.*, 2004), ou le processus de
désengagement du prédécesseur/cédant (Bah, 2008 ; Cadieux, 2005a ;
Pailot, 2000), que la transmission soit familiale ou non. Comme nous
le verrons dans les prochaines pages, les difficultés liées au transfert
de la direction sont nombreuses et elles sont probablement les plus
traitées dans la documentation tant scientifique que professionnelle.
À titre d'exemple, pensons simplement à la difficulté qu'a le prédé-
cesseur/cédant de lâcher prise sur les activités de gestion de son

entreprise, difficulté qui, pour certains (Bah, 2008 ; Christensen, 1979 ; Kets de Vries, 1996 ; Lansberg, 1988 ; Pailot, 2000 ; Peay et Dyer, 1989 ; Sonnenfeld, 1988), représente un frein majeur à la réussite de la transmission d'une PME.

Quant au **transfert de propriété**, il porte sur le transfert légal de l'entreprise. La concrétisation finale est de voir le successeur ou le repreneur devenir le propriétaire de l'entreprise (Bjuggren et Sund, 2005 ; Deschamps, 2000 ; Hugron, 1991 ; Mignon, 2001 ; Senbel et St-Cyr, 2007). Selon les attentes et les besoins de chacune des parties concernées, soit le prédécesseur/cédant et le successeur/repreneur, il existe plusieurs manières d'effectuer un transfert de propriété. Le transfert peut, en effet, se concentrer sur les actifs ou les actions de l'entreprise, comme il peut s'agir d'un transfert global ou par étapes (Bjuggren et Sund, 2005 ; St-Cyr, Richer, Landry et Francoeur, 2005). Le mode de détention de l'entreprise par le prédécesseur/cédant et le mode d'acquisition par le successeur/repreneur sont des facteurs influençant le transfert de la propriété (Bjuggren et Sund, 2005). La contrepartie reçue au moment du transfert peut représenter de l'argent comptant, des sommes à recevoir ou des actions (St-Cyr *et al.*, 2005). Les considérations fiscales sont importantes au moment du transfert afin de limiter les conséquences pour les différentes parties (Bjuggren et Sund, 2005 ; Sansing et Klassen, 2003). Les résultats d'une enquête menée par St-Cyr et Richer (2003b), à laquelle ont répondu une forte majorité (88 %) de successeurs/repreneurs, montrent que les principales difficultés liées au transfert de la propriété sont, pour ces personnes, d'obtenir le capital pour l'achat de l'entreprise, d'établir un juste prix pour l'entreprise, de faire les remboursements relatifs à la succession, de choisir les modes de transfert des actifs ou des actions et de garantir une retraite au prédécesseur/cédant.

3. LES PRINCIPALES MOTIVATIONS LIÉES À LA TRANSMISSION DES PME

La transmission d'une PME est une démarche de longue haleine qui débute bien souvent dès le moment où le propriétaire dirigeant commence à entrevoir la possibilité de ne plus être aux commandes de celle-ci. Une étude autrichienne montre que certains propriétaires dirigeants commenceraient à réfléchir à leur projet au moins trois ans avant de mettre celui-ci à exécution (Mandl, 2004). Mais encore faut-il qu'il le veuille ou, tout du moins, qu'il en ressente le besoin. De ce que nous comprenons, certains amorcent la démarche de façon volontaire. D'autres, non. Dans les faits, nous avons constaté que peu de propriétaires dirigeants de PME intègrent la transmission de leur entreprise dans leur planification stratégique, que cette dernière soit formelle ou non (Cadieux, 2006a; Sambrook, 2005). Les raisons menant un propriétaire dirigeant de PME à amorcer une démarche de transmission sont, par ailleurs, multiples. Parmi les motivations les plus souvent citées dans la documentation scientifique et professionnelle que nous avons consultée, nous retenons :

➤   le désir de prendre sa retraite ;

➤   le sentiment d'avoir atteint l'âge requis pour se retirer de sa vie professionnelle ;

➤   des problèmes de santé ou de la fatigue, qu'elle soit physique ou psychologique ;

➤   l'état de santé précaire du conjoint ou de la conjointe ;

➤   le désir de passer plus de temps avec sa famille ;

➤   le sentiment d'être à la tête d'une entreprise de moins en moins rentable ;

➤   le sentiment de se trouver dans un secteur d'activité en déclin ou trop concurrentiel ;

➤   l'offre de reprise d'un tiers ;

➤   le désir de faire autre chose, par exemple diriger une autre activité, ou, plus simplement, le désir de ne plus être chef d'entreprise ;

➤   la volonté de transmettre l'entreprise aux membres de sa famille ;

➤   le désir de réaliser une plus-value ;

➤   le désir de créer ou de reprendre une autre entreprise.

Par sa nature interactive, la transmission exige la présence d'un nouvel entrepreneur intéressé par la reprise d'une entreprise, que cette personne soit membre de la famille ou non. Selon une large enquête menée en Autriche[2], avant de choisir la carrière entrepreneuriale, la plupart des repreneurs avaient accumulé une dizaine d'années d'expérience comme salariés (Mandl, 2004). Les successeurs/repreneurs n'ont

---

2.   Dans le cadre de cette large enquête, le groupe de recherche a plus particulièrement étudié 725 cas de PME ayant été transférées entre 1996 et 2001, donc dans la perspective du successeur/repreneur.

donc pas tous la «fibre entrepreneuriale» dès leur plus jeune âge. Senbel et St-Cyr (2006a) mentionnent deux principales motivations chez les successeurs/repreneurs: une forte volonté de devenir entrepreneur et l'occasion de devenir entrepreneur. On est donc en présence de deux approches différentes face à la carrière entrepreneuriale: l'une est proactive et l'autre réactive. Sharma et Irving (2005) font, pour leur part, une distinction plus subtile des motivations des candidats à la relève, notamment lorsqu'il s'agit de reprendre l'entreprise familiale. Selon les auteurs, pour certains il s'agit d'une décision fortement imprégnée d'un sentiment d'obligation, tandis que, pour d'autres, la décision découle d'un sentiment d'attachement affectif à l'entreprise. Leur motivation a, toujours selon ces mêmes auteurs, une incidence sur le degré d'engagement des candidats à la relève. Plus ils se sentent obligés de reprendre l'entreprise, moins ils s'y investissent. *A contrario*, plus ils le font par attachement, plus ils s'impliquent et, dans la foulée, meilleures sont leurs chances de réussir leur projet. Au reste, selon la documentation que nous avons consultée, les principales motivations des candidats à la relève tournent principalement autour:

> ➤ du besoin d'indépendance du successeur/repreneur;

> ➤ du plaisir d'entreprendre et d'être dirigeant d'entreprise;

> ➤ de la possibilité d'investir et de gagner de l'argent;

> ➤ de la possibilité de travailler dans un secteur d'activité qui leur tient à cœur;

> ➤ du besoin de perpétuer la tradition familiale, dans le cas où le candidat à la relève reprend l'entreprise familiale;

> ➤ du besoin de conserver les emplois déjà existants; et

> ➤ de la chance de relever un nouveau défi.

4. LES PRINCIPALES DIFFICULTÉS LIÉES À LA TRANSMISSION DES PME

Les difficultés vécues par les différents groupes d'acteurs engagés dans la démarche de la transmission d'une PME sont diversifiées. À ce sujet, l'enquête faite par Transregio en 2005 auprès de futurs repreneurs et de futurs cédants de PME de sept pays d'Europe – l'Allemagne, l'Autriche, la France, l'Italie, la Lituanie, la Pologne et la Slovénie – est intéressante. Les résultats montrent en effet combien les difficultés diffèrent selon le groupe auquel on s'adresse. Alors que l'identification du candidat à la relève est de loin le premier obstacle rencontré par les propriétaires dirigeants de PME en poste, c'est l'accès au financement et le repérage d'entreprises à reprendre qui seraient les principales difficultés vécues par les candidats à la relève ayant participé à l'étude. En d'autres mots, d'un côté, il y a le propriétaire dirigeant qui est soucieux d'assurer la continuité de sa PME, alors que de l'autre il y a un nouvel entrepreneur désireux de se lancer en affaires, notamment par le biais d'une reprise d'entreprise. Les deux ont leurs propres objectifs personnels et professionnels, lesquels sont pourtant fortement liés dans une dynamique de transmission d'entreprise.

■ 4.1. Les difficultés du prédécesseur/cédant

Dans une dynamique de transmission, la première personne à laquelle on pense est le prédécesseur/cédant. Parmi les difficultés couramment mentionnées dans la documentation consultée, certaines concernent son attitude face à son retrait des activités courantes de son entreprise. Certains affirment que la principale difficulté du propriétaire dirigeant découle de son fort degré d'attachement à son entreprise, d'autant plus s'il l'a fondée (Bah, 2008 ; Christensen, 1979 ; Kets de Vries, 1996 ; Lansberg, 1988 ; Pailot, 2000 ; Peay et Dyer, 1989 ; Sonnenfeld, 1988), tandis que d'autres aborderont les difficultés de celui-ci dans une perspective plus économique. Par exemple, ayant appris à subvenir à leurs besoins et à ceux des membres de leurs familles principalement par l'entremise de leurs activités d'affaires, les propriétaires dirigeants de PME auraient, pour certains, tendance à se fier à ces mêmes sources de revenus après s'être retirés de leur entreprise, dans le cas où ils gardent contact avec celle-ci (Maynard, 2000 ; Potts, Shoen, Loeb et Hulme, 2001a). Ou à considérer la vente de leur entreprise comme le principal fonds de retraite auquel ils ont droit, le moment venu (FCEI, 2005 ; Scarratt, 2006).

Quelle que soit la stratégie de sortie envisagée, la préoccupation est la même. Pour la majorité des propriétaires dirigeants de PME, maintenir le niveau de qualité de vie auquel ils sont habitués demeure une préoccupation importante lorsqu'ils pensent à leur retraite (Cadieux, 2006a ; Potts, Schoen, Loeb et Hulme, 2001b). Néanmoins, le propriétaire dirigeant d'une PME qui retire des bénéfices tangibles et intangibles de la transmission de son entreprise a de fortes chances d'être persuadé avoir atteint ses objectifs personnels et professionnels, ce qui, dans la foulée, aura un effet sur le degré de satisfaction qu'il ressentira. Le prédécesseur/cédant étant parmi les acteurs ayant suscité le plus d'intérêt, tant dans la communauté scientifique que professionnelle, voici les difficultés les plus couramment soulevées à son sujet, sans qu'elles soient nécessairement, ici, citées en ordre d'importance :

➤ la difficulté à préparer et à planifier sa relève ;

➤ la difficulté à décider de céder ;

➤ la difficulté à se détacher de son entreprise, surtout s'il l'a fondée ;

➤ la difficulté à parler ouvertement de la transmission de son entreprise ;

➤ la difficulté à s'occuper autrement que par le biais de ses activités professionnelles ;

➤ la difficulté à transmettre ses connaissances et son savoir-faire ;

➤ la difficulté à transmettre son capital relationnel ;

➤ la difficulté à trouver un ou des candidats à la relève sérieux et motivés ;

➤ la difficulté à intéresser ses enfants à l'entreprise ;

➤ la difficulté à évaluer le juste prix de vente de son entreprise ;

➤ la difficulté à fournir des informations aux candidats à la relève sans qu'une relation de confiance soit établie ;

➤ la difficulté à informer son personnel des projets de transmission ;

➤ la difficulté à assurer une transition avec le successeur/ repreneur ;

➤ la difficulté à trouver du soutien avant, durant et après la démarche de transmission (conseillers, consultants, etc.).

■ 4.2.   Les difficultés du successeur/repreneur

Par définition, nous retenons que la transmission inclut la présence d'un ou de plusieurs candidats à la relève. Selon la forme de transmission prévue, il peut s'agir des enfants du dirigeant, des employés ou de tiers n'ayant presque jamais ou jamais eu de contact avec l'entreprise au préalable. Il va de soi que la nature des obstacles rencontrés par le candidat à la relève peut varier selon que celui-ci travaille déjà dans la PME ou qu'il choisisse de rependre une entreprise avec laquelle il n'a quasiment jamais eu de contact au préalable. Par exemple, « le repreneur, qui n'a quasiment jamais eu contact avec la cible au préalable, doit faire face à des enjeux d'acceptation plus cruciaux, notamment de la part des acteurs provenant des environnements interne et externe de l'entreprise qu'il reprend. Il va travailler avec des salariés qu'il n'a pas recrutés, des partenaires qu'il n'a pas choisis, dans une entreprise qui a fonctionné sans lui pendant plusieurs années et dans laquelle le cédant, surtout s'il l'a fondée, a joué un rôle prédominant » (Deschamps et Cadieux, 2008, p. 2). Voici les difficultés liées au successeur/repreneur que nous retrouvons le plus souvent dans la documentation scientifique et professionnelle que nous avons consultée :

➤ la difficulté à repérer une ou plusieurs entreprises à reprendre ;

➤ la difficulté à obtenir toute l'information sur l'entreprise et son secteur d'activité ;

➤ la difficulté à intégrer ses nouvelles fonctions de dirigeant ;

➤ la difficulté à se faire accepter du personnel de l'entreprise ;

➤ la difficulté à agir comme patron auprès des autres membres de la fratrie, dans le cas d'une relève familiale ;

➤ la difficulté à intégrer le réseau du prédécesseur/cédant ;

➤ la difficulté à travailler avec du personnel non recruté par ses soins ;

➤ la difficulté à reconnaître et à développer les compétences qui lui sont nécessaires pour prendre en charge une entreprise souvent arrivée à maturité ;

➤ la difficulté à avoir une communication de qualité avec le prédécesseur/cédant ;

➤ la difficulté à négocier le prix et les conditions de la reprise de l'entreprise ;

➤ la difficulté à trouver ou à obtenir du financement pour son projet de reprise ;

➤ la difficulté à trouver de l'information sur les procédures de reprise ;

➤ la difficulté à trouver du soutien avant, durant et après la reprise (conseillers, consultants, etc.).

■ 4.3.   Les difficultés des membres de la famille

Les membres de la famille peuvent également être concernés par la démarche de la transmission, notamment dans le cas d'une PME. La présence familiale touche deux dimensions, celle de la propriété et celle de la direction. Pour ce qui est de la propriété, retenons que la majorité des PME possèdent une structure de capital familial pouvant varier entre 80 % pour les PME françaises (OSEO, 2005) et 96 % pour les québécoises (Cadieux, 2006a). En ce qui concerne les activités de gestion stratégiques ou opérationnelles, notons qu'il est, là aussi, fréquent de voir travailler un ou plusieurs membres de la famille dans les PME existantes. Les résultats d'une enquête menée auprès de 128 PME manufacturières québécoises montrent qu'un peu plus de 80 % d'entre elles procurent de l'emploi à au moins un membre de leur famille et que, pour 40 %, c'est au minimum deux membres de la famille qui y travaillent (Cadieux, 2006a). De toute évidence, les membres de la famille immédiate, voire élargie dans certains cas, sont touchés par la transmission. Voici donc les principales difficultés mentionnées dans la documentation consultée qui peuvent être vécues par les membres de la famille, que ceux-ci travaillent ou non dans l'entreprise :

➤ la difficulté à se détacher psychologiquement et physiquement de l'entreprise ;

➤ la difficulté à continuer à travailler dans l'entreprise sans en être propriétaires ;

➤ la difficulté à travailler avec les membres de la fratrie, dans le cas d'une relève familiale ;

➤ la difficulté, pour le conjoint, à se retrouver dans une dynamique de couple une fois le propriétaire dirigeant de PME à la retraite.

■ 4.4.   Les autres difficultés

La transmission d'une PME ne se fait pas en vase clos. Tant le processus touche le prédécesseur/cédant, le successeur/repreneur et les membres de leurs familles respectives, tant il a des répercussions sur d'autres catégories d'acteurs des environnements interne et externe de la PME. Pensons, par exemple, aux différents actionnaires qui peuvent être liés à certaines PME ; à l'équipe de gestion, que l'on peut retrouver sous la forme de conseil d'administration, de conseil consultatif ou de comité de gestion (IGOPP, 2008)[3] ; ou aux employés qui seront, eux aussi, directement touchés par l'éventuel changement de garde (Mickelson et Worley, 2003). Parmi les acteurs de l'environnement externe, il y a les clients, les fournisseurs ou les partenaires d'affaires avec qui le propriétaire dirigeant a créé des liens au fil des ans. Pensons également aux représentants des institutions financières ou aux conseillers avec qui la PME fait ou fera des affaires tout au long du processus de la transmission.

Notons, toutefois, que d'autres catégories de facteurs provenant de l'environnement externe peuvent être prises en compte. La législation fiscale est un bon exemple. Une modification du taux d'inclusion du gain en capital ou du montant de l'exemption du gain en capital pourrait, en effet, amener un montant plus ou moins élevé dans les goussets du prédécesseur/cédant et, dans la foulée, avoir des répercussions sur le projet de transmission. En somme, il existe une foule de facteurs et de parties prenantes à prendre en compte dans le processus de la transmission. Parmi les difficultés recensées dans la documentation consultée à leur égard, voici celles que nous avons retenues :

➤ la difficulté à mobiliser et à garder le personnel clé durant et après la transmission ;

➤ la difficulté à conserver la réputation de l'entreprise avant, durant et après la transmission ;

➤ la difficulté à mobiliser les principales parties prenantes (clients, fournisseurs, institutions financières, etc.) dans le projet de transmission ;

➤ la difficulté à trouver des partenaires financiers intéressés par le projet de transmission ;

➤ l'absence ou le manque de souplesse des lois touchant la transmission (taxes, impôts, etc.) ;

---

3. Selon une étude menée auprès de PME familiales de l'Outaouais, 50 % d'entre elles ont un conseil d'administration. Dans 79 % des cas, ce conseil est composé unilatéralement des membres de la famille, tandis que seules 2 % des PME répondantes ont des personnes extérieures à la famille qui font partie du conseil d'administration. Au reste, selon cette même étude, 26,6 % des PME interrogées ont un conseil consultatif. De ces conseils consultatifs, 48 % sont composés des membres de la famille seulement ; 45 % sont mixtes et 7 % seulement n'impliquent que des personnes extérieures à la famille (employés ou non) (UQAH, 1993).

➤   l'absence de données fiables sur la transmission et la reprise des PME permettant d'estimer les chances de réussite ou d'échec avant d'entreprendre un tel projet.

5. NOTRE OUVRAGE

Depuis de nombreuses années, les PME sont considérées comme particulières et complexes. Comme nous l'avons vu, la majorité d'entre elles sont très petites, donc procurent de l'emploi à très peu de salariés. Mais d'autres sont de plus grande taille, tant au regard du chiffre d'affaires qu'elles génèrent ou qu'à celui du nombre d'emplois qu'elles procurent souvent à toute une région. Particulières et diversifiées, les PME ont pourtant un lieu de rencontre : le propriétaire dirigeant qui, souvent à lui seul, donne le ton à l'entreprise. Dans cette perspective empreinte de complexité, la transmission des PME ne peut être considérée comme une problématique simple ou homogène. Ainsi, certaines entreprises changeront de propriétaire dirigeant sans que cela ait beaucoup d'impact sur la gestion ou sur la propriété. D'autres connaîtront plus de difficultés, notamment parce qu'elles sont très intimement liées au savoir-faire du propriétaire dirigeant fondateur (Cadieux, Denis et Germain, 2007 ; Marchesnay, 2007). La problématique de la transmission est d'autant plus complexe qu'elle peut être envisagée selon plusieurs formes (de base ou mixtes) ou selon les contextes dans lesquels chacune des PME évolue.

Ce livre a donc pour principal objectif de présenter les différents enjeux et perspectives de la transmission des PME, permettant une compréhension plus globale du phénomène en ce qui concerne tant le transfert de la direction que celui de la propriété, et ce, quelle que soit la taille de l'entreprise. Dans l'ensemble, ce livre devrait aider le prédécesseur/cédant, le successeur/repreneur, les membres de la famille ou toute autre partie prenante dans la compréhension des changements qui les attendent, que la transmission envisagée soit familiale ou non. Ultimement, nous espérons que cet exercice de sensibilisation à la problématique de la transmission des PME permettra à chacune des parties prenantes de prendre des décisions plus éclairées et de poser des gestes plus assurés, favorisant ainsi la réussite du projet de continuité de l'entreprise.

Selon les auteurs, la réussite du projet de la transmission d'une PME est intimement liée à la qualité des réflexions individuelles et communes et aux décisions prises par les deux principaux protagonistes engagés dans la démarche, soit le prédécesseur/cédant et le successeur/repreneur. Vu la diversité des options de transmission envisageables, dans cet ouvrage les auteurs proposent des pistes de réflexion et leurs particularités de mise en œuvre, de même que les conséquences pouvant en découler. À cet effet, **le premier chapitre** présente les trois principales formes de transmission pouvant être envisagées par les propriétaires dirigeants de PME, les avantages et les inconvénients qui y sont liés, de même que les facteurs à prendre en compte selon que la transmission est familiale ou non. Au **chapitre 2,** ce sont les aspects particuliers de la préparation de chacune des catégories d'acteurs susceptibles de participer à la démarche de la transmission qui seront traités. À ce propos, nous sommes convaincus qu'une préparation adéquate du prédécesseur/cédant, du successeur/repreneur, des membres de la famille, des employés et des différents acteurs de l'environnement externe assure un meilleur transfert de la direction de l'entreprise. Dans un souci de compréhension complète de la problématique, le **chapitre 3** traite de la gestion des relations intergénérationnelles. C'est un aspect non négligeable dans la dynamique de la transmission, puisque, pour réussir, deux générations ont l'obligation de s'arrimer avant, pendant et après le projet de continuité de l'entreprise.

Dans la poursuite de la compréhension de la problématique de la transmission, le **chapitre 4** traite des différentes formes de transfert de la propriété et des nombreux choix qui s'offrent selon différentes configurations actuelles et futures. Il est notamment question de divers modes d'acquisition, dont le gel successoral et l'utilisation de fiducie. Le **chapitre 5** s'attarde à la question de l'évaluation de la valeur de l'entreprise, notamment sur le plan des principes de base, de même qu'aux méthodes d'évaluation des PME et du processus de négociation. Quant au **chapitre 6,** il aborde le financement de la transmission en distinguant les types et les sources de financement, cela tout en présentant des exemples types de montages financiers.

Enfin, le **chapitre 7** présente la façon dont le propriétaire dirigeant d'une PME peut se faire accompagner dans sa démarche de transmission, en ce qui concerne tant le transfert de la direction que celui de la propriété, pour mener, en conclusion, à ce que nous comprenons de la transmission des PME. Par conséquent, ce livre a pour public cible :

➤ les propriétaires dirigeants de PME pour qui assurer la transmission de leur entreprise, qu'ils ont pour la plupart fondée, est un défi qu'ils veulent relever avec brio ;

➤ les nouveaux entrepreneurs pour qui la carrière entrepreneuriale, par le biais d'une reprise d'entreprise, peut représenter un défi intéressant ;

➤ les membres de la famille qui accompagneront soit le prédécesseur/cédant ou le successeur/repreneur dans leurs projets respectifs de transmission ou de reprise d'une PME ;

➤ les étudiants en administration des affaires, qui seront de plus en plus susceptibles de travailler ou d'intervenir dans des PME où la transmission est un enjeu important ;

➤ les nombreux conseillers externes susceptibles d'être de plus en plus sollicités dans l'accompagnement d'une transmission ou d'une reprise de PME ;

➤ les conseillers gouvernementaux qui, tous les jours, doivent répondre aux demandes des propriétaires dirigeants de PME ;

➤ les décideurs gouvernementaux et paragouvernementaux qui, dans leurs fonctions, doivent mettre en place des mécanismes permettant d'aider les PME à assurer leur continuité, donc la vitalité de notre tissu économique.

L'originalité de ce livre découle de la complémentarité des champs d'expertise respectifs des deux principaux auteurs, Louise Cadieux et François Brouard. **Louise Cadieux, DBA,** professeure en management à l'Université du Québec à Trois-Rivières, avec la collaboration de **Bérangère Deschamps**, maître de conférences à l'Université de Grenoble II, s'est plus particulièrement intéressée aux différentes formes de transmission et aux différents aspects liés au transfert de la direction, notamment en ce qui touche les éléments de préparation des différents acteurs engagés dans la démarche de transmission. Pour sa part, **François Brouard, DBA, CA,** professeur agrégé en comptabilité et en fiscalité de l'Université Carleton, s'est investi dans la dimension du transfert de la propriété des PME, entre autres sur le plan des formes de transfert de la propriété, du prix, de la valeur et du processus de négociation et du financement. Par la complémentarité des champs d'intérêt et d'expertise des auteurs, ce livre propose une approche unique et innovatrice pour aborder la problématique complexe de la transmission des PME.

Écrit dans un style accessible à tous, l'ouvrage est principalement basé sur des résultats de recherches scientifiques et professionnelles plutôt que sur des perceptions ou des expériences personnelles. Présentant et vulgarisant de nombreux exemples, il s'agit d'un travail de synthèse adapté aux propriétaires dirigeants de PME actuels et futurs pour qui la transmission est source de préoccupations. Sans prétention, les auteurs aimeraient, avec ce livre, aider les propriétaires dirigeants aux prises avec la problématique de la transmission à envisager plus sereinement la continuité de leur entreprise, que cette dernière soit de très petite, de petite ou de moyenne taille. De même, ils aimeraient encourager chez les nouveaux entrepreneurs la reprise d'entreprise considérée comme avenue possible et prometteuse.

La transmission des PME

Les formes

Comme nous l'avons brièvement souligné en introduction, la transmission des PME peut prendre diverses formes, dont trois principales : la transmission familiale, la transmission interne et la transmission externe. Ces différentes formes se caractérisent principalement par le type de lien qu'entretient le candidat à la relève avec l'entreprise. Il peut ainsi s'agir d'une PME où le propriétaire dirigeant actuel prévoit assurer la continuité par au moins un membre de la famille appartenant à la nouvelle génération ou d'une PME dans laquelle le propriétaire dirigeant prévoit le faire par la mise en place d'une relève interne composée de cadres ou d'employés ou, encore, par la vente à une ou plusieurs personnes n'ayant aucun lien avec la famille, ni avec l'entreprise. Voyons de plus près en quoi chacune de ces formes de transmission se distingue.

1.1. LA TRANSMISSION FAMILIALE

La première forme, la « transmission familiale », concerne les PME où le propriétaire dirigeant prévoit assurer la continuité de son entreprise par au moins un membre de la famille appartenant à la nouvelle génération. Selon les résultats de l'étude de Transregio (2005), cette forme de transmission est susceptible de se produire dans 35 % des cas, ce qui est cohérent avec les résultats des autres études consultées sur le sujet. Soulignons, entre autres, une enquête québécoise révélant que, parmi les répondants de 128 PME manufacturières, 37 % disaient préférer une transmission familiale (Cadieux, 2006a). Bien qu'un peu plus du tiers des propriétaires dirigeants de PME montrent une nette préférence pour cette forme de transmission, seul le quart l'envisage sérieusement. La différence s'explique, le plus souvent, par le manque d'intérêt de la part des enfants à l'égard de l'entreprise de leur parent. Selon les résultats de l'étude d'OSEO (2005), la taille de l'entreprise ainsi que la présence d'un membre de la famille dans celle-ci auraient une incidence sur cette option de transmission, puisque les propriétaires dirigeants d'entreprises moyennes, plus que ceux de petites entreprises, estiment important que celles-ci demeurent au sein de la famille. De ce que nous comprenons de la problématique, cette attitude de la part du propriétaire dirigeant de PME pourrait trouver son explication dans la valeur financière que représente l'entreprise pour la famille et le patrimoine y étant associé, de même que dans le désir du propriétaire de voir une belle entreprise, la sienne, continuer à procurer de l'emploi et un style de vie intéressant à sa progéniture.

ENCADRÉ 1.1
Les PME et la transmission

Bien que la majorité des PME vivent une première expérience de transmission, pour certaines ce n'est pas le cas. Par exemple, l'étude que nous avons menée auprès de 128 PME manufacturières québécoises montre que, parmi celles qui sont créées de toutes pièces, 59 % sont de première génération, 13 % de deuxième génération et 1 % de troisième génération (Cadieux, 2006a). Une autre étude à laquelle ont répondu 408 PME familiales turques présente à peu près le même profil, dans la mesure où 60,3 % des répondantes sont de première génération, 30,1 % de deuxième génération, 7,8 % de troisième et 1,2 % de quatrième (Tatoglu *et al.*, 2008).

Selon Transregio (2005), les transmissions familiales seraient en régression dans la plupart des pays qui ont participé à leur étude. Le même phénomène est d'ailleurs observé en Autriche (Mandl, 2004). Extrapolant la réflexion de la Commission européenne (2006), on pourrait l'expliquer, par exemple, par la baisse du taux de natalité dans les pays industrialisés, de même que par la hausse de la qualité de la formation scolaire des successeurs potentiels et par l'éventail de plus en plus étoffé des occasions de carrière qui leur sont offertes sur le marché du travail. Notons enfin que le simple fait de ne pas connaître les intentions de leurs parents à l'égard des projets de continuité de l'entreprise peut être un frein important à la transmission familiale. Qui n'a pas, un jour, trouvé sur sa route un propriétaire dirigeant qui n'avait encore jamais signifié clairement à ses enfants son rêve de les voir reprendre l'entreprise, par peur de leur imposer une carrière qu'ils n'auraient pas eux-mêmes choisie?

Dans le parcours d'une PME où il existe une relève familiale – et plus précisément dans le cas d'une entreprise où il s'agit d'une première expérience de ce type –, deux principales étapes se distinguent[1]. Comme l'illustre la figure 1.1, la première étape correspond à la période où le propriétaire dirigeant remplit la plupart des fonctions au sein de son entreprise. À la suite d'une revue exhaustive de la littérature sur les définitions des entreprises familiales, Poulain-Rehm (2006, p. 79) explique que les PME dites personnelles sont « des entreprises dont les créateurs eux-mêmes sont aux commandes et possèdent la majeure partie du capital, voire l'intégralité ». Pour l'auteur, le qualificatif familial est inapproprié pour ces entreprises, qui n'ont pas encore vécu au moins une transmission à un membre de la famille ou n'envisagent pas cette avenue. Notons que cette étape du processus d'évolution d'une PME peut correspondre à des créations pures d'entreprises, tout autant qu'à des PME ayant déjà vécu une transmission interne ou externe. Sur ce point, l'étude de Mandl (2004) montre qu'en Autriche plus des deux tiers des reprises de petites entreprises sont l'œuvre d'une seule personne; elles sont donc très fortement centralisées autour du propriétaire dirigeant.

La seconde étape du parcours d'une PME représente, pour sa part, la période au cours de laquelle le propriétaire dirigeant partage avec au moins un membre de la nouvelle génération pouvoirs et responsabilités en vue d'assurer la continuité de son entreprise. Dans cette optique, il y aura donc une dynamique implicite ou explicite d'échange entre le prédécesseur et le successeur permettant une éventuelle transmission du pouvoir et de la propriété de la PME. Somme

---

1. Cette évolution des entreprises familiales est fortement documentée, notamment par des auteurs classiques en la matière comme Barnes et Hershon (1976), Churchill et Hatten (1987), Gersick *et al.* (1997), Holland et Boulton (1984), Holland et Oliver (1992) et Peiser et Wooten (1983).

toute, la présence d'un ou de plusieurs successeurs est, de ce que nous en comprenons de l'évolution des PME, suffisante pour que l'entreprise ait le statut de «familiale». Ayant été le principal maître d'œuvre depuis qu'il est dans les affaires, dès le moment où le propriétaire dirigeant d'une PME envisage une transmission familiale, il doit accepter de partager le pouvoir avec un ou plusieurs membres de sa progéniture, principalement afin d'assurer la continuité de l'entreprise. Cette seconde période est donc particulière, puisque la PME ne tourne plus autour d'un seul acteur, mais bien de deux qui sont, de surcroît, des membres de la même famille. Voilà ce qui explique que tant d'experts en «entreprise familiale» insistent sur la qualité de l'inter-action des acteurs. Sur ce dernier point, une bonne qualité de commu-nication, empreinte de respect et de confiance mutuels, est, selon plusieurs, une des clés de la réussite pour ce type de transmission (Cunningham et Ho, 1993; Lansberg et Astrachan, 1994; Morris, Williams et Nel, 1996; Morris, Williams, Allen et Avila, 1997).

FIGURE 1.1
Le parcours d'une PME: de personnelle à familiale

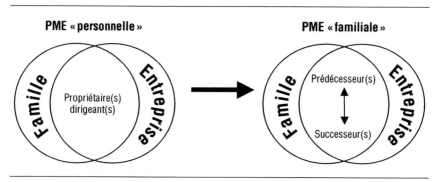

Dans cette perspective, et par sa nature, le critère d'intention de continuité à un membre de la famille faisant partie de la nouvelle génération est déterminant puisque, comme le résume le tableau 1.1, il permet de distinguer les «PME personnelles» et les «PME fami-liales», notamment par la dynamique qui s'installe entre les membres de différentes générations en vue d'assurer la continuité de l'entre-prise. La position de certains auteurs est, par ailleurs, claire: dans le cas où il n'existe pas de volonté ferme chez le propriétaire dirigeant de transmettre son entreprise à au moins un membre de la génération suivante, nous pouvons considérer être devant ce que certains appellent une «famille en affaires» ou une entreprise «personnelle» plutôt

TABLEAU 1.1
**Les critères pour distinguer les PME «personnelles»
et les PME «familiales»**

Les PME «personnelles» et les PME «familiales»	
Les critères usuels pour définir *à la fois* les PME personnelles et les PME familiales ou les familles en affaires	Au moins un membre de la famille contrôle: • la propriété de l'entreprise (actifs ou capital-actions); • la gestion effective de l'entreprise (stratégique et opérationnelle).

Les PME «familiales»	
Le critère déterminant permettant de distinguer les PME personnelles et les PME familiales	Intention ferme de continuité pour au moins un membre de la famille faisant partie de la nouvelle génération.

qu'une «entreprise familiale» (Astrachan et Shanker, 2003; Chua, Chrisman et Sharma, 1999; Churchill et Hatten, 1987; Gersick *et al.*, 1997; Poulain-Rehm, 2006).

À ce propos, Astrachan et Shanker (2003) soulignent la nature subjective et dynamique du critère d'intention de continuité, le rendant ainsi sensible à la critique. Par exemple, l'intention qu'a le prédécesseur de transmettre son entreprise à l'un de ses enfants peut facilement ne pas être claire tant et aussi longtemps qu'il ne sera pas assuré d'avoir un successeur potentiel en qui il a confiance (Chrisman, Chua et Sharma, 1998; Sharma, Chrisman et Chua 2003) ou, encore, cette intention peut devenir plus présente dès lors qu'un des enfants du propriétaire dirigeant signifie son intérêt pour l'entreprise. Néanmoins, parce que ce critère permet de distinguer les PME familiales des autres types de PME, pour nous il demeure un choix intéressant, notamment parce qu'il a une incidence sur les stratégies à long terme de la PME qui envisage ce type de transmission. Comme le suppose la typologie de logique d'action de Julien et Marchesnay (1996), le critère d'intention de continuité a, en effet, des répercussions sur les décisions stratégiques du propriétaire dirigeant. Alors que, dans les PME «familiales», la majorité des décisions stratégiques sont prises autour de la mise en place de la nouvelle génération, dans les autres types de PME il est probable que les décisions stratégiques favorisent plutôt la génération de profits pour les membres de la famille qui sont en affaires, et cela, peu importe le type de transmission qui sera envisagé ultérieurement.

ENCADRÉ 1.2
Le profil stratégique des propriétaires dirigeants de PME

La typologie de Julien et Marchesnay (1996) suppose l'existence de deux principales logiques d'action chez les propriétaires dirigeants de PME. D'un côté, il y aurait ceux qui ont un profil PIC (pérennité – indépendance – croissance). Dans leurs décisions stratégiques et opérationnelles, ces propriétaires favoriseraient celles qui assurent la pérennité (continuité) de leur entreprise. De l'autre, il y aurait les propriétaires dirigeants qui favorisent, dans l'ordre, la croissance, l'autonomie et la pérennité (continuité) de leur entreprise, ce que les auteurs ont nommé le profil CAP. Il va de soi que les deux grands types de logiques d'action déterminés par les auteurs ont des conséquences directes sur la forme de transmission qui sera favorisée au sein de la PME. Alors que les premiers préféreront la transmission familiale, les autres envisageront plus facilement les autres formes de transmission.

■ 1.1.1. La transmission familiale : le processus

La transmission familiale est la forme la plus connue et qui a suscité le plus d'intérêt parmi les chercheurs de disciplines très diverses (Bird, Welch, Astrachan et Pistrui, 2002). Déjà, au début des années 1970, Danco, cité dans Hugron (1993), distinguait deux aspects dans le processus de la transmission d'une entreprise : le transfert de la direction et celui de la propriété. Dans la foulée des travaux de Hugron (1991) et de Handler (1989), c'est ce que propose la figure 1.2 dans laquelle le processus du transfert de la direction comprend les phases d'initiation, d'intégration, du règne-conjoint et du désengagement. Quant au transfert de la propriété, il contient les phases de la planification, de la consultation auprès d'experts, du choix et de la finalisation. Voici brièvement en quoi consistent les phases que nous venons de nommer.

En ce qui concerne le transfert de la direction, durant la phase d'**initiation** le dirigeant a pour principale préoccupation la gestion courante et complète de l'entreprise. Même si le successeur n'a pas de place apparente dans l'entreprise, c'est durant cette période qu'il y est initié et qu'il développe une perception positive de son parent comme dirigeant. Par exemple, il arrive qu'on discute de l'entreprise au cours d'un souper familial ou que le parent amène ses enfants encore très jeunes avec lui sur les lieux de son travail. Ainsi, durant cette phase,

FIGURE 1.2
La transmission familiale : une vue d'ensemble

PRÉDÉCESSEUR			
PDG			Président du CA
Phase D1	Phase D2	Phase D3	Phase D4
Initiation	Intégration	Règne-conjoint	Désengagement
Le transfert de la direction			
Le transfert de la propriété			
Phase P1	Phase P2	Phase P3	Phase P4
Planification	Consultation	Choix	Sanction
Aucun rôle	Emploi à temps partiel ou complet	Postes de responsabilités à titre de gestionnaire ou de cadre	PDG
SUCCESSEUR			

il est possible que le futur successeur démontre de l'intérêt pour l'entreprise de son parent, de même qu'il se peut que ce dernier choisisse déjà implicitement celui qui prendra la relève.

La seconde phase, celle de l'**intégration**, débute au moment où le prédécesseur intègre le successeur dans l'entreprise. Dans la majorité des cas, ce dernier y occupe d'abord un poste à temps partiel ou saisonnier, ce qui lui permet de se familiariser avec les rouages de l'entreprise familiale. Quel que soit son statut, le successeur est en période d'apprentissage et développe ses connaissances techniques aussi bien que certaines de ses compétences en gestion. Dans certains cas, on peut observer un début de transfert de savoir-faire, de responsabilités et d'autorité, et cela, même si le successeur demeure souvent confiné à des tâches de subalterne et qu'il participe très peu aux décisions opérationnelles et pas du tout aux décisions stratégiques.

La troisième phase, celle du **règne-conjoint**, est considérée comme l'étape charnière du processus. Ce qui la distingue des précédentes découle, entre autres, de l'arrivée officielle du successeur à ce titre dans l'entreprise. C'est durant cette période, pouvant durer entre deux et douze ans selon les cas, que le prédécesseur et le successeur travaillent côte à côte pour assurer le transfert des responsabilités et de l'autorité, cela, jusqu'à ce que le successeur devienne autonome dans les décisions qui concernent l'entreprise. Afin de favoriser la réalisation de leurs objectifs, à la fois personnels et professionnels, dans certains cas il est possible que le prédécesseur s'implique personnellement dans la formation et dans l'intégration de son successeur. Même si ce dernier connaît bien l'entreprise pour y avoir déjà travaillé, c'est durant cette phase que le successeur acquiert les compétences nécessaires pour éventuellement occuper le poste de dirigeant d'entreprise. Enfin, c'est aussi durant cette période que le successeur doit faire ses preuves et prendre la place qui lui revient.

ENCADRÉ 1.3
La transmission familiale : un processus

La transmission familiale est un processus dynamique durant lequel les rôles et les fonctions du prédécesseur et du successeur évoluent de manière dépendante et imbriquée, dans la perspective ultime de transférer à au moins un membre de la famille appartenant à la prochaine génération, d'une part, la gestion de l'entreprise et, d'autre part, la propriété.

La dernière phase du processus du transfert de la direction, celle du **désengagement**, est caractérisée par l'entrée en poste officielle du successeur, par le retrait du prédécesseur comme dirigeant de l'entreprise et par la transmission entière des responsabilités, du leadership et de l'autorité ainsi que, dans la plupart des cas, par le transfert de la propriété. Dans les transmissions familiales, il est fréquent de voir le prédécesseur continuer à s'impliquer dans l'entreprise après son retrait officiel de celle-ci. Les exemples à ce sujet sont nombreux. D'abord, même retirés, plusieurs agissent comme présidents du conseil d'administration (Cadieux, 2007b ; Hugron, 1991 ; Hunt et Handler, 1999 ; St-Cyr et Richer, 2003b). Cela, nous devons l'admettre, leur préserve un certain droit de regard sur les décisions stratégiques de l'entreprise. Ensuite, en plus de prodiguer soutien et conseils aux nouveaux dirigeants, d'autres prédécesseurs conservent leurs liens avec l'organisation soit en agissant à titre d'ombudsman ou de représentant de l'entreprise (Aronoff et Ward, 1992a), soit en occupant de nouvelles fonctions au sein de l'entreprise, n'empiétant toutefois pas sur celles des nouveaux dirigeants en poste (Cadieux, 2007b ; Hunt et Handler, 1999 ; Sonnenfeld, 1988). Ainsi, contrairement à ce que prétendent certains (Barnes et Hershon, 1976 ; Handler, 1989), dans les cas de transmissions familiales, la phase du désengagement ne correspondrait pas obligatoirement à celle où la propriété et le contrôle de l'entreprise ont été complètement transférés aux successeurs. Cette phase correspondrait plutôt à celle où les prédécesseurs changent officiellement de statut (Cadieux, 2005b; Churchill et Hatten, 1987; Longenecker et Schoen, 1978), même s'ils gardent un certain contrôle par l'entremise de leur droit de veto.

Bien que le processus du transfert de la propriété n'évolue pas de la même manière, ni au même rythme que celui de la direction, il est, là aussi, possible de distinguer quatre phases sur lesquelles nous reviendrons plus en détail dans les chapitres 4, 5 et 6 traitant des différentes dimensions du transfert de la propriété. Calqué sur les modèles classiques de prise de décisions en gestion, le processus du transfert de la propriété comprend, comme le transfert de la direction, quatre principales phases. La première, celle de la **planification,** représente la période durant laquelle le prédécesseur élabore formellement ou non une liste de principes et d'objectifs lui permettant de préciser la manière dont il assurera le transfert du capital-actions ou des actifs de son entreprise. Dans certains cas, cette phase peut débuter dès que le propriétaire dirigeant se lance en affaires, tandis que, dans d'autres cas, cela ne se fera que lorsque celui-ci sera assuré d'une relève compétente et intéressée. La phase 2, celle de la **consultation**, représente la période où le prédécesseur consulte les experts, notamment pour le montage juridique et fiscal de la transmission de son entreprise le menant à la phase 3, celle où il fait un **choix**, plus précisément à l'égard de ses objectifs financiers personnels et de ceux de l'entreprise. Enfin, la dernière phase, celle de la **sanction**, se distingue par la signature officielle de divers documents de transfert de la propriété, aspect symbolique sanctionnant la fin d'un processus et le début d'un autre. Notons ici que, dans les cas de transmissions familiales, la signature officielle de documents peut ne pas être considérée comme un indice du transfert total des actifs ou du capital-actions de l'entreprise. Au contraire, le transfert de la propriété peut se faire de manière graduelle, selon les capacités de paiement du successeur.

■ 1.1.2. La transmission familiale: les avantages et les inconvénients

Comme le résume le tableau 1.2, la transmission familiale comporte certains avantages et inconvénients. Parmi les avantages, notons le meilleur transfert des connaissances, principalement à cause du temps que prendra la transmission (OSEO, 2005 ; Sharma, 2004), le fort engage-

TABLEAU 1.2
La transmission familiale : avantages et inconvénients

Avantages	Inconvénients
• Meilleur transfert des connaissances • Fort engagement chez les employés • Capacité de résistance durant les périodes difficiles • Maintien de la culture entrepreneuriale • Possibilité pour le prédécesseur de conserver un lien avec son entreprise, même après avoir laissé officiellement les rênes à son successeur	• Plus grande possibilité de conflits • Népotisme • Nécessité de convaincre les salariés de sa légitimité, de sa valeur réelle (pas seulement en tant qu'enfant du propriétaire dirigeant) • Confusion dans les rôles familiaux et professionnels • Supervision des autres membres de la famille • Complexité du processus qui s'intensifie au fil des transferts générationnels

ment des employés et des membres de la famille (Allouche et Amann, 1998 ; Bégin, 2007 ; Sharma et Irving, 2005), la plus grande capacité de résistance de ce type d'organisations durant les périodes difficiles (Allouche et Amann, 1998 ; Hugron, 1998), le maintien de la culture entrepreneuriale dans la famille (Bégin, 2007) et le processus de désengagement physique et psychologique moins difficile pour le prédécesseur (Cadieux, 2005b). En revanche, la transmission familiale comporte des inconvénients comme les fortes possibilités de conflits, notamment dus à l'indissociabilité entre la famille et l'entreprise (Astrachan et McMillan, 2003 ; Bork, Jaffe, Lane, Dashew et Heisler, 1996 ; Hilburt-Davis et Dyer, 2003 ; Kenyon-Rouvinez et Ward, 2004), la difficulté pour le successeur de faire ses preuves (Barach et al., 1988), le népotisme (Kenyon-Rouvinez et Ward, 2004), la difficulté qu'entraîne la supervision des autres membres de la famille, surtout pour celui qui occupe le poste de PDG (St-Cyr et Richer, 2003b), et la complexité du processus, qui s'amplifie au fil des transferts générationnels (Gersick et al., 1997 ; Hilburt-Davis et Dyer, 2003 ; Lansberg, 1999).

Selon les résultats de l'étude d'OSEO (2005), la transmission familiale serait la forme la plus sûre. L'organisme estime en effet que le niveau de risque imputé aux protagonistes est quasi nul pour les transmissions familiales, tandis qu'un ancien salarié de l'entreprise a deux fois plus de chances de réussite qu'un repreneur externe. Notons que le niveau de risque s'explique, entre autres, par la période de préparation du successeur, laquelle, dans une transmission familiale, s'échelonne sur un plus grand nombre d'années que dans les autres cas de transmission (Deschamps et Paturel, 2005 ; Senbel et St-Cyr, 2007). En bref, bien que la transmission familiale soit favorisée par de moins en moins de propriétaires dirigeants de PME, cette forme demeure un choix gagnant pour toutes les parties prenantes ; cela est vrai, bien entendu, dans la mesure où il y a un successeur intéressé dont le potentiel lui permet de relever les nouveaux défis qui l'attendent (Sharma *et al.*, 2003 ; Tatoglu, Kula et Glaister, 2008). Voilà donc un argument de taille nous autorisant à encourager cette forme de transmission. D'ailleurs, les connaissances sur le sujet sont, depuis plusieurs années, porteuses de résultats pragmatiques en assurant la réussite, et cela, même si la majorité des études empiriques et professionnelles se sont intéressées à la perspective du prédécesseur, laissant souvent pour compte celle du successeur et des autres parties prenantes.

1.2. LA TRANSMISSION INTERNE

La seconde forme de transmission s'intéresse à celle qui est faite à un ou plusieurs employés ou cadres n'ayant aucun lien de parenté avec le propriétaire dirigeant, ce que nous appelons « la transmission interne ». Parmi les options de transmission interne, plusieurs sont possibles. Le repreneur peut être un employé, un groupe d'employés, un ou plusieurs cadres ou, encore, un ou plusieurs actionnaires minoritaires. Comme le résume le tableau 1.3, chacune de ces options se distingue par le degré de connaissance qu'a le repreneur de l'entreprise avant d'en assumer l'entière responsabilité (Barbot et Richome-Huet, 2007 ; Deschamps et Paturel, 2005). Mieux celui-ci connaît l'entreprise et son secteur d'activité, plus la transmission a de chances de réussir (OSEO, 2005).

Les résultats de l'étude d'OSEO (2005) montrent qu'une PME sur trois (32 %) est reprise par d'anciens salariés. Le secteur d'activité de l'entreprise pourrait, néanmoins, avoir un impact sur le type de repreneur interne. Selon Counot et Mulic (2004, p. 4), « les anciens employés reprennent le plus souvent des entreprises de service que l'ensemble des repreneurs ». De plus, selon ces mêmes auteurs, « plus souvent qu'autrement, les anciens salariés qui n'étaient pas dirigeants reprennent de très petites structures alors que les cadres reprennent celles ayant plus de 10 employés ». Ainsi, dans une dynamique de transmission interne, deux variables peuvent être prises en compte pour déterminer le profil du repreneur, soit le secteur d'activité et la taille de l'entreprise.

TABLEAU 1.3
Les options de transmission interne

Un ou des employés	• Le repreneur connaît le cédant et l'entreprise pour y avoir travaillé. • Le repreneur est mieux préparé. • Le cédant dispose d'une période de désengagement plus longue. • L'expertise technique de l'entreprise est préservée. • Le repreneur doit diriger des gens qui étaient ses collègues auparavant.
Un ou des cadres	• Le repreneur connaît le cédant et l'entreprise pour y avoir travaillé. • Le repreneur est mieux préparé. • Le cédant dispose d'une période de désengagement plus longue. • L'expertise managériale de l'entreprise est mieux préservée.
Un ou des actionnaires minoritaires	• Le repreneur connaît le cédant et l'entreprise pour y avoir été principalement impliqué financièrement. • Le repreneur peut connaître l'entreprise pour y avoir travaillé. • L'expertise managériale ou stratégique de l'entreprise est préservée, dans le cas où le partenaire y a été impliqué.

La relève par les salariés regroupés en coopérative est une formule à envisager. Dans un tel cas, les employés peuvent acquérir l'entreprise selon un rythme qui convient aux deux parties. D'une part, cette formule permet au cédant de se distancier tranquillement de son entreprise. D'autre part, elle favorise l'appropriation graduelle de la gestion et de la propriété chez les repreneurs. Durant la démarche de transmission, devenant progressivement propriétaires, les employés doivent apprendre à gérer l'entreprise qu'ils désirent reprendre selon les règles prescrites en matière de coopérative. Au Québec, deux formes de coopératives peuvent être envisagées. La première est la coopérative de travail (CT), laquelle permet aux travailleurs d'exploiter leur entreprise. La seconde est la coopérative de travailleurs action-naires (CTA), qui permet aux employés d'acquérir un bloc d'actions de la PME pour laquelle ils travaillent (MDEIE, 2007). Dans les deux cas, les repreneurs participent à la propriété, au pouvoir et aux résultats de l'entreprise.

Comme le résume le tableau 1.4, le choix de la coopérative comporte certains avantages et inconvénients. Parmi les avantages, notons la conservation des emplois, la participation aux profits pour les membres de la coopérative, le fort sentiment d'appartenance pouvant s'installer au sein de l'entreprise et le droit de regard sur

TABLEAU 1.4
La coopérative: avantages et inconvénients

Avantages	Inconvénients
▪ Maintien des emplois ▪ Participation aux profits ▪ Fort sentiment d'appartenance ▪ Droit de regard sur les décisions de l'entreprise	▪ Lenteur du processus de décision ▪ Apparition possible d'un plus grand nombre de conflits

les décisions des nouveaux propriétaires. Quant aux inconvénients, nous retenons la lenteur du processus décisionnel et l'apparition possible d'un plus grand nombre de conflits dus, entre autres, au nombre de personnes qui participent à la direction de l'entreprise (MDEIE, 2007).

Lorsque les employés cadres acquièrent l'entreprise, il est habituellement question de « *management buyout* » (MBO). La principale force de cette option de transmission interne réside dans la conservation des compétences managériales au sein de la PME. Comme les autres formes de transmission, lorsque le personnel cadre devient propriétaire dirigeant de la PME dans laquelle il travaille, la période transitoire est cruciale. Selon Bühler (2006), afin d'éviter l'émergence de conflits d'intérêts en cours de processus, le cédant et le repreneur doivent s'entendre dès le début des négociations. Par exemple, assez rapidement, le cédant peut déterminer ses conditions de départ, tandis que le repreneur peut verbaliser ses conditions d'entrée et de prise de possession de l'entreprise. Toujours d'après Bühler (2006, p. 2), « l'accession des cadres au statut d'employeur entraîne des changements décisifs pour le personnel, notamment pour les membres de la famille du cédant qui choisiront de continuer à travailler dans l'entreprise après la transmission. Une bonne communication est essentielle pour éviter l'apparition de rumeurs et d'incertitudes et prévenir le départ de personnel clé. »

En bref, dans un souci de réussite du projet de continuité de l'entreprise, dans les cas de transmission à un ou des employés cadres, le cédant et le repreneur doivent, dès que cela leur est possible, informer les employés de leurs intentions respectives. Plus rapidement les employés sont informés et impliqués dans la démarche de transmission, plus ils adhèrent au projet de transmission et moins ils sont susceptibles de quitter l'entreprise. L'ancien actionnaire minoritaire

ENCADRÉ 1.4
La transmission au personnel cadre de la PME

Le rachat d'une entreprise par ses cadres, ou « *management buyout*», est souvent considéré comme une solution naturelle de transfert d'entreprise. Toutefois, les liens existant entre les dirigeants ne doivent pas faire oublier de bien s'entourer et d'instaurer une confiance fondée sur des critères objectifs. Il sera alors plus facile de trouver des partenaires financiers. Et d'éviter tout imprévu avec le vendeur (Bert, 2007, p. 28).

qui acquiert la majorité du capital peut, dans certains cas, être presque apparenté à un repreneur externe s'il n'était pas salarié. Il a une connaissance et une compréhension extérieures à l'entreprise, le précédent propriétaire majoritaire pouvant prendre les décisions stratégiques et gérer opérationnellement l'organisation. Les relations entre cédant et repreneur sont facilitées par leur association préalable. Pour autant, n'étant pas intégré dans le personnel, le repreneur devra faire ses preuves au même titre que le repreneur externe. La situation de l'ancien actionnaire minoritaire salarié est sensiblement différente dans la mesure où il a une bonne connaissance stratégique et opérationnelle de la PME qu'il reprend. La transition consistera pour lui à changer de rôle pour endosser celui de propriétaire dirigeant.

■ 1.2.1. La transmission interne : le processus

Quel que soit le type de repreneur interne, s'il veut réussir, le propriétaire dirigeant a tout intérêt à choisir celui-ci très en amont de son projet de transmission. Cela permettra, comme l'illustre la figure 1.3, d'échelonner le processus de la transmission sur plusieurs années. Dans cette perspective, le repreneur peut être progressivement préparé pour assumer efficacement le nouveau rôle et les nouvelles responsabilités qui l'attendent (MEDEF, 2007 ; Sambrook, 2005). De son côté, le cédant peut se distancier de son entreprise à un rythme lui paraissant plus satisfaisant. Comme pour la transmission familiale, le processus de la transmission interne comporte quatre phases liées au transfert de la direction : la planification stratégique, l'entente, la cohabitation et le retrait. Il comprend également quatre phases liées au transfert de la propriété : la planification, la consultation, le choix et la sanction. Voyons brièvement comment nous expliquons ces phases.

FIGURE 1.3
La transmission interne: proposition d'un modèle

CÉDANT			
PDG			
Phase D1	Phase D2	Phase D3	Phase D4
Planification stratégique	Entente	Cohabitation	Retrait
Le transfert de la direction			
Le transfert de la propriété			
Phase P1	Phase P2	Phase P3	Phase P4
Planification	Consultation	Choix	Sanction
Emploi à temps partiel ou complet dans l'entreprise			
REPRENEUR			

Dans un contexte de transmission interne, les deux premières phases du processus, celles de la **planification stratégique** et de **l'entente**, sont étroitement liées. La première est celle durant laquelle le propriétaire dirigeant élabore son projet de transmission pour la PME qu'il dirige depuis bon nombre d'années. Comme le montre la figure 1.4, au cours de cette période de préparation le cédant réfléchit sur l'avenir de son entreprise et du secteur d'activité dans lequel celle-ci évolue (Duplat, 2007; Lambert, Laudic et Lheure, 2003). Faute de relève familiale, il veut transmettre son entreprise, mais ne sait ni comment le faire, ni à qui proposer le projet. La transmission interne est, en effet, un second choix pour certains propriétaires dirigeants de PME (Scholes, Westhead et Burrows, 2008). Menée dans les règles de l'art, la planification stratégique, qu'elle soit formelle ou non, permet au cédant de reconnaître les forces et les faiblesses de l'entreprise, de même que les menaces et les occasions provenant de l'environnement externe qui peuvent avoir un impact sur les compétences à rechercher chez le repreneur. Ensuite, il lui est possible de dresser une liste exhaustive de repreneurs potentiels, parmi ses employés, qu'il se fera un devoir d'observer avant de prendre une décision et de faire une proposition définitive, menant à une entente commune. Cette démarche comporte donc implicitement une saine gestion des ressources

FIGURE 1.4
Le processus de planification stratégique de la transmission interne

Le propriétaire dirigeant réfléchit aux défis auxquels l'organisation devra faire face dans les prochaines années (croissance, marché en effervescence, concurrence, développement de nouveaux produits, etc.).

Le propriétaire dirigeant dresse une liste exhaustive des compétences que devrait avoir le repreneur pour lui permettre de relever de tels défis.

Le propriétaire dirigeant établit une liste de **tous** les candidats potentiels.

Le propriétaire dirigeant discute de ses choix avec des personnes de confiance.

Le propriétaire dirigeant suit de près la performance de chacun des candidats retenus et l'évalue.

Le propriétaire dirigeant arrête son choix et propose l'occasion au repreneur potentiel.

humaines, de surcroît à long terme (Sambrook, 2005), dans la mesure où l'on retrouve, au sein de la PME, des employés ayant les compétences attendues pour reprendre l'entreprise.

Se succèdent ensuite les phases de **cohabitation** et de **retrait**. Durant la phase de cohabitation, le cédant et le repreneur travaillent ensemble pour effectuer le transfert du leadership. L'objectif de cette phase est de favoriser le maximum de transfert de connaissances de la part du cédant, en même temps que le repreneur acquiert de nouvelles compétences lui permettant de reprendre les rênes le plus efficacement possible. Selon Sambrook (2005), qui a fait une étude de cas auprès de deux repreneurs et deux cédants de trois PME présentes dans le secteur des services, cette période est cruciale pour assurer une bonne préparation du repreneur face à ses nouvelles responsabilités, du cédant face à son éventuel retrait de son entreprise et au maintien de la loyauté des employés, des fournisseurs et des clients de l'entreprise qui sera transmise. Quant à la dernière phase du processus de transmission interne, elle se distingue par l'entrée en poste officielle du repreneur et par le retrait du cédant de son poste de PDG. Sur ce dernier point, certains résultats de récentes études montrent que les cédants peuvent rester dans l'entreprise pendant une période variant entre une et cinq années après la transaction (Mandl, 2004).

ENCADRÉ 1.5
La présence de relève interne dans une PME

Faisant référence à Sambrook (2005), Audet (2008, p. 6) explique ainsi le phénomène du manque de relève interne dans une PME.

Au démarrage, se trouve au cœur de l'entreprise l'entrepreneur, un généraliste avec un sens des affaires et de bonnes compétences sociales, mais qui n'a pas nécessairement toutes les connaissances techniques requises. Les premiers employés à être embauchés sont soit des techniciens possédant les connaissances plus pointues qui manquent au dirigeant ou des hommes à tout faire sans qualification particulière. À la suite de la croissance de l'entreprise, le dirigeant se retrouve dans une situation où il ne peut plus tout contrôler et tout gérer seul. Il recrute alors à l'externe des spécialistes fonctionnels (finance, marketing, ressources humaines, etc.), à moins de promouvoir à l'interne des techniciens ayant graduellement acquis leurs galons. Lorsque vient le temps pour le dirigeant de songer à un retrait des affaires, il n'y a donc pas au sein de l'entreprise d'individu possédant la vision de généraliste du dirigeant, chacun étant plutôt cantonné dans son domaine d'expertise. Qui plus est, les spécialistes en place ont davantage un profil corporatif que celui d'un entrepreneur. Conséquemment, leurs aspirations de carrière risquent peu d'être de prendre la relève de leur employeur.

Pour faciliter le déroulement de ces deux dernières phases, un plan d'action peut être élaboré conjointement par les deux principales parties, soit le cédant et le repreneur. En plus de motiver le repreneur et de favoriser la fidélisation des employés clés dans l'entreprise, cette forme de planification aura pour conséquence, comme nous venons de le voir, de faciliter le processus de désengagement du cédant et l'engagement des principales parties prenantes, comme les fournisseurs, les clients et les institutions financières, à l'ensemble du projet. À ce sujet, les résultats d'une enquête menée par Scholes *et al.* (2008) et à laquelle ont participé 117 repreneurs internes européens montrent que, parmi les PME participantes, 22 % des cédants n'avaient fait aucun plan de transmission au préalable. Toutefois, cette même étude montre que 45 % des cédants avaient planifié leur départ, en collaboration avec les repreneurs, un an avant la transmission et que 30 % au moins l'avaient fait deux ans avant le transfert définitif de la direction et de la propriété de l'entreprise. Des activités de préparation sont donc mises en œuvre par les cédants, dès lors qu'ils ont trouvé un candidat à la relève compétent et intéressé à prendre le relais (Chrisman *et al.*, 1998 ; Sharma *et al.*, 2003).

Quant au transfert de la propriété, là aussi quatre phases peuvent être distinguées. La première, celle de la **planification**, est la période durant laquelle le cédant élabore une liste de principes et d'objectifs lui permettant de préciser la manière dont il assurera son avenir financier et celui de son entreprise. La phase 2, celle de la **consultation**, représente la période où le cédant et le repreneur consultent les experts, notamment pour le montage juridique et fiscal de la transmission de l'entreprise, les menant à la phase 3, celle où ils font un **choix**, plus précisément à l'égard des conditions de transfert de la propriété. Enfin, la dernière phase, celle de la **sanction**, se distingue par la signature officielle de divers documents, aspect symbolique sanctionnant la fin d'un processus et le début d'un autre.

■■ **1.2.2.   La transmission interne :
les avantages et les inconvénients**

Dans l'ensemble, la transmission interne comporte certains avantages et inconvénients. Parmi les avantages, et comme le résume le tableau 1.5, elle permet de conserver l'expertise technique et managériale au sein de l'entreprise tout en protégeant la confidentialité de son savoir-faire, de ses méthodes et de ses procédés (Bühler, 2006 ; Lambert *et al.*, 2003). Ayant évolué au sein de l'entreprise depuis quelque temps, le repreneur possède une bonne connaissance des produits ou des services de l'entreprise qu'il acquiert et, dans le cas de changements imposés par les marchés, il sait où et comment corriger le tir pour assurer la continuité de l'entreprise. Cette forme de transmission permet aussi de maintenir l'esprit d'entrepreneuriat au sein de l'entreprise et, dans la foulée, de diminuer le risque lié aux coûts de transaction (OSEO, 2005). Selon la planification stratégique associée à la transmission de l'entreprise, plus les protagonistes travaillent ensemble afin d'assurer le transfert des savoir-faire et du leadership, plus les chances de réussite sont grandes. En contrepartie, la transmission interne comporte certains inconvénients. Parmi ceux-ci, notons la difficulté de trouver, au sein de la PME, des cadres compétents intéressés et motivés par le projet de reprise (MEDEF, 2007) et l'apparition de conflits latents entre les employés de la PME, lesquels, dans la foulée, devront développer des liens professionnels différents de ceux auxquels ils étaient accoutumés.

TABLEAU 1.5
La transmission interne : avantages et inconvénients

Avantages	Inconvénients
▪ Confidentialité de la transaction	▪ Difficulté pour le dirigeant de repérer les candidats potentiels et de les fidéliser
▪ Bon transfert des connaissances	
▪ Maintien de l'expertise dans l'entreprise	▪ Possibilité de conflits entre les employés
▪ Meilleure préparation du repreneur	▪ Nécessité de convaincre de sa légitimité en interne et en externe
▪ Maintien de l'esprit d'entrepreneuriat au sein de l'entreprise	

1.3. LA TRANSMISSION EXTERNE

La troisième forme de transmission s'intéresse à celle qui est faite à une ou plusieurs personnes n'ayant un lien ni avec la famille ni avec l'entreprise. C'est ce que nous nommons « la transmission externe ». La transmission externe revêt plusieurs variantes : l'entreprise peut être transmise à une personne physique ou à une entreprise (dans le cadre de sa croissance externe). Selon le MEDEF (2007, p. 8), « la cession à une autre entreprise est la première option à laquelle un chef d'entreprise peut penser. Elle est en effet la plus simple, puisqu'il n'aura pas à se soucier de la continuité du management qui sera repris par l'acheteur. » Cela se produit lorsque le propriétaire dirigeant est incapable de trouver une relève parmi les membres de sa famille ou ses employés, ce qui, selon OSEO (2005), peut correspondre à plus de la moitié des cas de transmission.

Comme le résume le tableau 1.6, les options envisageables pour ce type de transmission sont la vente à un concurrent, à un ancien partenaire commercial ou à un tiers ou, encore, la fusion avec une autre entreprise. Pour l'ensemble de ces options, le repreneur n'a à peu près jamais eu de contact, à l'exception, éventuellement, de liens commerciaux avec l'entreprise avant l'amorce du processus de la transmission. Notons que dans le processus de transmission externe le transfert de propriété et le transfert de la direction sont concomitants. « La reprise d'une entreprise par une personne physique est le processus qui, par une opération de rachat, aboutit à la continuation de la vie d'une entreprise, en difficulté ou non, et de tout ce qu'elle contient (structures, ressources humaines, financières, techniques, commerciales...). Par conséquent, le particulier qui reprend une firme l'acquiert en en devenant le propriétaire et le dirigeant » (Deschamps, 2000, p. 145).

TABLEAU 1.6
Les différentes options de la transmission externe

Concurrent	▪ Aucun lien de parenté ▪ Peu de liens commerciaux ▪ Synergie possible ▪ Élimination d'un concurrent
Client	▪ Aucun lien de parenté ▪ Liens commerciaux et rapports professionnels antérieurs ▪ Intégration verticale par le repreneur ▪ Synergie possible
Fournisseur	▪ Aucun lien de parenté ▪ Liens commerciaux et rapports professionnels antérieurs ▪ Intégration verticale par le repreneur ▪ Synergie possible
Autre investisseur externe	▪ Possibilité d'une acquisition pure et simple ▪ Possibilité d'un essaimage ▪ Possibilité d'une fusion d'entreprises ▪ Possibilité d'un regroupement d'entreprises

■ 1.3.1. La transmission externe : le processus

En matière de transmission externe, une majorité de chercheurs qui s'y sont intéressés l'ont fait dans la perspective du repreneur considéré en tant que personne physique (Barbot et Deschamps, 2004 ; Boussaget, 2007 ; Boussaget, Louart et Mantione-Valero, 2004 ; Deschamps, 2000 ; Deschamps et Paturel, 2005 ; Picard et Thévenard-Puthod, 2004). Comme l'illustre la figure 1.5, à la lumière des travaux existants sur la reprise d'entreprise nous pouvons comprendre comment la transmission externe découle d'un processus comportant, lui aussi, quatre principales phases – la réflexion personnelle, la mise en œuvre du projet, la transition et la nouvelle direction – au cours desquelles le cédant et le repreneur évoluent dans leurs projets respectifs. Voyons maintenant en quoi consiste chacune des phases que nous avons retenues.

La première phase, celle de la **réflexion personnelle**, est la période au cours de laquelle le cédant et le repreneur réfléchissent et définissent plus clairement leurs projets respectifs. Pour l'un comme pour l'autre, il faut déjà arriver à prendre la décision de vendre ou d'acheter. Pour le premier, la réflexion se fait autour de nouveaux projets de vie

FIGURE 1.5
La transmission externe : un modèle synthèse

CÉDANT			
PDG			
Phase 1	Phase 2	Phase 3	Phase 4
Réflexion personnelle	Mise en œuvre du projet	Transition	Nouvelle direction
Transferts de la direction et de la propriété			
			PDG
REPRENEUR			

lui permettant de relever de nouveaux défis ou, plus simplement, d'envisager des projets de retraite (Lambert *et al.*, 2003). Il doit prendre la décision de quitter une entreprise qu'il a fondée (dans la majorité des cas encore aujourd'hui) et à laquelle il a consacré sa vie professionnelle. Quant au repreneur, il est plutôt préoccupé par l'éventuelle mise en œuvre d'un nouveau projet d'affaires (Barbot et Deschamps, 2004 ; Deschamps et Paturel, 2005), lequel aura nécessairement une incidence majeure sur sa vie professionnelle, personnelle, familiale et sociale.

Comme le montre la figure 1.6, Deschamps (2000), qui explique la reprise en trois étapes, montre comment la première étape, celle de la décision d'entreprendre, est essentielle pour le repreneur. Cette prise de décision de la part du repreneur résulte de différents paramètres ayant trait à la motivation, conditionnée par les environnements dans lesquels il évolue et la rencontre d'un élément déclencheur (Deschamps, 2007). Durant cette phase du processus de la transmission externe, les protagonistes, motivés par un changement dans leurs parcours personnel et professionnel, sont à la recherche d'une occasion, pour l'un de trouver un repreneur et pour l'autre de trouver une entreprise à reprendre (Barbot et Deschamps, 2004 ; Deschamps et Paturel, 2005 ; Picard et Thévenard-Puthod, 2004). Le repreneur construit un projet de reprise qui vise à l'aider dans sa réflexion et ses démarches. La cible idéale ne doit pas être trop courante, ni être une exception, de manière à ce qu'une occasion soit saisissable. De même, le cédant imagine un éventail de possibilités qui cadreront sa volonté d'ouverture et de dialogue avec un potentiel repreneur.

FIGURE 1.6
Le processus repreneurial selon Deschamps (2000)

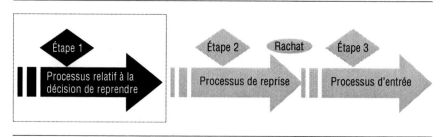

La seconde phase, celle de la **mise en œuvre du projet**, correspond à la période au cours de laquelle le repreneur étudie plus particulièrement l'entreprise ciblée (Barbot et Deschamps, 2004 ; Deschamps et Paturel, 2005). À cette fin, il rencontre le cédant sur les lieux d'affaires ou à l'extérieur de l'entreprise qu'il désire reprendre. Cette phase se caractérise par les rencontres qui se tiendront entre les deux parties, par l'évaluation qu'ils feront de l'entreprise, par la négociation et, enfin, par l'éventuelle signature de l'entente (Barbot et Deschamps, 2004 ; Deschamps et Paturel, 2005 ; Picard et Thévenard-Puthod, 2004). Deschamps (2000) nomme cette phase « processus de reprise » parce qu'elle aboutit à la signature de l'accord, donc à la reprise.

Selon Lambert *et al.* (2003), lorsque le propriétaire dirigeant d'une PME cède son entreprise à un tiers, il doit s'assurer que cette dernière est en bonne santé financière et que le secteur d'activité dans lequel elle œuvre est prometteur pour les prochaines années. Pour sa part, Deschamps (2000) estime qu'il existe de très intéressantes occasions de reprise d'entreprises en difficulté, à condition que le triptyque suivant existe, à savoir : le repreneur doit clairement identifier les causes de défaillance et trouver les solutions pour y remédier ; l'activité de l'entreprise doit se situer dans un secteur porteur ; et les salariés doivent encore trouver de l'énergie et de la motivation pour continuer. Dans cette phase qui concrétise les rencontres entre cédants et repreneurs, les conseillers (experts comptables, banquiers, avocats, notaires) jouent un rôle primordial. Chacun d'eux essaie de protéger aux mieux les intérêts de son client, au risque, parfois, de négociations longues et pénibles.

La troisième phase, celle de la **transition**, est amorcée par le transfert effectif de la propriété de l'entreprise et le transfert du pouvoir du dirigeant (Deschamps et Paturel, 2005). Pour Barbot et Deschamps

(2004), cette phase correspond à l'entrée progressive du repreneur durant laquelle il est possible d'observer un début de transfert de leadership entre les protagonistes. Au cours de cette phase, le repreneur cherche à comprendre l'entreprise qu'il a acquise et tente de définir le nouveau rôle de dirigeant qui l'attend. Il s'agit par conséquent d'une période de socialisation anticipée au cours de laquelle le repreneur se rend dans l'entreprise, en fait une lecture par le biais d'observations et de questions qu'il pose au cédant ou aux employés clés qu'il rencontre au cours de ses visites (Boussaget, 2007 ; Cadieux *et al.*, 2007).

Cette période est délicate pour le repreneur. Sans tout révolutionner, il doit pourtant montrer que le dirigeant a changé ; sans trop s'imposer, il doit pourtant amorcer son propre mode de management, et cela, même en la présence du cédant. Selon Deschamps et Paturel (2005), bien qu'elle soit cruciale, la phase de transition ne doit pas excéder six mois. Pour que la période de transition soit efficace, le cédant doit accepter de laisser l'autorité et le pouvoir au repreneur afin de ne pas nuire au bon déroulement de la transmission. L'ambiguïté réside dans la cohabitation de deux dirigeants à la tête de l'entreprise. Le repreneur doit s'afficher rapidement comme nouveau et seul dirigeant auprès des collaborateurs et des partenaires externes. Cette période est positive si elle est vécue de manière volontariste par les deux intéressés. La capacité du cédant à soutenir la vente de son affaire conditionne le contexte de la transition entre le repreneur et lui. Plus il se sera fait à l'idée de se séparer de son entreprise, plus il sera enclin à coopérer et à passer le relais à son successeur.

La quatrième phase, celle de la **nouvelle direction**, est caractérisée par la prise en main de la structure, par l'établissement d'un nouveau leadership et par les changements organisationnels et stratégiques imposés par le nouveau dirigeant (Picard et Thévenard-Puthod, 2004). Elle correspond donc au moment où le repreneur intègre l'entreprise pour occuper son poste de dirigeant (Cadieux *et al.*, 2007). Le repreneur crée, dès lors, de nouveaux liens avec les employés (Boussaget *et al.*, 2004) en même temps que le cédant les quitte définitivement. Selon Picard et Thévenard-Puthod (2004, p. 105), c'est à ce moment que le repreneur est le plus susceptible de rencontrer des résistances de la part des employés, des clients et des fournisseurs. « Le défi de la phase de management de la reprise est de taille. Le repreneur doit prouver sa légitimité dans le milieu, rassurer les partenaires de l'entreprise (clients et fournisseurs), gagner l'engagement et la motivation du personnel, tout en établissant un nouveau leadership et en développant un nouvel état d'esprit. »

ENCADRÉ 1.6
La transmission externe : la période de transition

Procéder à une période de transition permet d'assurer une certaine continuité et de rassurer l'entourage de la cible (salarié et commercial) en montrant qu'une coopération existe entre les deux protagonistes. Cette période permet également de se familiariser avec les dossiers les plus importants, de transférer le pouvoir et de mettre en place définitivement la reprise en réglant les dernières formalités (Deschamps, 2000, p. 351).

Pour Boussaget *et al.* (2004), cette dernière phase de la transmission externe se traduit par une période d'autosocialisation durant laquelle le repreneur doit se montrer à l'écoute et faire preuve d'humilité, cela principalement dans le but de continuer à asseoir sa crédibilité et sa légitimité. D'après Lambert *et al.* (2003), le cédant serait devant deux principaux choix à la suite de la vente de son entreprise à des tiers. Il peut quitter l'entreprise aussitôt la transition effectuée ou rester pour une période contractuelle. S'il choisit de rester comme contractuel, le cédant doit, néanmoins, accepter de ne plus être le principal responsable de l'entreprise, ce qui provoquera probablement chez lui un sentiment de frustration et d'impuissance face aux décisions qui seront prises par le nouveau dirigeant et sur lesquelles il n'aura aucune emprise.

■ 1.3.2. La transmission externe : les avantages et les inconvénients

Comme le résume le tableau 1.7, parmi les avantages de la transmission externe retenons la possibilité pour le cédant de récupérer rapidement un capital appréciable (MEDEF, 2007) et la possibilité d'une redéfinition stratégique bénéfique pour l'entreprise, notamment dans les entreprises artisanales (Picard et Thévenard-Puthod, 2004). En contrepartie, la présence du cédant durant et après la transmission étant garante de la réussite (OSEO, 2005), l'intégration rapide du repreneur, le retrait rapide du cédant, le peu de temps permettant d'établir une bonne interaction entre les protagonistes et la perte du savoir-faire sont des inconvénients de taille qu'on ne peut passer sous silence.

TABLEAU 1.7
La transmission externe: avantages et inconvénients

Avantages	Inconvénients
• Récupération rapide d'un capital intéressant pour le propriétaire dirigeant • Redéfinition stratégique bénéfique pour l'entreprise • Continuité/dynamisation de l'entreprise • Synergie éventuelle avec les précédents réseaux et expériences du repreneur	• Le peu de temps permettant d'établir une bonne interaction entre le cédant et le repreneur • Possibilité de perte du savoir-faire • Possibilité de pertes d'emplois ou de fermeture de l'entreprise • Mauvais choix du repreneur • Risque de perte de clientèle • Risque de réactions négatives de la part des employés

Selon OSEO (2005, p. 5), la transmission externe est la forme de transmission la plus risquée, puisque, d'après cet organisme, «la connaissance de l'entreprise par le repreneur est un facteur incontestable de succès». Parmi les principaux écueils liés à cette forme de transmission, notons la difficulté du repreneur à avoir la bonne information sur l'entreprise avant de l'intégrer définitivement (Boussaget, 2007) et à se faire accepter des employés qui sont dans l'entreprise depuis plusieurs années (Deschamps, 2000; Picard et Thévenard-Puthod, 2004). Après coup, les principales difficultés mises en avant par les repreneurs concernent des problèmes relationnels avec le cédant, le secteur d'activité moins prometteur que prévu, des difficultés de trésorerie et des réactions de certains salariés susceptibles de bloquer l'entrain de l'entreprise (Deschamps, 2000).

1.4. LES FACTEURS À CONSIDÉRER SELON LA FORME DE TRANSMISSION

Quelle que soit la forme de transmission envisagée par le propriétaire dirigeant d'une PME, certains constats provenant de la littérature consultée méritent d'être soulignés. Le premier concerne l'importance de la préparation – qu'elle soit formelle ou non – qui doit être faite en amont du processus, tant de la part du prédécesseur/cédant que de celle du successeur/repreneur. En plus d'une réflexion stratégique sur l'entreprise qu'il veut transmettre, il semble que le prédécesseur/cédant doive prendre du temps pour réfléchir à différents scénarios concernant sa vie personnelle, sa vie professionnelle, sa vie sociale et sa vie familiale. Meilleure est sa réflexion, plus son projet de transmission a de chances de réussir. De son côté, avant de définitivement décider de prendre les rênes d'une PME souvent arrivée à maturité, le successeur/repreneur doit réfléchir à ses capacités et à ses intérêts, d'abord pour la carrière entrepreneuriale et ensuite pour le secteur d'activité dans lequel évolue l'entreprise visée. Une réflexion stratégique correctement menée lui permettra de mieux préparer son projet d'affaires et de le voir réussir. Dans cette perspective, retenons que le prédécesseur/cédant, de son côté, ne doit pas abandonner son entreprise parce qu'il a décidé de la vendre. Il doit envisager de se séparer d'une entreprise dynamique. Se placer dans une optique de transmettre une belle PME lui donnera ainsi de meilleures chances de réaliser son projet de transmission. Si la situation peine, la reprise sera retardée et se révélera plus lente à impulser un nouveau souffle.

Le second constat concerne l'importance d'assurer la transmission du savoir-faire tant technique, managérial que stratégique de la PME. Dans cette perspective, trois dimensions sont prises en compte, à savoir la manière et le temps que prendront la préparation et l'intégration du successeur/repreneur, de même que le retrait du prédécesseur/cédant. Plus longtemps les protagonistes ont la chance d'interagir, meilleure sera la qualité de leurs relations interpersonnelles et plus grandes seront les chances de réussite de la transmission. Cela explique pourquoi certains se permettent d'avancer que les transmissions familiales sont moins à risque que les autres formes de transmission (OSEO, 2005 ; Sharma, 2004), pour autant, bien sûr, que la qualité de la relation entre le prédécesseur et le successeur soit bonne (Cunningham et Ho, 1993 ; Lansberg et Astrachan, 1994 ; Morris *et al.*, 1996 ; Morris *et al.*, 1997). Cela n'est pas toujours le cas lorsque les membres d'une même famille travaillent dans la même PME.

Le troisième constat touche l'impact que peut avoir la forme de transmission envisagée sur le temps que le prédécesseur/cédant pourra prendre pour se retirer définitivement de son entreprise. Par exemple, dans une transmission familiale, même si le prédécesseur sanctionne le transfert de la direction et le transfert de la propriété au cours de la dernière phase du processus, soit celle du désengagement, il est fréquent de le voir continuer à occuper certaines fonctions, n'empiétant toutefois pas sur celles de son successeur (Cadieux, 2007b ; Hugron, 1991 ; Hunt et Handler, 1999 ; St-Cyr et Richer, 2003b). Cela est même encouragé par les experts en la matière, étant donné que les successeurs continuent à profiter des bons conseils de leurs prédécesseurs tout en ayant l'entière responsabilité de l'entreprise familiale, donc, dans la foulée, de la responsabilité du patrimoine familial. Dans le cas des deux autres formes de transmission, le temps d'interaction suggéré entre les protagonistes est plus précis et plus court (Deschamps et Paturel, 2005; Lambert *et al.*, 2003).

Dans les cas de transmission interne et externe, les experts mettent en effet l'accent sur l'importance de dresser un plan d'action précis, incluant les dates prévues quant au retrait du cédant, surtout afin d'éviter un climat d'ambiguïté chez les employés et les parties prenantes. Notons aussi que, dans les cas de transmission interne, le transfert de la propriété se fait au cours de la phase de cohabitation pendant que le cédant et le repreneur interagissent sur une période déterminée à l'avance, tandis que dans les cas de transmission externe le transfert de la propriété se fait, normalement, avant ou durant la phase de transition. En d'autres mots, dans les cas de transmission interne et externe, les chances que le repreneur crée des liens solides avec le cédant sont moins fortes. Cela va quasiment à l'encontre des pratiques d'accompagnement privilégiées permettant d'assurer la réussite du projet de la transmission (OSEO, 2005).

Enfin, le dernier constat concerne le management de la reprise. Dans les trois formes de transmission, le successeur/repreneur prend la place de quelqu'un, ce qui demande de changer les habitudes de travail en interne et vis-à-vis du marché. La gestion de la reprise en interne et en externe doit se faire en collaboration, en tenant compte de la culture de la PME. Le successeur/repreneur endosse un nouveau rôle, il doit l'assumer et justifier son action. Il est fondamental, quel que soit le type de transmission, de ne pas tenir le personnel à l'écart de la décision du prédécesseur/cédant. Il est préférable d'informer plutôt que de laisser se propager de fausses idées qui n'engendrent qu'inquiétude et démotivation. La transmission doit constituer un acte banal de la vie des entreprises. Elle s'explique et se communique au même titre que toute décision stratégique (Deschamps, 2000).

Afin de faciliter la réflexion des acteurs engagés dans la démarche de continuité d'une PME, le tableau 1.8 résume les groupes de facteurs à considérer selon les trois formes de transmission proposées, soit familiale, interne et externe. Pour chacun des facteurs mentionnés, nous avons indiqué dans quelle mesure chacun peut avoir un impact sur la décision finale des principaux intéressés. Prenons l'exemple d'un propriétaire dirigeant qui réfléchit à son projet de transmission. Pour lui, le temps qu'il s'accorde pour se retirer définitivement de l'entreprise a moins d'incidence sur sa décision lorsqu'il pense à une relève familiale (–), tandis que ce même facteur aura une incidence

TABLEAU 1.8
Les facteurs à considérer selon la forme de transmission

	Familiale	Interne	Externe
Formes de transmission			
Facteurs liés au prédécesseur/cédant			
Retrait définitif de l'entreprise après la transmission	–	+	++
Accompagnement du successeur/repreneur	++	+	–
Continuité des valeurs fondamentales de l'entreprise	++	+	–
Communication efficace avec le successeur/repreneur	+	+	–
Retraite confortable	+	++	++
Récupération rapide d'un capital intéressant	–	+	++
Facteurs liés au successeur/repreneur			
Préparation en termes de transfert de connaissances	++	+	–
Intégration dans l'entreprise	++	+	–
Intégration dans les réseaux du prédécesseur/cédant	++	+	–
Accompagnement par le prédécesseur/cédant	++	+	–
Communication efficace avec le prédécesseur/cédant	+	+	–
Facilité à trouver du financement	–	+	++
Facteurs liés à la famille			
Présence et complexité de conflits	++	–	–
Récupération rapide d'un capital intéressant	–	+	++
Conservation de son emploi dans l'entreprise	++	–	–
Facteurs liés à l'entreprise			
Transfert des connaissances	++	+	–
Engagement des employés	++	+	–
Confidentialité de la transaction	++	+	+
Gestion de conflits complexes	++	+	+
Conservation des emplois	++	+	–
Réorganisation de l'entreprise dans un nouveau créneau d'affaires	–	+	++
Degré de complexité du processus de la transmission	++	+	–

élevée dans le cas d'une relève interne (+) et très importante dans le cas d'une relève externe (++), tout cela en fonction de l'état d'esprit du propriétaire et de son désir de se retirer rapidement ou non de son entreprise. Sur ce point et comme nous le verrons au chapitre suivant, Bah (2008) émet l'hypothèse qu'il existerait, selon le sentiment d'attachement à l'entreprise, quatre profils de cédants dans les cas de transmissions externes et que cela aurait un impact sur le temps d'accompagnement de celui-ci auprès du repreneur, de même que sur la présence de conflits.

En bref, parmi les facteurs liés au prédécesseur/cédant, notons la possibilité pour celui-ci de s'impliquer dans l'entreprise pendant et après la transmission, la possibilité d'accompagner le successeur/repreneur dans ses apprentissages, celle d'aider le successeur/repreneur à intégrer les environnements interne et externe de l'entreprise, les chances de voir se perpétuer les valeurs fondamentales de l'entreprise après son départ (Fiegener, Brown, Prince et File, 1996), les chances qu'il puisse établir une communication de qualité avec le successeur/repreneur et les probabilités de récupérer un capital intéressant lui permettant de s'assurer une retraite confortable. En ce qui concerne les facteurs liés au successeur/repreneur, nous avons retenu le temps qui pourra être consacré à sa préparation et à son intégration, les chances qu'il soit accompagné par le prédécesseur/successeur dans ses apprentissages, les possibilités qu'il puisse établir une communication de qualité avec le prédécesseur/cédant et la facilité qu'il aura à se trouver du financement pour son projet.

Parce que les membres de la famille sont également touchés par la transmission d'une PME, nous avons retenu, en ce qui les concerne, les chances pour eux de se retrouver dans des situations de conflits familiaux au cours de la transmission, les probabilités, pour eux aussi, de récupérer un capital intéressant grâce à la vente de l'entreprise et la possibilité de garder leur emploi dans l'entreprise une fois que celle-ci a été transmise.

Dans la même ligne de pensée, nous avons relevé certains facteurs liés à l'entreprise. Parmi eux, il y a les chances d'assurer un meilleur transfert quel que soit le type de transmission des connaissances, permettant à l'entreprise de garder ses avantages stratégiques, la possibilité d'assurer l'engagement des employés avant, durant et après la transmission; les probabilités d'assurer la confidentialité de la transaction autant de temps que cela est nécessaire, la possibilité d'avoir à gérer des défis complexes, notamment attribuables à l'interaction des membres de la famille dans l'entreprise, les chances pour les employés – qu'ils soient ou non des membres de la famille – de conserver leur emploi après la transmission et les possibilités que l'entreprise soit réorganisée ou fermée après la transaction. Le repreneur externe doit faire face à la complexité de la relation avec le cédant et aux éventuelles réactions des salariés.

Enfin, il semble que le degré de complexité du processus soit différent, là encore, selon la forme de transmission qui sera privilégiée par le propriétaire dirigeant d'une PME. Comparativement aux deux autres formes de transmission – interne et externe –, ce sont les transmissions familiales qui seraient les plus complexes, notamment à cause de l'interaction et de l'indissociabilité de la famille et de l'entreprise dans la dynamique (Birley, Ng et Godfrey, 1999). Ce serait, selon certains, la principale source de conflits, là encore complexes à gérer (Kaslow et Kaslow, 1992 ; Kets de Vries, 1993). Sur ce dernier point, notons que chaque famille est différente. Cet obstacle sera donc perçu comme tel, selon que les membres de la famille sont plus ou moins à l'aise de travailler ensemble, surtout lorsqu'il sera question d'inclure les nouvelles générations.

Le transfert de la direction

La préparation des acteurs

Comme il en a été discuté en introduction, la transmission d'une PME est un processus impliquant plusieurs groupes d'acteurs. Parmi eux, il y a, en avant-plan, le prédécesseur/cédant qui se retire de la gouvernance de son entreprise et le successeur/repreneur qui prend les rênes de cette même entreprise. Néanmoins, et nous l'avons vu en introduction, d'autres acteurs sont touchés par la démarche de transmission. À titre d'exemple, il peut s'agir du conjoint ou de la conjointe du prédécesseur/cédant ou de tout autre membre de la famille nucléaire ou élargie, qu'il soit impliqué activement ou non dans l'entreprise. Il peut s'agir des employés, qu'ils occupent des postes cadres ou non ; des fournisseurs ou des clients qui ont, au fil des ans, créé des liens privilégiés avec le prédécesseur/cédant et qui peuvent voir d'un mauvais œil l'arrivée du successeur/repreneur. Il peut enfin s'agir de tout autre type d'intervenants ou d'experts-conseils avec lesquels la PME interagit. Pensons simplement aux membres du conseil d'administration, du comité consultatif ou du comité de gestion, aux partenaires d'affaires, au comptable agréé, au fiscaliste, au consultant, au conseiller ou au courtier en assurances. Croyant qu'un des facteurs clés de la réussite de la transmission d'une PME débute par une préparation adéquate et adaptée à chacun des groupes d'acteurs pouvant y être impliqués (Cadieux, 2006b), c'est dans cette perspective plurielle que nous verrons dans les prochaines pages comment cette préparation peut se faire.

2.1. LA PRÉPARATION DU PRÉDÉCESSEUR/CÉDANT

D'après plusieurs experts en la matière, les principales sources de résistance à la préparation et à l'achèvement du processus de la transmission d'une PME sont étroitement liées aux caractéristiques psychosociologiques habituellement attribuées aux entrepreneurs. Selon cette perspective, le propriétaire dirigeant d'une PME n'a qu'un principal centre d'intérêt dans la vie, son entreprise, surtout s'il en est l'instigateur. Ayant, au fil des ans, développé des liens d'attachement et un sentiment d'identification significatifs vis-à-vis de celle-ci, il appréhenderait donc instinctivement l'arrivée de cette nouvelle étape de vie l'obligeant à se retirer de la direction de son entreprise en même temps qu'il assure la mise en poste de sa relève. Par peur de perdre son sens d'identité, fortement lié à ses activités entrepreneuriales, le propriétaire dirigeant d'une PME ferait, souvent de manière inconsciente, tout en son pouvoir pour retarder l'amorce du processus de transmission de son entreprise ou pour le faire avorter, que la forme envisagée soit familiale, interne ou externe (Bah, 2008 ; Christensen, 1979 ; Kets de Vries, 1993 ; Lansberg, 1988 ; Pailot, 2000 ; Peay et Dyer, 1989 ; Sonnenfeld, 1988).

À ce sujet, les résultats d'une étude de cas réalisée auprès de douze PME françaises ayant vécu une transmission interne ou externe montrent qu'il pourrait exister quatre principaux profils de cédants : les « cédants détachés », les « cédants attachés », les « cédants contraints » et les « cédants indécis » (Bah, 2008). Suivant cette logique, ce ne serait donc pas tous les propriétaires dirigeants de PME qui auraient la même attitude à l'égard de la transmission de leur entreprise puisque, selon l'importance du sentiment d'appartenance ou du lien affectif qu'ils ont développé avec celle-ci, certains propriétaires dirigeants feraient tout ce qu'ils peuvent pour y rester, tandis que d'autres auraient de la facilité à céder leur entreprise. Pensons, ici, aux entrepreneurs en série, pour qui faire des affaires coïncide avec des ventes et des rachats répétitifs d'entreprises auxquelles ils ne s'attachent presque pas (Wright, Robbie et Ennew, 1997).

ENCADRÉ 2.1
La difficulté de lâcher prise : témoignage d'un entrepreneur

Lors d'une table ronde portant sur le transfert d'entreprise, un entrepreneur y ayant participé disait : « *Quand vous quittez votre entreprise, vous risquez souvent de perdre votre identité... C'est une question extrêmement difficile pour l'entrepreneur. Celui-ci doit redéfinir son rôle. Certains se lancent dans le mentorat... D'autres se trouvent une nouvelle raison de vivre, ailleurs que dans leur entreprise... L'entrepreneur est avant tout un bâtisseur. Un développeur. Vendre son bébé, c'est l'antithèse de sa fonction première* » (Desjardins, 2006a, p. 19).

Même s'il s'y prépare depuis bon nombre d'années, la transmission comporte de nombreux nouveaux défis pour le prédécesseur/cédant. Acteur de premier plan depuis l'exécution de son projet d'affaires, dès le moment où il pense à assurer la continuité de son entreprise celui-ci doit faire face à une situation pouvant lui paraître paradoxale (Cadieux, 2006b). Par exemple, lorsqu'il a entrepris sa carrière d'entrepreneur, le prédécesseur/cédant l'a fort probablement fait pour assouvir ses besoins d'indépendance, d'accomplissement et de reconnaissance (Collins, Hanges et Locke, 2004 ; Zao et Seibert, 2006), ce qu'il risque de ne plus être en mesure de faire lorsqu'il aura définitivement quitté la gouvernance de son entreprise. De plus, ayant, dans la foulée, appris à subvenir à ses besoins et à ceux des membres de sa famille principalement par l'entremise de ses activités d'affaires, le propriétaire dirigeant, désireux de transmettre son entreprise, aurait une préoccupation dominante, celle de maintenir le niveau de qualité de vie atteint grâce à ses activités d'affaires, cela même après en avoir quitté la gouvernance (FCEI, 2005 ; Maynard, 2000 ; Potts *et al.*, 2001a ; Potts *et al.*, 2001b).

Voilà ce qui explique, en partie, les raisons pour lesquelles il peut être difficile pour un propriétaire dirigeant de PME d'envisager sereinement son retrait des affaires courantes de son entreprise. Sur ce sujet, et comme le montre le tableau 2.1, les résultats d'une enquête québécoise à laquelle ont répondu 92 prédécesseurs/cédants révèlent que, parmi les principales difficultés ressenties par ceux-ci, ce sont, par ordre d'importance, préparer et planifier la relève (3,38/5), trouver des candidats à la relève sérieux et compétents (3,34/5) et quitter définitivement leur entreprise (3,28/5) qui sont bonnes premières. Tout de suite après, viennent des difficultés liées plus précisément au transfert

TABLEAU 2.1
Les difficultés ressenties par le prédécesseur/cédant

Énoncé	% des obstacles ressentis comme difficile (4) ou très difficile (5)	Moyenne/5 1 = très facile 5 = très difficile
Préparer et planifier ma relève	43,7	3,38
Trouver des candidats à la relève sérieux et compétents	44,1	3,34
Quitter définitivement la direction de mon entreprise	41,2	3,28
Évaluer le juste prix de vente de mon entreprise	48,5	3,27
Trouver des partenaires financiers pour mon projet de transmission	35,3	3,00
Trouver du soutien en matière de relève	29,0	2,90
Mobiliser le personnel clé avant, pendant et après la transmission	25,7	2,89
Transmettre mes connaissances aux candidats à la relève	30,4	2,86
Assurer une bonne transition avec le candidat à la relève	20,0	2,67
Transmettre mon capital relationnel (réseau d'affaires)	23,2	2,64
Intéresser mes enfants à l'entreprise	20,3	2,44
Parler ouvertement de la transmission de mon entreprise	17,1	2,40
Fournir des informations confidentielles aux candidats à la relève	19,4	2,27
Mobiliser les parties prenantes (fournisseurs, clients, etc.)	4,4	2,26
Parler de la transmission de mon entreprise avec les membres de ma famille	12,9	2,16
Total	27,7	2,80

de la propriété, comme évaluer le juste prix de vente de l'entreprise et trouver des partenaires financiers pour leur projet de transmission (Cadieux et Morin, 2008)[1].

Selon nos référents sociaux nord-américains et européens, prendre sa retraite fait partie du cours normal de la vie de tout individu actif dans la société. La problématique ayant été abordée selon différentes perspectives, nous pouvons, à ce jour, comprendre combien cela correspond à un processus ponctué de périodes réflexives et transitoires impliquant diverses catégories d'acteurs durant lequel le protagoniste se désengage physiquement et psychologiquement du rôle auquel il s'est longtemps identifié, en même temps qu'il en apprivoise de nouveaux tant dans sa vie personnelle, professionnelle, familiale que sociale (Bah, 2008 ; Atchley, 1976 ; Ebaugh, 1988 ; Feldman, 1994 ; Lindbo et Schultz, 1998 ; Smith et Moen, 1998 ; Taylor et Cook, 1995).

Transposé dans le contexte qui nous intéresse, comprendre comment le prédécesseur/cédant parvient à se retirer de la direction de son entreprise fait donc appel à ce processus de transition de rôle (Ashforth, 2001), lequel intègre, comme l'illustre la figure 2.1, deux principales phases. Ces deux phases, la préretraite et la retraite (Atchley, 1976), s'échelonnent durant les phases 3 et 4 des processus de transmission présentés au chapitre 1. Voici comment nous expliquons ce processus au cours duquel le propriétaire dirigeant d'une PME passe d'un rôle de PDG à un nouveau, comme celui de président du conseil d'administration ou de « retraité », dans le cas où il cesse toute activité professionnelle.

---

1. Lors de cette enquête faite pour le ministère du Développement économique, de l'Innovation et de l'exportation, un questionnaire a été posté à 1 857 PME québécoises employant plus de cinq personnes. Des 195 questionnaires retournés, seuls 146 ont pu être traités. Cela explique le taux de réponse final de 7,9 %, lequel, en l'occurrence, est faible, notamment si l'on considère l'ampleur de la question et le nombre d'entreprises concernées. Parmi les 146 répondants, 92 sont des prédécesseurs/cédants, pour une proportion de 63 %, tandis que 54 sont des successeurs/repreneurs, pour une proportion de 37 % de l'échantillon total. Notons, au passage, les plus hauts taux de réponse qui proviennent de trois régions, soit la Mauricie (14,7 %), la Montérégie (14,5 %) et le Bas-Saint-Laurent (10,7 %), et les très faibles taux de réponse pour quatre régions, que sont les Laurentides (2 %), l'Outaouais (3,1 %), Lanaudière (3,7 %) et Montréal (4,2 %).

FIGURE 2.1

Le processus de transition de rôle du prédécesseur/cédant

	Transmission effective de l'entreprise			
Déclencheurs	Phase de «préretraite»	Phase de «retraite»		
		Passage à vide	Réorganisation	Acceptation	Distanciation
	Sortie du rôle de PDG	Appropriation du nouveau rôle de président du CA (relève familiale) ou de nouveaux projets de vie (relève interne ou externe)			
Transmission	Phase D3	Phase D4			
Familiale	Règne-conjoint	Désengagement			
Interne	Cohabitation	Retrait			
Externe	Transition	Nouvelle direction			

D'abord, pour amorcer la démarche de la transition de rôle du prédécesseur/cédant, certains facteurs déclencheurs sont nécessaires. Les plus souvent mentionnés dans la documentation consultée sont son désir de prendre sa retraite (Bonneau, Kerjosse et Vidal, 2007 ; Bruce et Picard, 2006 ; Cadieux, 2005a ; OSEO, 2005) ; ses problèmes de santé ou de fatigue physique ou psychologique, souvent liés à son âge (Cadieux, 2005a ; Malinen, 2004 ; Mandl, 2004 ; Senbel et St-Cyr, 2006a ; St-Cyr et Richer, 2003b) ; l'état de santé précaire de sa conjointe (Cadieux, 2004) ; son désir de passer plus de temps avec sa famille (Malinen, 2004) ; son sentiment d'être à la tête d'une entreprise de moins en moins rentable ou d'être dans un secteur d'activité en déclin (Malinen, 2004 ; Mandl, 2004) ; son souci d'assurer l'emploi de son personnel ; ou l'offre soudaine de reprise du successeur ou d'un tiers (Cadieux, 2004 ; Cadieux, 2006a).

Durant la première phase du processus de transition de rôle, celle de la **préretraite**, selon son âge, son état de santé, la provenance de ses ressources financières et la diversité de ses centres d'intérêt, le prédécesseur/cédant envisage souvent de manière assez positive son éventuel retrait de la direction de son entreprise (Cadieux, 2005a). En vérité, la plupart des propriétaires dirigeants se montrent ouverts à quitter éventuellement leur entreprise, surtout s'ils ont choisi la carrière entrepreneuriale dans le but de prendre une retraite confortable avant l'âge habituellement prescrit dans les pays industrialisés, soit 65 ans. Néanmoins, plus le propriétaire dirigeant se rapproche du moment l'obligeant à passer à l'acte, plus sa réaction risque d'être significative (Atchley, 1976 ; Ashforth, 2001 ; Cadieux, 2005a ; Ebaugh, 1988). Dans les faits, il s'agit d'une période d'insécurité durant laquelle celui qui s'y prépare physiquement et psychologiquement démontre moins de résistance, donc une attitude plus positive au sujet de sa prochaine étape de vie, celle de la retraite (Lindbo et Schultz, 1998).

ENCADRÉ 2.2
Un déclencheur : témoignage d'un entrepreneur

Lors d'une table ronde organisée sur le transfert d'entreprise, un entrepreneur y ayant participé disait : « *Ma réflexion a commencé aux soins intensifs. Ma maladie a finalement permis la transmission d'une quinzaine d'entreprises* » (Desjardins, 2006a, p. 19).

Dans une perspective de transition de rôle, la période de préretraite correspond à un processus de « décristallisation » complexe (Ashforth, 2001), lequel est caractérisé par une continuelle évaluation de la satisfaction du rôle existant, par une constante recherche de l'autorisation d'autrui, de même que par l'identification d'un nouveau rôle dans lequel le protagoniste cherche à se reconnaître (Ebaugh, 1988). Somme toute, à la lumière de ce que nous venons d'expliquer brièvement, il semble tout à fait normal que le prédécesseur/cédant adopte, au cours de cette période préparatoire, des comportements à dissonance cognitive qui peuvent être difficiles à comprendre pour son entourage immédiat.

Quant à la seconde phase du processus de transition de rôle du prédécesseur/cédant, celle de la **retraite**, elle prend forme lorsque celui-ci quitte définitivement son poste de PDG. Bien qu'il se sente prêt à passer à une nouvelle étape de sa vie, lorsque le prédécesseur met son projet à exécution il vit une période de passage à vide qui, selon les cas, peut durer entre deux et six mois (Cadieux, 2005a). Ne pouvant s'identifier ni à son ancien rôle, ni à son nouveau, il se trouve, durant cette période, dans un état d'esprit ambigu provoqué par sa difficulté à trouver les comportements à adopter dans une situation tout à fait nouvelle pour lui (Ashforth, 2001).

Considérée comme une phase normale de sa démarche de distanciation, cette période de déséquilibre est habituellement suivie de celle où le prédécesseur/cédant se réapproprie de nouvelles routines de vie dans lesquelles il se sent à l'aise. Dans une perspective freudienne de deuil, cette phase d'acceptation fait partie intégrante du processus du désengagement du prédécesseur/cédant. Heureux et fier d'avoir réussi la transmission de sa PME, ce dernier adopte alors une attitude plus positive à l'égard de sa nouvelle vie, ce qui, dans la foulée, l'amène doucement à se distancier d'une entreprise ayant beaucoup représenté pour lui (Pailot, 2000).

ENCADRÉ 2.3
Changer de rôle pour un prédécesseur/cédant

Pour Ebaugh (1988), le processus de sortie de rôle débute par une période de remise en question ordinairement provoquée par des insatisfactions ou des déceptions ressenties par l'individu dans son rôle. Caractérisée par une présence constante d'évaluation et de réévaluation du rôle et par une recherche inconsciente de l'autorisation d'autrui, cette première phase est souvent lancée par des événements déclencheurs assez importants pour mettre en doute le degré de satisfaction de l'individu face au rôle qu'il occupe depuis un certain temps. Cette phase est suivie d'une période où l'individu est à la recherche de solutions alternatives. Il identifie de nouveaux rôles et cherche à s'y reconnaître. Il dresse la liste des « pour » et des « contre » et compare. Il s'agit donc d'une démarche de socialisation avec le nouveau rôle qui l'attend. La troisième phase est, pour l'auteure, considérée comme le point décisif du processus de sortie de rôle. En fait, c'est durant cette période qu'apparaissent d'autres événements déclencheurs et que des gestes concrets sont faits en conséquence. Ces gestes sont souvent accompagnés d'une annonce officielle du retrait et d'une diminution de la dissonance cognitive chez l'individu.

Maintenant que nous comprenons ce que peut vivre le prédécesseur/cédant qui se retire de la direction de son entreprise, voyons comment il lui est possible de se préparer. D'abord, comme le résume le tableau 2.2, dès l'amorce du processus de la transmission celui-ci peut se poser des questions sur différentes dimensions concernant ses objectifs de vie selon chacune des sphères dans lesquelles il évolue (Houde, 1999), selon ses besoins qui le font toujours vibrer, comme celui de relever des défis, ou ses besoins de reconnaissance ou d'accomplissement (Collins *et al.*, 2004; Zao et Seibert, 2006) et selon ses résistances susceptibles de l'empêcher d'aller de l'avant dans son projet.

Tableau 2.2
Des pistes de réflexion individuelle pour le prédécesseur/cédant

Ses objectifs	Ses besoins	Ses résistances
• Objectifs de vie personnelle	• Besoin de relever des défis	• Âge
• Objectifs de vie professionnelle	• Besoin de reconnaissance	• État de santé
• Objectifs de vie sociale	• Besoin de diriger une entreprise	• Fermeture aux conseils externes
• Objectifs de vie familiale	• Besoin de se sentir utile	• Méfiance envers la relève
• Objectifs de vie interpersonnelle	• Besoin d'accomplissement	• Attachement à l'entreprise
• Objectifs de vie de couple	• Besoin d'un style de vie	• Provenance des ressources financières
		• Souci d'équité envers les enfants
		• Peu de centres d'intérêt à l'extérieur de l'entreprise

En matière de résistances individuelles parfois exprimées par le prédécesseur/cédant, notons que son sentiment d'être encore trop jeune pour prendre sa retraite ou d'être en trop bonne santé pour cesser ses activités professionnelles, son impression de ne pas avoir une relève compétente, sa fermeture aux conseils provenant de l'extérieur et son attachement à l'entreprise sont des facteurs documentés (Handler et Kram, 1988). Selon la documentation scientifique consultée, ces facteurs seraient même la principale explication du manque de planification à la relève de la part du propriétaire dirigeant (Cadieux, 2004).

Encadré 2.4
Le départ du propriétaire dirigeant: témoignage d'un entrepreneur

Voici ce que disait un ancien propriétaire dirigeant de PME au moment où il participait à une étude portant sur le désengagement du prédécesseur: «Les premiers trois mois, j'ai pas trouvé ça facile. [...] Je me levais le matin et je n'avais plus de responsabilités [...] c'est ça que je trouvais dur parce que j'aime être responsable» (Cadieux, 2004, p. 153).

Pour faciliter la démarche du prédécesseur/cédant, certaines façons de faire sont prescrites. Par exemple, celui-ci peut, au cours de la période transitoire (règne-conjoint, cohabitation, transition), diminuer graduellement son temps de présence sur les lieux d'affaires tout en s'assurant de garder un certain contrôle sur les activités quotidiennes de son entreprise. C'est surtout vrai dans les cas de relève familiale et de relève interne où il peut envisager une période transitoire pouvant s'échelonner sur plusieurs années. Cela peut se faire par la mise en place de mécanismes lui permettant de garder contact avec son entreprise et d'intervenir rapidement lorsque c'est nécessaire. Le tableau 2.3 montre trois exemples de mécanismes de contrôle mis en place par des prédécesseurs de cinq PME familiales québécoises qui ont réussi la transmission à la nouvelle génération. Ces mécanismes de contrôle prennent essentiellement la forme de rapports fournis sur une base régulière, comme ceux qui concernent les ventes journalières ou les flux de liquidité et qui permettent au prédécesseur/cédant d'avoir un œil sur l'état de santé de son entreprise et, dans la foulée, d'évaluer les apprentissages des successeurs/repreneurs (Cadieux, 2005b).

TABLEAU 2.3
Des exemples de mécanismes de contrôle à distance

	Cas 1	Cas 2	Cas 3	Cas 4	Cas 5
Reçoit les états financiers sur une base mensuelle	●	●	●	●	●
Reçoit des rapports sur les fluctuations des liquidités	●	●	●	●	●
Signe conjointement les chèques avec le successeur	●		●		○*

* Le prédécesseur de cette entreprise a signé les chèques durant la première année de la phase du désengagement.

En même temps qu'il acquiert de nouvelles habitudes de vie, certains experts en matière de transmission suggèrent que le prédécesseur/cédant présente officiellement le successeur/repreneur aux employés, aux clients, aux fournisseurs, aux banquiers ou à tout autre intervenant avec qui il entretient une relation privilégiée, que ceux-ci viennent de l'environnement interne ou externe de la PME (Cabera-Suarez, 2005 ; Cadieux, 2007b ; Fiegener *et al.*, 1996). En plus de favoriser la préparation du successeur/repreneur, cela aura pour impact de cristalliser la démarche de désengagement du prédécesseur/cédant et, dans la foulée, de mobiliser les parties prenantes au projet. À ce propos, il est également fortement conseillé que le prédécesseur/cédant sanctionne le passage à la dernière phase du processus du transfert de la direction. Le fait d'annoncer officiellement la nomination du successeur/repreneur lors d'une fête ou simplement de changer de bureau peut, en effet, avoir plusieurs conséquences positives sur les comportements des parties prenantes, comme les employés ou les clients ou les fournisseurs qui ont l'habitude de traiter avec le prédécesseur/cédant (Cadieux, 2005b).

ENCADRÉ 2.5
L'accompagnement du successeur/repreneur

Il est vivement conseillé que le cédant accompagne, avant ou après la cession, le repreneur et l'intronise auprès des diverses parties prenantes. Le cas le plus exemplaire d'une telle pratique se rencontre lorsque c'est le collaborateur [...] qui décide de reprendre l'affaire ... et *a fortiori*, lorsque ce sont certains des enfants qui assurent la reprise – succession (Marchesnay, 2007, p. 230).

Enfin, pour assurer la réussite de la transmission, il est suggéré que le prédécesseur/successeur se fasse accompagner tout au long de sa démarche. Ce peut être par les membres de sa famille, par un ou quelques-uns de ses amis, un ou quelques-uns de ses employés clés ou tout autre conseiller externe qui sera en mesure de l'écouter attentivement dans ses préoccupations (Cadieux, 2006a ; FCEI, 2005 ; Picard et Thévenard-Puthod, 2006). L'important, c'est que le prédécesseur/cédant partage ses préoccupations avec des personnes en qui il a confiance. À ce sujet, les résultats d'une enquête menée auprès de propriétaires dirigeants de PME manufacturières québécoises révèlent que 58 % parlent de leurs projets avec leur conjoint ou conjointe ; 35 % avec leurs enfants ; 28 % avec leurs amis ; 14 % avec leurs employés ; 12 % avec un membre de la famille qui travaille dans l'entreprise ; 8 % avec un membre de la famille qui ne travaille pas dans l'entreprise ; tandis que 28 % n'en parlent avec personne (Cadieux, 2006a)[2]. Enfin, gardons

---

2. Nous faisons ici référence à l'étude à laquelle ont répondu 128 PME manufacturières de la MRC de Drummond, représentant 31 % de la population visée dans cette enquête qui s'intéressait avant tout à la relève. Parmi les répondantes, 41 % sont des entreprises « artisans », incluant les travailleurs autonomes, les « petites » entreprises représentent 39 % de l'échantillon final, tandis que les « moyennes » entreprises en composent 20 %. Ce qui est représentatif de la distribution des PME de la région étudiée.

en mémoire que tout cela ne peut se faire sans que le successeur/ repreneur soit, lui aussi, bien préparé pour prendre les rênes de l'entreprise que le prédécesseur/cédant désire transmettre.

2.2. LA PRÉPARATION DU SUCCESSEUR/REPRENEUR

Parmi les facteurs de réussite couramment soulignés dans la documentation sur la transmission, la préparation du successeur/repreneur occupe une place de choix (Barbot et Richome-Huet, 2007 ; Deschamps et Paturel, 2005 ; Le-Breton *et al.*, 2004 ; OSEO, 2005 ; Picard et Thévenard-Puthod, 2006). Comme le résume le tableau 2.4, trois principales catégories composées d'un total de onze stratégies de préparation du successeur/repreneur se distinguent. Il s'agit des stratégies liées à la formation, qu'elle soit scolaire ou sur mesure, des stratégies favorisant l'expérience, tant à l'intérieur qu'à l'extérieur de l'entreprise, et des stratégies encourageant l'accompagnement du successeur, que ce soit par le prédécesseur/cédant ou par toute autre personne-ressource de confiance permettant au successeur/repreneur un développement des compétences dont il aura besoin pour diriger efficacement la PME qu'il désire reprendre. Parmi ces stratégies, notons la présence d'images d'imitation ou de contre-imitation dans le milieu du successeur/repreneur, la présence d'un mentor ou d'un coach, la possibilité d'être introduit auprès des acteurs des environnements interne et externe de l'entreprise, de même que la présence d'experts en matière de transmission ou de reprise d'entreprise (Cadieux, 2006b ; Cadieux, 2007a ; Deschamps et Paturel, 2005 ; Mandl, 2004 ; Picard et Thévenard-Puthod, 2006).

Chacune des stratégies de préparation du successeur/repreneur recensées dans la documentation scientifique consultée aurait sa raison d'être. Par exemple, pour Chrisman *et al.* (1998), alors que la formation scolaire permet au candidat à la relève de développer des compétences en résolution de problèmes, travailler au sein même de l'entreprise qu'il reprend l'aide à en comprendre la culture et le réseau social. Par ailleurs, l'expérience acquise à l'extérieur de l'entreprise lui permet de développer sa propre identité et, dans la foulée, le prépare à une meilleure compréhension des problèmes auxquels il sera confronté lorsqu'il occupera définitivement son nouveau poste de PDG. Ce que corroborent Plante et Grisé (2005), à la suite d'une étude menée auprès de 29 dirigeants de 22 PME familiales québécoises, suggérant une stratégie mixte d'expérience à l'intérieur et à l'extérieur

TABLEAU 2.4
La préparation du successeur/repreneur : une question de stratégies

	Exemples de stratégies pouvant être utilisées
Formation	▪ Suivre une formation scolaire appropriée ▪ Suivre une ou plusieurs formations sur mesure
Expérience de travail	▪ Travailler dans plusieurs entreprises ▪ Occuper différents types de postes dans l'entreprise, y compris la formation sur le tas ▪ Avoir des mandats comportant des défis intéressants et motivants permettant d'asseoir sa crédibilité et sa légitimité auprès de tous
Compagnonnage	▪ Être ou avoir été en présence d'images d'imitation et de contre-imitation ▪ Avoir un mentor ou un coach ▪ Être introduit auprès des membres de l'organisation ▪ Être présenté aux acteurs de l'environnement externe (fournisseurs, clients, etc.) ▪ Se faire accompagner par des conseillers en transmission d'entreprise

de l'entreprise pour assurer une meilleure préparation du successeur et une meilleure intégration, notamment auprès des membres de l'organisation en place depuis quelques années. D'autant plus que, comme l'illustre la figure 2.2, cela permet d'asseoir la crédibilité et la légitimité du nouveau dirigeant.

FIGURE 2.2
Les défis du nouveau dirigeant

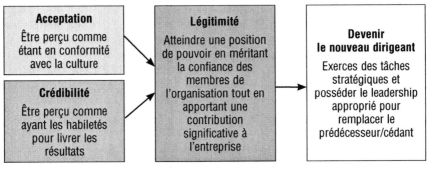

Source : Plante et Grisé (2005).

Mais, selon Chung et Yuen (2003), à elles seules les stratégies liées à la formation scolaire et à la connaissance de l'entreprise seraient insuffisantes pour assurer au successeur/repreneur une bonne maîtrise du secteur d'activité dans lequel évolue l'entreprise et pour prendre des décisions en conséquence. Les résultats de l'étude de Steier (2001) effectuée auprès de 18 entreprises familiales canadiennes ayant vécu un transfert générationnel montrent en effet qu'un successeur compétent : repère les joueurs clés évoluant dans les environnements interne et externe de l'entreprise ; comprend la complexité de leurs interactions ; détecte les apports de chacun ; et distingue lesquels peuvent avoir un impact positif sur l'entreprise. Ce qui se fait idéalement avec la collaboration du prédécesseur/cédant, surtout en ce qui concerne son intégration dans les réseaux existants. À ce sujet, les résultats d'une étude menée par Cabera-Suarez (2005) auprès de sept entreprises familiales espagnoles montrent que celles qui ont le mieux réussi la transmission sont les entreprises où le prédécesseur a introduit son successeur auprès des clients et des fournisseurs, cela en plus d'avoir facilité leur intégration auprès des membres de l'organisation.

Enfin, à la suite d'une enquête menée auprès de 70 repreneurs, Picard et Thévenard-Puthod (2006) soulignent le bien-fondé pour ceux-ci de se faire accompagner d'un coach, surtout s'ils n'ont pas encore acquis toutes les compétences qu'exige le poste. Selon les auteurs, plus le repreneur est accompagné en amont du processus, plus grandes sont ses chances de réussite. À cette dimension de la problématique, Wang, Watkins, Harris et Spicer (2004) proposent, eux aussi, de joindre une stratégie mixte, composée de l'utilisation des services de conseillers, de concert avec des programmes de formation sur mesure plutôt qu'une seule stratégie d'accompagnement. Bref, à la lumière de ce que nous venons d'exposer, nous comprenons combien la préparation du successeur/repreneur relève beaucoup plus d'un amalgame de stratégies que d'une seule ou de certaines d'entre elles, ce qui, déjà, nous indique certaines pistes intéressantes à suivre en matière de meilleures pratiques en transmission.

Selon certains, il est aussi de la responsabilité du successeur/repreneur de montrer qu'il possède les compétences nécessaires pour occuper le poste de PDG qui l'attend. Pour gagner en crédibilité et en légitimité, le successeur/repreneur doit faire ses preuves (Boussaget *et al.*, 2004 ; Cadieux, 2005a ; Deschamps et Paturel, 2005 ; Fiegener *et al.*, 1996 ; Picard et Thévenard-Puthod, 2004). D'autant plus que chacun de ses gestes sera scruté à la loupe par les employés pour qui l'arrivée du repreneur met en péril leurs propres ambitions de carrière au sein de la PME dans laquelle ils travaillent. Sur ce point, les compétences requises chez le successeur/repreneur pour prendre les rênes d'une PME arrivée à maturité sont parmi les critères les plus souvent mentionnés pour expliquer la réussite de la transmission (Chrisman *et al.*, 1998; Chung et Yuen, 2003; Deschamps et Paturel, 2005; Fiegener *et al.*, 1996; OSEO, 2005; Steier, 2001; Wang *et al.*, 2004). Or, comme nous le verrons dans les prochains paragraphes, la variété des compétences recherchées chez le successeur/repreneur est à la fois surprenante et imposante.

Nous inspirant de la typologie de Pettersen (2006) élaborée pour comprendre les compétences de leadership des dirigeants de PME, et à la suite d'une recherche exploratoire menée auprès de 12 PME québécoises soucieuses de la réussite du transfert générationnel (Cadieux, 2007c), nous retenons 43 compétences particulières à rechercher chez le successeur/repreneur[3]. Comme le montre le tableau 2.5, ces compétences sont classées selon sept catégories : la gestion stratégique et la direction générale de l'entreprise, la résolution de problèmes et la prise de décision, la gestion opérationnelle centrée sur les résultats, la gestion des ressources humaines, les relations interpersonnelles et l'influence, la gestion de soi et la gestion des relations familiales, dans les cas où il s'agit d'une transmission familiale. Voyons, brièvement, en quoi celles-ci consistent.

ENCADRÉ 2.6
La compétence : une définition

Selon Pettersen (2006), la compétence se définit comme étant les caractéristiques ou les aspects du comportement d'un individu pouvant être améliorés par la formation et l'expérience que l'individu acquiert au fil des ans. Pour l'auteur, les compétences ne doivent pas être des construits psychologiques abstraits, mais des regroupements de comportements observables, identifiables, sans inférence et groupés en fonction d'un thème central qui devient le titre de la compétence.

---

3. Nous aimerions souligner qu'il s'agit de l'ensemble des compétences recherchées chez le successeur/repreneur et que, de notre point de vue, vouloir les retrouver chez un seul candidat est illusoire. Toutefois, cette typologie de compétences nous aide à mieux comprendre l'ampleur de la tâche d'un propriétaire dirigeant de PME qui, s'il connaît bien ses forces et ses faiblesses, pourra, à l'aide d'une telle grille de compétences, mieux comprendre ce qu'il devra chercher chez ses collaborateurs ou ses partenaires d'affaires.

TABLEAU 2.5
Les compétences recherchées chez le successeur/repreneur

Catégories	Compétences particulières
Gestion stratégique et direction générale de l'entreprise	▪ Avoir une vision à long terme et développer de nouvelles stratégies en fonction des changements provenant de l'environnement externe ▪ Déterminer une mission et des objectifs clairs tout en s'appropriant les valeurs de l'entreprise et continuer à les transmettre ▪ Donner l'exemple ▪ Innover, prendre des risques ▪ Connaître tous les clients et savoir garder leur confiance ▪ Comprendre le secteur d'activité et être capable de s'adapter ▪ Développer ses propres réseaux ▪ Saisir les occasions ▪ S'occuper du développement et gérer la croissance de l'entreprise ▪ Faire accepter le changement (modes de gestion)
Résolution de problèmes et prise de décision	▪ Résoudre des problèmes correctement ▪ Prendre des décisions et en assumer la responsabilité ▪ Faire preuve de jugement et de sens pratique
Gestion opérationnelle centrée sur les résultats	▪ Gérer en général ▪ Connaître tous les produits ou services de l'entreprise ▪ Gérer les finances ▪ Gérer les ventes et le marketing ▪ Gérer la production ▪ Gérer le système d'information ▪ Négocier avec les fournisseurs pour avoir de bons prix
Gestion des ressources humaines	▪ Déléguer ▪ Motiver ▪ Recruter et embaucher du personnel ▪ Gérer le personnel ▪ Détecter les forces et les faiblesses des employés ▪ Encadrer les employés et définir leurs responsabilités ▪ Faire preuve de souplesse avec les employés
Relations interpersonnelles et influence	▪ Entretenir de bonnes relations avec autrui ▪ Communiquer (oral et écrit) ▪ Se faire respecter des employés ▪ Collaborer ▪ Résoudre des conflits ▪ Intégrer l'équipe existante ▪ Être à l'écoute, ouvert aux autres et reconnaître les différences entre les individus

TABLEAU 2.5 (*suite*)

Catégories	Compétences particulières
Gestion de soi	• Connaître ses forces et ses faiblesses et savoir s'entourer • Avoir le sens des responsabilités • Avoir confiance en soi, faire preuve d'autonomie et prendre des initiatives • Faire preuve de créativité • S'adapter et apprendre rapidement • Gérer son temps • Apprendre de ses erreurs et de celles des autres
Gestion des relations familiales	• Entretenir de bonnes relations avec le prédécesseur • Entretenir de bonnes relations avec les membres de la famille qui travaillent dans l'entreprise

Au regard des compétences stratégiques, Mouline (2000, p. 217) écrit « qu'un successeur efficace sera doté d'une capacité cognitive susceptible d'élaborer des visions, de comprendre les caractéristiques clés des situations qui peuvent être incorporées à ces visions et de mettre en œuvre les conditions nécessaires pour transformer cette dernière en réalité ». Toutefois, d'autres compétences stratégiques sont attendues chez le successeur/repreneur. Pensons ici à sa capacité à simultanément intégrer le réseau d'affaires du prédécesseur/cédant, développer son propre réseau et s'approprier le maximum de connaissances sur le secteur d'activité de l'entreprise. Cela aura pour conséquence de lui permettre de détecter les occasions d'affaires porteuses pour le développement de la PME qu'il reprend et de prendre les décisions les plus éclairées possible (Cadieux, 2007a ; Cadieux, 2007c ; Deschamps et Paturel, 2005 ; OSEO, 2005).

Outre les compétences liées à la gestion stratégique et à la prise de décision, le successeur/repreneur doit en développer d'autres pour assurer le développement de la PME qu'il reprend. Parmi celles que l'on trouve dans la documentation consultée, nous retenons les compétences en gestion opérationnelle, qui incluent la capacité du protagoniste à comprendre le produit ou le service offert par l'entreprise, de même que les autres compétences de gestion d'usage en contexte de PME, qu'il s'agisse des ventes, du marketing, des finances, des opérations ou du système d'information (Cadieux, 2007c ; Deschamps et Paturel, 2005).

ENCADRÉ 2.7
Les compétences du successeur/repreneur

Les résultats d'une enquête longitudinale menée par OSEO (2005) auprès de 700 PME françaises ayant réussi au moins une transmission montrent que la connaissance du secteur est primordiale. Pour l'organisme, c'est la connaissance du secteur d'activité qui prévaut sur les compétences en gestion, un repreneur venant du même secteur ayant ainsi deux fois plus de chances de succès qu'un repreneur venant d'un autre secteur.

Toutefois, ce sont les compétences liées à la gestion des ressources humaines qui seraient les plus significatives. Interrogés au sujet de l'ensemble des compétences recherchées chez le successeur/repreneur, les participants de l'étude menée par Cadieux (2007c) ont nommé, à plusieurs reprises, sa capacité à recruter et à embaucher du personnel, à détecter rapidement les forces et les faiblesses des effectifs, à encadrer les employés, à faire preuve d'ouverture d'esprit ainsi qu'à gérer et à motiver le personnel.

En ce qui concerne les compétences liées aux relations interpersonnelles et à l'influence, malgré la facilité du successeur/repreneur à communiquer, à entretenir de bonnes relations avec autrui, à collaborer et à résoudre des conflits, de même qu'à avoir une bonne qualité d'écoute, c'est sa capacité à se faire respecter et à intégrer l'équipe existante qui est jugée la plus importante (Cadieux, 2007c ; Deschamps et Paturel, 2005).

Bien entendu, certaines compétences liées à la gestion de soi sont nécessaires. Notons, entre autres, la capacité du successeur/repreneur à définir ses forces et ses faiblesses, sa capacité à prendre ses responsabilités et à avoir confiance en soi, sa facilité à prendre des initiatives et à faire preuve d'autonomie, sa capacité d'adaptation, de même que sa capacité à gérer correctement son temps (Cadieux, 2007a ; Cadieux, 2007c ; Deschamps et Paturel, 2005).

Enfin, dans le cas d'une transmission familiale, les compétences liées à la gestion des relations familiales sont capitales. Cela s'explique notamment par le fait que les facteurs liés à la qualité de la relation existant entre le prédécesseur et le successeur et parmi tous les membres de la famille sont les plus significatifs pour assurer la réussite de la transmission de l'entreprise (Cabera-Suarez, 2005 ; Cunningham et Ho, 1993 ; Lansberg et Astrachan, 1994 ; Morris *et al.*, 1996 ; Morris *et al.*,

1997). Sur ce sujet, Wang *et al.* (2004) stipulent même que plus l'entreprise est de petite taille, plus il est important que la qualité de la relation entre les protagonistes soit bonne, principalement à cause de la nature des interactions intimes qu'ils auront tout au long du processus et de l'image qu'ils projetteront chez les employés et les autres parties prenantes au projet de transmission.

ENCADRÉ 2.8
L'importance de la famille: témoignage d'un repreneur

Voici ce que disait un repreneur alors qu'il participait à une table ronde sur la relève: « *Moi, j'ai repris une compagnie en faillite. Je me battais avec tout le monde. Pendant plus de deux ans, ma compagnie avait besoin d'un soutien de tous les instants. Jamais je n'aurais réussi sans le soutien de mon épouse à la maison*» (Desjardins, 2006b, p. 26).

Pour faciliter la préparation du successeur/repreneur, certaines réflexions individuelles sont nécessaires. Comme le résume le tableau 2.6, avant même d'entreprendre sa démarche, le successeur/repreneur peut faire un tour d'horizon sur ses propres objectifs, tant en ce qui concerne sa vie personnelle, sa vie professionnelle, sa vie sociale et interpersonnelle, sa vie familiale que sa vie de couple (Houde, 1999). Au même titre qu'il doit comprendre ses véritables motivations à reprendre la PME ciblée. Sur ce sujet, Bégin (2007, p. 31)

TABLEAU 2.6
Des pistes de réflexion individuelle pour le successeur/repreneur

Ses objectifs	Ses motivations	Ses forces et ses faiblesses
• Objectifs de vie personnelle	• Besoin de relever des défis	• Traits de personnalité
• Objectifs de vie professionnelle	• Besoin de reconnaissance	• Formation
• Objectifs de vie sociale	• Besoin de diriger une entreprise	• Compétences stratégiques
• Objectifs de vie familiale	• Besoin d'accomplissement	• Compétences en gestion
• Objectifs de vie interpersonnelle	• Besoin d'un style de vie	• Compétences interpersonnelles
• Objectifs de vie de couple	• Intérêt pour la PME ciblée	• Expériences précédentes

écrit que, « pour avoir une chance de se concrétiser, la reprise de l'entreprise familiale devra être perçue par le successeur potentiel comme une voie d'épanouissement personnel et professionnel en parfaite résolution avec ses propres aspirations et non pas comme un devoir filial ». Ce qui corrobore la théorie de Sharma et Irving (2005) stipulant que le sentiment d'attachement du successeur/repreneur peut avoir des conséquences sur son degré d'engagement vis-à-vis de l'entreprise à reprendre et, dans la foulée, sur les chances de réussite du projet de transmission.

De plus, comme le mentionnent Deschamps et Paturel (2005), il est aussi recommandé que le successeur/repreneur réfléchisse sur ses capacités à reprendre la PME ciblée, de même que sur son intérêt pour le secteur d'activité dans lequel elle évolue. Les questions qu'il peut se poser à cet égard sont nombreuses. A-t-il les traits de personnalité que l'on retrouve habituellement chez les entrepreneurs, comme la ténacité, la passion pour son travail, une facilité à communiquer sa vision (Baum et Locke, 2004) ou, encore, est-il en mesure de démontrer de la tolérance à l'ambiguïté ou au risque et la capacité de prendre des décisions sans avoir obtenu, au préalable, toute l'information qu'il aurait espéré avoir ?

Dans un souci de réussite de la transmission, un rappel est nécessaire. Que la transmission soit familiale ou non, maintenir le prédécesseur/cédant dans l'organisation durant la période de préparation du successeur/repreneur est important (Cadieux, 2005a ; Deschamps et Paturel, 2005 ; OSEO, 2005). La présence du prédécesseur cédant peut rassurer les principales parties prenantes au projet, comme les membres de la famille, les employés ou les acteurs de l'environnement externe. Elle peut, toutefois, avoir un impact négatif sur la capacité du successeur/repreneur à développer sa crédibilité et sa légitimité auprès de tous. Par exemple, un prédécesseur/cédant qui ne montre pas de solidarité à l'égard des décisions prises par le successeur/repreneur peut, sans le vouloir, entretenir un climat d'ambiguïté tant pour les employés que pour les autres parties prenantes.

À cet effet, les résultats de Cadieux (2005a) montrent que, même si les prédécesseurs font preuve d'ouverture et de disponibilité envers leurs successeurs durant le temps où ils travaillent ensemble en vue de transférer la direction de l'entreprise, se défaire des comportements associés à leur rôle de PDG n'est pas aussi simple. Selon les successeurs interrogés, les prédécesseurs avaient en effet tendance à intervenir dans les décisions qu'ils avaient prises. Ce qui aurait eu un impact considérable sur leur capacité à prendre leur place auprès des employés pour qui les directives provenant des prédécesseurs demeuraient prioritaires. Pour éviter un éventuel climat d'ambiguïté qui pourrait s'installer malgré la bonne volonté des protagonistes, ceux-ci devront, dès que la démarche sera amorcée, tenter de délimiter le plus claire-ment possible les rôles et les responsabilités de chacun dès le moment où ils travailleront ensemble. Cela aura pour conséquence de fixer les rôles de chacun et, dans la foulée, de rassurer toutes les parties prenantes au projet de la transmission, qu'ils viennent de l'environ-nement interne ou externe de la PME.

ENCADRÉ 2.9
L'accompagnement du prédécesseur : témoignage d'un successeur

Il faut que les anciens dirigeants soient prêts à partir, mais ils doivent prendre quelques années pour le faire... Ce n'est pas facile pour la relève s'ils laissent tout tomber d'un coup (Nahas, 2007a, p. 6).

Déterminer, dès que cela est possible, une date à laquelle le trans-fert de la direction pourra être officiel et réfléchir sur le rôle que le prédécesseur/cédant pourra assumer auprès du successeur/repreneur par la suite sont aussi des pratiques suggérées, notamment dans les cas de transmission interne ou de transmission externe. Dans le cas d'une transmission familiale, retenons les fortes probabilités que le prédécesseur garde contact avec l'entreprise plusieurs années après l'entrée en poste officielle de son successeur. Sur ce sujet, plusieurs résultats de recherches empiriques montrent la variété des rôles que peuvent assumer les prédécesseurs après l'entrée en poste officielle du nouveau dirigeant. Dans les cas de transmissions familiales étudiées, les prédécesseurs continuent à agir, par exemple, comme conseillers auprès de leur successeur ou comme membres du conseil d'administration ou, plus simplement, en y occupant un nouveau poste ou de nouvelles fonctions clairement définis et n'empiétant d'aucune manière sur ceux des nouveaux dirigeants (Cadieux, 2005a ; Hunt et Handler, 1999 ; Sonnenfeld, 1988 ; St-Cyr et Richer, 2003b). Trouver de nouveaux rôles pour le prédécesseur dans l'entreprise est, d'ailleurs, une pratique de plus en plus encouragée par les experts en matière de transmission familiale. Encore faut-il que la qualité de la commu-nication soit bonne entre les membres de la famille, ce qui n'est pas toujours le cas. Enfin, l'accompagnement d'intervenants externes ayant les compétences requises est aussi fortement recommandé pour faci-liter à la fois la préparation et l'intégration du successeur/repreneur pressenti. Ces intervenants peuvent, comme le décrit le tableau 2.7, agir comme coachs, comme mentors ou à titre d'experts, selon le type de conseil requis.

TABLEAU 2.7
Les principales fonctions d'un mentor et d'un coach

Mentor	*Coach*
Assurer le **développement de carrière** du successeur/repreneur en : • lui enseignant • le supervisant • le protégeant • lui procurant de la visibilité • lui donnant la chance de relever des défis. Encourager le développement de ses **compétences psychosociales** en : • lui donnant confiance en lui • lui servant de modèle • lui prodiguant des conseils • devenant son confident • le soutenant tout au long de son cheminement.	• Déterminer ses forces et ses faiblesses • Préparer un plan d'action afin de bonifier ses compétences • Montrer comment développer certaines compétences particulières • Montrer comment améliorer ses comportements de gestion et prendre des décisions • Faire de l'accompagnement durant les moments critiques • Donner des conseils précis en posant des questions dont les réponses sont à portée immédiate, à court ou à moyen terme • Donner du feedback sur ses performances

Sources : Aronoff et Ward (1992b) ; Houde (1995) ; St-Jean et Audet (2007).

Notons que certaines qualités et compétences sont à rechercher tant chez le mentor que chez le coach. Le tableau 2.8 résume les principales qualités à rechercher. Parmi elles, nous retenons, entre autres, des qualités liées à certaines valeurs fondamentales dans une démarche de transmission, comme la franchise et l'honnêteté, ainsi que des qualités et compétences liées à la capacité d'écoute du coach ou du mentor, comme l'ouverture d'esprit, la disponibilité, la patience et la capacité de s'adapter aux autres.

2.3. LA PRÉPARATION DES MEMBRES DE LA FAMILLE

Pour diverses raisons, la transmission d'une PME touche tous les membres de la famille, qu'ils s'y impliquent ou non. Cela s'avère évident dans les cas de transmissions familiales. Mais aussi dans les autres

TABLEAU 2.8
Les principales qualités à rechercher chez un mentor ou un coach

- Il est franc
- Il est honnête
- Il est impartial
- Il est ouvert
- Il est disponible
- Il est patient
- Il est à l'écoute
- Il a des affinités avec le successeur/repreneur
- Il est capable de s'ajuster au profil psychosociologique du successeur/repreneur
- Il comprend le contexte particulier de la PME que veut reprendre le successeur/repreneur
- Il connaît le secteur d'activité dans lequel évolue la PME que veut reprendre le successeur/repreneur
- Il connaît la problématique de la transmission des PME
- Il a les compétences pour agir comme coach ou mentor

Sources : Aronoff et Ward (1992b) ; Houde (1995) ; St-Jean et Audet (2007).

cas de transmissions, qu'elles soient internes ou externes. Sur ce point, notons que la très grande majorité des PME emploient des membres de la famille et que ces personnes sont, la plupart du temps, la conjointe et les enfants du propriétaire dirigeant. Comme l'illustre la figure 2.3, les résultats d'une enquête menée auprès de PME manufacturières québécoises montrent en effet que 81 % des entreprises participantes procurent un emploi à des membres de la famille. Parmi ces dernières, 64 % emploient au minimum deux membres de la famille, tandis que seulement 17 % emploient entre trois et six membres de la famille. Enfin, notons aussi que parmi les dirigeants de PME embauchant des membres de leur famille, 44 % emploient leur conjoint, 30 % procurent un emploi à leurs fils et 14 % à leurs filles (Cadieux, 2006a) et que très peu emploient des membres de la famille élargie, comme les cousins, cousines, beaux-frères ou belles-sœurs[4].

---

4. À ce sujet, les résultats montrent que la taille de l'entreprise a peu d'impact sur la fréquence de l'implication du conjoint ou de la conjointe dans l'entreprise puisque dans les trois types de PME auxquels nous nous intéressons, les conjoints sont présents dans quasiment la même proportion.

FIGURE 2.3
L'implication des membres de la famille dans les PME

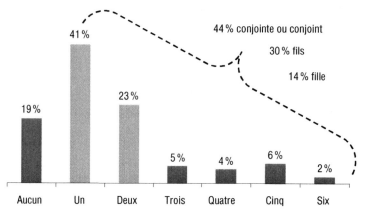

Source : Cadieux (2006a).

Or, comme nous venons d'en discuter dans les pages précédentes, la démarche de transmission, qui influe sur différents aspects de la vie du prédécesseur/cédant, influera tout autant sur plusieurs membres de sa famille immédiate. Pensons simplement à la conjointe qui a de fortes chances de se retrouver plus souvent avec son mari, dès le moment où celui-ci commencera à s'éloigner physiquement de son entreprise. À ce propos, ses questionnements risquent d'être nombreux. Par exemple, comment envisage-t-elle ce changement qui l'attend ? Dans quelle mesure la décision de son conjoint de se retirer de ses activités professionnelles modifiera-t-elle certaines de ses habitudes de vie avec lesquelles elle se sent à l'aise ?

■■■ **2.3.1. La conjointe ou le conjoint**

Assurer la réussite de la transmission d'une PME requiert donc la collaboration de la conjointe. D'autant plus que celle-ci peut être préoccupée par différents aspects de la problématique, comme ce qu'il adviendra du patrimoine familial lorsque l'entreprise sera transmise ou ce qu'il adviendra de l'entreprise et des membres de la famille qui y travaillent. Elle peut également être préoccupée par les conflits suscep- tibles d'émerger entre les frères et les sœurs, ou entre le prédécesseur/ cédant et leurs enfants. Autant elle peut avoir une influence directe sur les décisions du prédécesseur/cédant quant à ses projets de retraite

(Cadieux, 2004; Feldman, 1994; Smith et Moen, 1998), autant elle peut agir comme agent de liaison, facilitatrice ou médiatrice entre les membres de la famille, et cela, tout au long du processus de la transmission, surtout si cette dernière est familiale (Poza et Messer, 2001). Voilà pourquoi nous jugeons nécessaire de voir à sa préparation, surtout si l'entreprise lui a procuré un statut particulier auquel elle tient toujours (Poza et Messer, 2001). Ce qui provoquera, dans la foulée, certaines résistances de sa part lorsqu'il sera question de passer à l'acte.

Dans la perspective où le prédécesseur/cédant projette de se retirer de ses activités professionnelles, il y a fort à parier que la principale préoccupation de la conjointe concerne la réorganisation de sa vie et de leur vie de couple. Comme le détaille le tableau 2.9, les différences en âge des conjoints, de même que leurs objectifs de carrière respectifs ou le cycle de vie de la famille, peuvent avoir un impact sur le déroulement du processus de la transmission. Pour chacune des dimensions présentées dans le modèle intégrant différents modèles de cycles de vie, il y a des points culminants liés à l'âge de l'individu, qu'il s'agisse de son cycle de vie, de son cheminement de carrière ou du cycle de vie de sa famille. Dans cette perspective, on situe à 45 ans l'âge où l'individu entre dans la phase du mitan de la vie, l'âge où il atteint son plafond de carrière et où, les enfants quittant le nid familial, il voit sa vie de famille changer. Et c'est à 65 ans que l'individu amorce la phase de la vieillesse, qu'il prend sa retraite et que son rôle familial commence à s'inverser (Atchley, 1976; Carter et McGoldrick, 1999; Schermerhorn *et al.*, 2003).

TABLEAU 2.9
Les cycles de vie de l'individu et de la famille

Âge	17	22	28	33	40	50	55	60	70
Cycle de vie	Enfance–adolescence		Jeune adulte			Mitan de la vie			Vieillesse
Carrière			Début de carrière	Avancement de carrière		Stabilisation de carrière			Retraite
Cycle de vie familiale	À la maison		Départ et formation d'une famille	Famille avec enfants et adolescents		Départ des enfants			Famille du 3e âge

Prenons l'exemple de conjoints qui ont un peu plus d'une dizaine d'années de différence en âge. Alors qu'à 65 ans le prédécesseur/cédant se sent prêt à prendre sa retraite, sa conjointe, qui est dans la cinquantaine, peut préférer réfléchir sur les nouveaux défis qu'elle aimerait relever, car elle a encore du temps qu'elle considère comme étant de qualité devant elle. Bref, pour des raisons de manque de synchronisme dans leurs cycles de vie respectifs, il est à prévoir que la conjointe aura de la difficulté à adhérer au projet de son mari et qu'elle fera tout pour le repousser.

Pour faciliter la préparation des conjoints, Aronoff et Ward (1992a) proposent que ceux-ci élaborent trois listes. Les deux premières sont dressées individuellement par chacun des époux, tandis que la troisième est faite conjointement. Le tableau 2.10 résume quelques éléments de réflexion pour les conjoints, tant en ce qui concerne les objectifs de chacun qu'en ce qui concerne leurs objectifs communs, qu'il s'agisse de leur vie personnelle, professionnelle, familiale, sociale ou interpersonnelle (Houde, 1999).

TABLEAU 2.10
Des pistes de réflexion pour le couple

Réflexion individuelle		Réflexion commune
Prédécesseur/cédant	*Conjoint ou conjointe*	*Couple*
▪ Objectifs de vie personnelle	▪ Objectifs de vie personnelle	▪ Objectifs de vie de couple
▪ Objectifs de vie professionnelle	▪ Objectifs de vie professionnelle	▪ Attentes face au couple
▪ Objectifs de vie sociale	▪ Objectifs de vie sociale	▪ Attentes face au conjoint
▪ Objectifs de vie familiale	▪ Objectifs de vie familiale	▪ Attentes face aux enfants
▪ Objectifs de vie interpersonnelle	▪ Objectifs de vie interpersonnelle	▪ Activités communes existantes
▪ Activités qu'il veut faire seul	▪ Activités que l'on veut faire seule	▪ Nouvelles activités communes

■ **2.3.2. Les enfants**

Qu'ils travaillent ou non dans l'entreprise, les membres de la fratrie (frères et sœurs) risquent, eux aussi, d'être touchés par le projet de transmission de la PME de leurs parents. Dans le cas où la relève est familiale, Friedman (1991) souligne l'ampleur de la responsabilité des parents dans la dynamique. Pour l'auteur, ce sont en effet les parents qui sont les premiers responsables de la transmission des valeurs et des attitudes des enfants, lesquelles seront, dans une très forte probabilité, transposées dans leurs vies professionnelles, donc dans la manière dont ils aborderont la transmission de l'entreprise. D'autant plus que plusieurs sont susceptibles d'y travailler, donc d'y être directement impliqués (Cadieux, 2006a).

Partant du principe que plusieurs ont ou ont déjà eu des contacts avec l'entreprise de leur parent, plusieurs questions à leur égard se posent. Par exemple, comment réagiront-ils lorsqu'il sera question de transmettre l'entreprise ? Vont-ils se montrer désireux de la reprendre ? C'est ce qui se produit dans plusieurs cas lorsque le parent annonce son intention de vendre son entreprise pour des raisons de fatigue ou de manque d'intérêt. Vont-ils vouloir continuer à y travailler, même si c'est un nouveau dirigeant qui est à la barre ? Vont-ils accepter de rester dans l'entreprise, même s'ils n'entrevoient plus la possibilité d'y occuper le poste de PDG ? Dans ce cas, certains enfants voudront continuer à travailler dans l'entreprise. D'autres non. Quelle que soit la décision des enfants, le prédécesseur/cédant et sa conjointe doivent respecter leurs choix. Mais, pour assurer un transfert en douceur, tous doivent s'assurer de comprendre et de respecter la vision de l'avenir de chacun. Cela peut se faire en réfléchissant sur certains des éléments mentionnés au tableau 2.11, tant en ce qui concerne leurs objectifs de vie personnelle, professionnelle, sociale, familiale et interpersonnelle (Houde, 1999) que leurs attentes ou les éventuelles résistances dont ils pourraient faire preuve (Handler et Kram, 1988).

TABLEAU 2.11
Des pistes de réflexion pour les enfants concernés par la transmission

Objectifs	*Attentes*	*Freins/motivations*
• Objectifs de vie personnelle	• Face aux parents	• Relation avec le prédécesseur
• Objectifs de vie professionnelle	• Face aux membres de la fratrie	• Intérêt pour l'entreprise
• Objectifs de vie familiale	• Face à la qualité de vie attendue	• Ressources (financement, p. ex.)
• Objectifs de vie interpersonnelle		• Intérêt pour la carrière entrepreneuriale

Enfin, pour tous les membres de la famille, il est difficile de parler de ce qu'il adviendra du patrimoine après le départ du prédécesseur/cédant. En réalité, pour l'ensemble de la population nord-américaine, il est culturellement difficile de parler de l'héritage, de la potentielle inaptitude physique ou psychologique d'un des dirigeants de l'entreprise ou d'un membre de la famille ou, pire, de tout ce qui concerne les arrangements préfunéraires (Aronoff et Ward, 1992a). Il faut pourtant en parler et l'un des outils mis à la disposition des familles pour le faire est la mise en place d'un conseil de famille, notamment dans les cas de transmission familiale.

■ 2.3.3. Le conseil de famille : un outil de communication pour les transmissions familiales

Selon Kenyon-Rouvinez et Ward (2004), le conseil de famille remplit deux fonctions très importantes : l'élaboration et la mise en œuvre du protocole familial, d'une part, l'anticipation des problèmes qui pourraient survenir parmi les membres de la famille dans leurs relations entre eux et avec l'entreprise, d'autre part. Dans les cas de PME familiales de plus grande taille, c'est le conseil de famille qui gère les relations entre la famille propriétaire et l'entreprise. Il peut en référer à la fois au conseil d'administration sur les questions touchant l'entreprise et à l'assemblée familiale pour celles qui concernent la famille. Cependant, lorsqu'il est actif, c'est le conseil d'administration qui détient l'autorité au sein de l'entreprise et qui est responsable face aux actionnaires, entre autres, lorsque l'entreprise est cotée en bourse et doit rendre des comptes publics. Les conseils de famille peuvent éprouver des difficultés lorsque certains de leurs membres cherchent à en faire un conseil de surveillance pour épier le conseil d'administration ou la direction.

ENCADRÉ 2.10
Le conseil de famille : un outil de communication

Selon la taille de l'entreprise ou de la famille, le conseil de famille peut prendre une forme plus ou moins formelle. Toutefois, quelle qu'en soit la forme, pour être efficace, celui-ci a avantage à se doter des outils pour lui permettre de mener à bien toutes les réunions (ordre du jour, nomination d'un ou d'une présidente, convocation, etc.), de se positionner sur les problèmes liés au transfert de la propriété et de réfléchir aux objectifs et au cheminement de carrière de chacun des membres de la famille (St-Cyr et Richer, 2003b ; Hugron, 1998).

Principalement préoccupé par les questions familiales, le conseil de famille est avant tout formé des membres de la famille considérés comme importants aux yeux du prédécesseur et de sa conjointe. Par exemple, dans certaines familles, le conseil est formé des enfants et de leur conjoint ou conjointe, tandis que dans d'autres familles les brus et les gendres seront exclus. Les principales responsabilités du conseil de famille sont de s'assurer de la qualité de la communication existant parmi tous les membres de la famille et de définir, avec le temps, la nature de l'implication de chacun d'entre eux dans l'entreprise, tout en leur procurant du soutien financier et humain et en les encourageant dans la poursuite de leur formation scolaire, par exemple. Notons aussi que c'est le conseil de famille qui est responsable de mettre en place des mécanismes de résolution de conflits et de préparer un plan de succession transparent et équitable pour tous (St-Cyr et Richer, 2003b).

Selon St-Cyr et Richer (2003b), un conseil de famille, tout comme un conseil d'administration, doit se doter d'outils pour assurer le déroulement efficace et structuré de ses réunions. Lors des réunions, les membres doivent, par exemple, élire un président et un secrétaire. Leur rôle est de la plus haute importance, car c'est à eux qu'incombe la responsabilité du sérieux et du déroulement efficace des réunions, de même que le suivi des décisions et des mesures à prendre.

2.4. LA PRÉPARATION DU PERSONNEL

La transmission d'une PME n'est pas non plus seulement l'affaire d'une famille ou de ses membres. C'est également celle de toute une organisation. L'arrivée du successeur/repreneur dans l'entreprise peut certes déplaire à certains employés loyaux et en place depuis plusieurs années. Croyant entre autres qu'ils peuvent perdre leur emploi ou leurs acquis après l'entrée en poste officielle du nouveau dirigeant, ces employés adoptent souvent des comportements nuisibles au bon déroulement du processus de transfert. Ainsi, pour le prédécesseur/cédant et le successeur/repreneur, les défis sont de taille. D'une part, le prédécesseur/cédant doit s'assurer du moins de résistance possible pouvant provenir des membres de l'organisation. D'autre part, le successeur/repreneur doit faire ses preuves auprès de tous, en démontrant engagement et intégrité, en développant les compétences requises pour le poste et en entretenant de bonnes relations avec tous les membres de l'entreprise. D'autant plus que, depuis qu'ils sont à l'emploi de l'entreprise, certains employés ont développé des liens d'amitié avec le prédécesseur/cédant. Ils sont plus que des employés, ils sont devenus des amis. Ce qui signifie que, dans leur perspective, il y ait de fortes chances que le changement de garde puisse être plus difficile pour eux que pour d'autres.

Selon Handler et Kram (1988), dans les entreprises où les employés sont habitués aux changements le processus de la transmission est plus facile à planifier et son évolution est plus harmonieuse. Dans son étude sur la transmission familiale, Osborne (1991) souligne l'importance de prendre en considération l'opinion du personnel cadre et des membres du conseil d'administration pour en assurer la réussite, mentionnant deux facteurs critiques. Le premier correspond aux possibles frustrations des employés clés lorsqu'ils ne sont pas consultés dans l'élaboration du plan de continuité de l'entreprise, tandis que le second concerne leur non-implication dans le processus de préparation du successeur. Parmi les conseils pouvant faciliter la transmission, Osborne (1991) propose donc aux dirigeants d'impliquer activement les employés clés dans les processus d'intégration et de préparation du successeur, ce qui, dans la foulée, aura un impact sur leur perception à l'égard de ce dernier.

Partant du principe que les employés ont de fortes chances de réagir négativement, pour faciliter la démarche certaines stratégies de préparation à leur égard s'imposent. Parmi celles-ci, la première consiste, selon Lambert *et al.* (2003), à procéder à une analyse de l'impact du projet de transmission sur les membres de l'organisation. Comme l'illustre la figure 2.4, cela peut se concrétiser en distinguant les catégories de joueurs clés qui seront favorables ou défavorables au projet, selon deux principaux critères, celui de l'importance qu'ils accorderont au projet et celui de leur possible degré d'adhésion au projet.

Pour chaque acteur ou chaque catégorie d'acteurs qu'ils retiennent, Lambert *et al.* (2003, p. 99) suggèrent « de définir les conséquences prévisibles du projet afin d'être à même de définir les actions à conduire en matière d'information, de communication, de mobilisation ». Selon les auteurs, dans une démarche de transmission, les impacts perçus par les employés, qu'ils soient cadres ou non, peuvent être de différentes natures. Parmi ceux-ci, notons : la possibilité de perdre leur emploi et de devoir s'en trouver un autre ; la peur de devoir changer de rôles ou de responsabilités à l'intérieur même de l'entreprise ; la possibilité de voir partir certains de leurs collègues de travail avec qui ils entretiennent de bonnes relations ; la crainte certaine de voir leur environnement physique de travail changer ; ou la crainte de voir arriver de nouveaux modes de gestion et de ne pouvoir s'y adapter.

Pour assurer une meilleure préparation des membres de l'organisation, il est préférable que le prédécesseur/cédant verbalise officiellement son intention de se retirer de la direction de l'entreprise en même temps qu'il annonce l'arrivée du successeur/repreneur dans

FIGURE 2.4
Position des employés face au projet de transmission

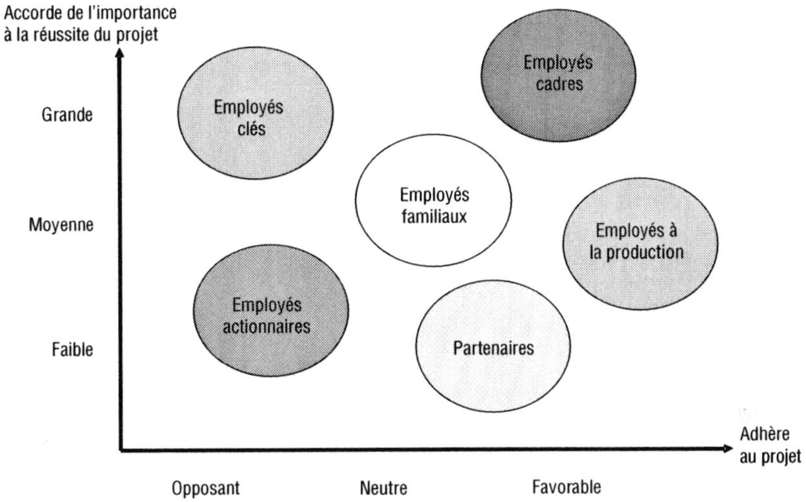

Source: Adapté de Lambert *et al.* (2003).

l'entreprise. Pour faciliter sa démarche, il peut présenter une partie de son plan de relève (notamment en ce qui concerne les dates, les processus d'intégration et de préparation du successeur/repreneur et le processus de désengagement du prédécesseur/cédant) et établir des règles claires pour le personnel cadre afin d'éviter toute confusion possible quant à leur rôle et à leur place dans l'entreprise. Selon Lambert *et al.* (2003), assurer la réussite du projet de transmission demande au prédécesseur/cédant et au successeur/repreneur une ouverture pour sensibiliser et rassurer les employés quant aux changements qui seront apportés au sein de l'entreprise.

Deschamps (2003) évoque quatre types de réactions des salariés: la jalousie, l'inquiétude, le scepticisme et la confiance envers le nouveau dirigeant. Le successeur/repreneur doit nécessairement en tenir compte dans l'annonce de sa stratégie, dans sa préparation et sa mise en place. Il est à noter que, compte tenu de la culture très forte du secret, dans les cas de transmission externe notamment, les repreneurs, dans presque tous les cas, n'ont pas pu rencontrer au préalable leurs futurs employés. Leurs premières rencontres définissent très rapidement ce qui sera le cadre de leurs relations dans l'avenir. Quelle que soit la forme de transmission envisagée, très souvent les successeurs/repreneurs éprouvent le besoin d'échanger, d'être accompagnés par un « parrain » une fois seul maître à bord de la PME qu'ils reprennent. Cet accompagnement peut prendre plusieurs formes et il peut arriver que le prédécesseur/cédant y prenne une place.

ENCADRÉ 2.11
Garder le personnel clé : témoignage de deux repreneurs

« Pas question pour nous d'arriver là comme des cow-boys qui veulent tout changer », résument les deux nouveaux dirigeants d'une entreprise présente dans le secteur de la reproduction, pour qui un transfert efficace passait par le maintien des habitudes déjà établies. « On a privilégié l'approche humaine, on n'a pas voulu tout révolutionner », explique l'un d'eux. « Cela a aussi été très sécurisant pour les employés de voir arriver deux propriétaires de 33 et de 34 ans. » Toujours au dire des nouveaux dirigeants, la clé de leur réussite a été de « garder le personnel clé ». Ce qui s'est fait en rassurant rapidement la trentaine d'employés dès leur arrivée dans l'entreprise qu'ils venaient d'acquérir (Nahas, 2007b, p. 4).

Dans les cas des transmissions interne et externe, les changements au sein de l'organisation doivent être mis en place en douceur afin de recevoir l'adhésion des membres de la structure nouvellement acquise. Ils doivent être mis en œuvre dans le respect des partenaires internes et externes. Le management de la reprise entraîne diverses réactions de la part des salariés : ceux-ci peuvent se montrer très coopératifs, mais ils sont souvent confrontés à un choc culturel qui se manifeste par une certaine résistance au changement.

2.5. LA PRÉPARATION DES ACTEURS VENANT DE L'ENVIRONNEMENT EXTERNE

La préparation des acteurs venant de l'environnement externe est une dimension très peu documentée. Pourtant, selon Chung et Yuen (2003) et OSEO (2005), pour assurer la réussite de son projet d'affaires le successeur/repreneur doit maîtriser le secteur d'activité dans lequel la PME évolue. Ce qu'il fera le plus souvent en ayant des contacts avec différents groupes d'acteurs de l'environnement externe. À ce chapitre, une étude menée par Goldberg (1996) auprès de successeurs en poste depuis cinq ans montre qu'en plus de développer leur propre réseau d'affaires, ceux ayant le mieux réussi ont également su intégrer le réseau de conseillers de leur prédécesseur, ce qui concorde avec les résultats de Steier (2001). Bref, à la lumière des recherches empiriques effectuées sur le sujet, nous comprenons que le successeur/repreneur doive intégrer différents réseaux, ce qui fait partie des compétences stratégiques qu'il doit développer. Mais, considérant que l'adhésion des parties prenantes au projet est aussi un facteur de réussite, il est étonnant de constater combien peu s'y sont intéressés de manière particulière.

Dans les PME, plusieurs catégories d'acteurs de l'environnement externe sont pourtant directement concernées par la transmission. Pensons seulement aux fournisseurs ou aux clients avec qui le prédécesseur/cédant a créé de forts liens de confiance au fil des ans. Ou, encore, au comptable agréé, au fiscaliste ou, plus simplement, au conseiller de l'institution financière avec qui le prédécesseur/cédant fait des affaires depuis bon nombre d'années. Pourtant, les questions que nous pouvons nous poser à l'égard de la réaction des parties prenantes sont nombreuses. Par exemple, comment réagiront les différents acteurs lorsqu'ils seront informés des intentions du prédécesseur/cédant de quitter son entreprise ? Comment pourront-ils l'accompagner dans sa démarche ? Comment parviendront-ils à établir des liens aussi étroits avec les nouveaux dirigeants ? Et dans quelle mesure doivent-ils créer le même type de liens avec le successeur/repreneur ? D'autant plus qu'ils ne se retrouveront probablement pas dans les mêmes tranches d'âge. Bien sûr, il est de la responsabilité du prédécesseur/cédant d'assumer son rôle de passeur, notamment auprès des acteurs clés venant de l'environnement externe qui peuvent avoir un quelconque impact sur la réussite de la transmission (Cadieux, 2005a). Mais comment les acteurs de l'environnement externe de la PME peuvent-ils être préparés pour assurer leur adhésion au projet de transmission ?

À cette question, nous n'avons pas de réponse définitive. Toutefois, l'expérience que nous avons acquise au fil des ans nous permet de dire que la préparation peut se faire par le maintien d'une excellente qualité de communication entre toutes les parties prenantes. Plus celles-ci auront l'information exacte sur les différents projets d'avenir de l'entreprise, plus elles seront susceptibles d'adhérer au projet de transmission, que celle-ci soit familiale ou non. Sur ce sujet, Lambert *et al.* (2003) mentionnent que la réussite de la transmission d'une PME dépend de sa capacité à conserver sa réputation tout au long de la démarche. Ce qui correspond aux résultats d'une enquête menée auprès de propriétaires dirigeants de PME manufacturières québécoises. Ceux-ci devaient, sur une échelle de 1 à 5 (1 étant le moins important et 5 le plus important), indiquer dans quelle mesure les préoccupations proposées étaient importantes pour eux. Si l'on considère l'ensemble des répondants, les résultats, illustrés à la figure 2.5, montrent que les préoccupations des dirigeants, en ordre d'importance, sont : conserver la réputation de l'entreprise, obtenir une retraite confortable, sauvegarder la valeur de l'entreprise, obtenir le meilleur prix, sauvegarder les emplois dans leur région, conserver l'harmonie familiale, conserver le patrimoine familial et assurer un emploi à leur progéniture (Cadieux, 2006a).

FIGURE 2.5
Les préoccupations des propriétaires dirigeants de PME à l'égard de la relève*

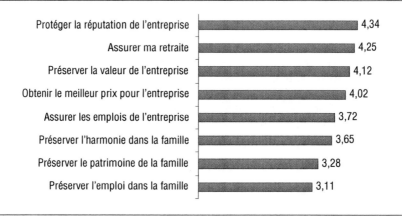

* Comme nous l'avons mentionné à plusieurs reprises, ont répondu à cette enquête 128 propriétaires dirigeants de PME de la MRC de Drummond, représentant 31 % de la population visée.
Source : Cadieux (2006a).

Bref, selon les résultats de l'étude dont nous venons de parler, il semble que les propriétaires dirigeants de PME seraient plus préoccupés par des facteurs concernant « la valeur » de leur entreprise que par des facteurs « familiaux », comme la préservation de l'harmonie familiale et la conservation du patrimoine familial. Pour eux, obtenir un bon prix pour leur entreprise peut équivaloir à ce qu'ils attendent d'une retraite confortable. Ce qui corrobore les résultats de l'enquête menée par la Fédération canadienne des entreprises indépendantes (FCEI) révélant que 90 % des propriétaires PME considèrent le produit de la vente de leur entreprise, leurs épargnes personnelles et l'exonération cumulative des gains en capital comme très importants pour le financement de leur retraite (FCEI, 2005).

Selon Lambert *et al.* (2003), on peut préserver la réputation de la PME en travaillant particulièrement sur différents aspects comme : la capacité de l'entreprise à toujours offrir à la clientèle des produits ou un service d'une qualité impeccable, avant, pendant et après la transmission ; la capacité de la PME à demeurer compétitive, dynamique et réactive tout en restant fidèle aux valeurs qui la distinguent, encore une fois tout au long du processus de la transmission ; et par la grande capacité d'écoute du nouveau propriétaire dirigeant à l'égard des réactions négatives potentielles susceptibles de venir des clients ou des fournisseurs ainsi que de sa capacité à réagir rapidement pour remédier à la situation, le cas échéant.

2.6. UN RETOUR SUR LES STRATÉGIES DE PRÉPARATION DES ACTEURS

Dans ce chapitre, plusieurs catégories de stratégies de préparation au transfert de la direction se distinguent. Comme le résume le tableau 2.12, parmi elles nous retenons, dans un premier temps, les stratégies liées à la préparation individuelle des acteurs, notamment en ce qui concerne le prédécesseur/cédant et le successeur/repreneur. Dans les deux cas, nous sommes convaincus qu'une réflexion individuelle sur leurs motivations, sur leurs objectifs de vie, sur leurs attentes, sur les freins ou les résistances qu'ils peuvent entrevoir, de même que sur leur ouverture à chercher conseil auprès de tiers, favorise une réflexion stratégique pouvant être faite bien en amont du processus de la transmission, que celle-ci soit familiale, interne ou externe. Ainsi que nous l'avons souligné, cette réflexion peut se faire seule tout comme elle peut être partagée avec une ou plusieurs personnes de confiance.

En second lieu, nous avons noté certaines stratégies liées aux changements des rôles attendus des protagonistes. Par sa nature, la transmission impose en effet un changement de rôle tant pour le prédécesseur/cédant que pour le successeur/repreneur. Tandis que le premier quitte tranquillement son rôle de PDG, le second se l'approprie. Parmi les stratégies qui y sont liées, nous retenons la détermination claire des rôles et responsabilités des deux acteurs tout au long de la démarche. Ce qui peut se faire, par exemple, par une diminution

TABLEAU 2.12
Les stratégies de préparation des acteurs

	Prédécesseur/ cédant	Successeur/ repreneur	Famille	Employés	Acteurs externes
Stratégies de préparation individuelles					
Réfléchir sur ses motivations à s'engager dans le processus	✓	✓	✓		
Réfléchir sur ses différents objectifs de vie	✓	✓	✓		
Déterminer ses attentes face au nouveau rôle	✓	✓	✓		
Définir les freins, les résistances ou les obstacles perçus	✓	✓	✓		
Chercher conseil	✓	✓	✓	✓	✓
Stratégies liées au changement de rôles					
Délimiter les rôles et les responsabilités du prédécesseur/cédant durant et après la période de transition	✓	✓		✓	✓
Délimiter les rôles et les responsabilités du successeur/repreneur durant et après la période de transition	✓	✓		✓	✓
Diminuer le temps de présence dans l'entreprise	✓			✓	✓
Mettre en place des mécanismes de contrôle permettant au prédécesseur/cédant de gérer à distance	✓	✓			
Mettre en place des mécanismes permettant au prédécesseur/cédant d'évaluer les apprentissages du successeur/repreneur	✓	✓			
Assurer la formation adéquate du successeur/repreneur	✓	✓		✓	✓
Assurer le développement des compétences du successeur/repreneur	✓	✓		✓	✓
Stratégies d'accompagnement					
Avoir un coach	✓	✓			
Avoir un mentor	✓	✓			

Acteurs concernés par la stratégie

TABLEAU 2.12 (*suite*)

	Acteurs concernés par la stratégie				
	Prédécesseur/ cédant	*Successeur/ repreneur*	*Famille*	*Employés*	*Acteurs externes*
Stratégies d'accompagnement (*suite*)					
S'assurer d'être entouré d'une équipe de conseillers internes et externes	✓	✓	✓	✓	✓
Faire partie d'un groupe de soutien	✓	✓			✓
Stratégies de communication					
Communiquer assez tôt les différentes intentions du prédécesseur/cédant	✓	✓	✓	✓	✓
Présenter le successeur/repreneur aux employés	✓	✓		✓	
Présenter le successeur/repreneur aux acteurs de l'environnement externe	✓	✓			✓
Déterminer une date de transmission, lorsque cela est possible	✓	✓	✓	✓	✓
Réfléchir sur les réactions possibles des employés à l'égard de la transmission et élaborer des stratégies de communication en conséquence	✓	✓		✓	✓
Impliquer les employés clés dans la démarche	✓	✓		✓	
Mettre en place un conseil de famille dans les cas de transmission familiale	✓	✓	✓		
Sanctionner le passage à la dernière phase du processus	✓	✓		✓	✓
Stratégies permettant de conserver la réputation de l'entreprise					
Continuer à offrir des produits ou un service de qualité	✓	✓		✓	✓
Être continuellement à l'écoute des clients et des fournisseurs	✓	✓		✓	✓
Perpétuer les valeurs de l'entreprise	✓	✓	✓	✓	✓

graduelle du temps de présence du prédécesseur/cédant sur les lieux d'affaires de son entreprise; pendant que le successeur/repreneur prend de plus en plus sa place. Mettre en œuvre des mécanismes de contrôle de gestion à distance ou d'évaluation des apprentissages du successeur/repreneur fait partie des stratégies envisageables. Avant de définitivement laisser son poste de PDG, le prédécesseur/cédant a besoin de savoir dans quelle mesure il a un successeur/repreneur compétent en qui il peut avoir confiance (Cadieux, 2005a). En plus d'envoyer un signal clair aux parties prenantes, ces stratégies, élaborées dans les règles de l'art, permettent au prédécesseur/cédant de se distancier tranquillement de son rôle de PDG et au successeur/repreneur de développer les compétences attendues.

Afin d'assurer une bonne préparation des acteurs, nous avons aussi retenu des stratégies d'accompagnement, tant pour le prédécesseur/cédant que pour le successeur/repreneur. Comme nous l'avons déjà souligné, il peut s'agir d'un coach ou d'un mentor ou de toute autre forme d'accompagnement. Pensons, par exemple, aux conseillers ou aux groupes de soutien auxquels les principaux intéressés peuvent faire appel avant, pendant et après la transmission de leur PME.

Partant du principe qu'une bonne communication est primordiale dans le processus de la transmission, nous avons retenu quelques stratégies à ce chapitre, notamment en ce qui concerne l'adhésion des employés et des acteurs venant de l'environnement externe, comme les fournisseurs, les clients, les partenaires ou les conseillers des institutions financières avec qui le propriétaire dirigeant de la PME fait des affaires depuis bon nombre d'années. Parmi les stratégies recommandées, mentionnons l'importance pour le prédécesseur/cédant de communiquer assez tôt dans sa démarche son intention de se retirer de son entreprise tout en signifiant quelle sera son implication au cours des prochaines étapes du processus. Introduire le successeur/repreneur aux différentes catégories d'acteurs, déterminer des dates, réfléchir sur les réactions potentielles des employés, impliquer certains employés clés et sanctionner certaines étapes sont, de notre point de vue, des actions favorisant l'adhésion des parties prenantes au projet.

Enfin, notons d'autres stratégies permettant de conserver la réputation de l'entreprise, comme continuer à offrir des produits ou un service de qualité tout au long du processus de la transmission ou être continuellement à l'écoute des clients et des fournisseurs tout en perpétuant les valeurs fondamentales de l'entreprise, surtout celles qui la distinguent de ses concurrents et pour lesquelles elle est appréciée dans le milieu des affaires.

3

La gestion des relations intergénérationnelles

P armi les facteurs de réussite de la transmission, la qualité de la relation interpersonnelle qui existe entre le prédécesseur/cédant et le successeur/repreneur est largement soulignée. Par exemple, en contexte de transmission familiale, lorsque certains auteurs ont voulu comprendre l'influence des activités de planification sur le succès de la transmission, ce sont les facteurs liés à la qualité de la relation existant entre le prédécesseur et le successeur et parmi tous les membres de la famille qui se sont révélés les plus significatifs (Cabera-Suarez, 2005 ; Lansberg et Astrachan, 1994 ; Morris *et al.*, 1996 ; Morris *et al.*, 1997). À cet égard, Cunningham et Ho (1994) avancent même que les entreprises familiales qui ont le mieux réussi leur transmission sont celles où les prédécesseurs ont pris le temps de choisir leurs successeurs et n'ont rien fait d'officiel tant et aussi longtemps que la relation existant entre les deux n'a pas été satisfaisante.

L'accompagnement du successeur/repreneur par le prédécesseur/cédant est également un facteur de réussite signalé à plusieurs reprises dans la documentation scientifique et professionnelle consultée sur la transmission, et ce, quelle que soit la forme envisagée (Bonneau *et al.*, 2007 ; Cadieux, 2005a ; Deschamps et Paturel, 2005 ; Marchesnay, 2007 ; OSEO, 2005). Pourtant, à cause de leur différence en âge et des caractéristiques liées aux générations auxquelles prédécesseur et successeur appartiennent, ceux-ci pourraient vivre des difficultés, surtout durant la période où ils interagissent afin d'assurer la continuité de l'entreprise.

3.1. LES CYCLES DE VIE DU PRÉDÉCESSEUR/ CÉDANT ET DU SUCCESSEUR/REPRENEUR

Allant du modèle de Carl Jung qui « pour décrire le cours de la vie humaine s'inspire de la course du soleil à l'intérieur d'une journée » (Houde, 1999, p. 20) à celui de Wortley et Amatea (cité dans Houde, 1999) pour qui il y aurait quatre principales aires de vie dans lesquelles les adultes évoluent, les modèles expliquant le développement de l'adulte sont nombreux. Illustré à la figure 3.1, celui de Levinson, cité dans Houde (1999), est par ailleurs le plus utilisé par les experts en entreprises familiales. Il décrit bien, en effet, le cheminement des individus et, surtout, met l'accent sur deux principales périodes de transition ayant un impact sur leurs cheminements respectifs (Lansberg, 1999).

Selon Levinson, cité dans Houde (1999), le rêve de vie, le mentorat, le travail et l'amour sont quatre dimensions qu'un adulte modifie au cours des deux grandes saisons de sa vie, soit celle du jeune adulte et celle du mitan. À ce dernier propos, la période du « mitan » ne fait pas l'unanimité dans la manière dont les différents auteurs la conçoivent. Selon Houde (1999, p. 312), il existerait deux grandes écoles de pensée : « pour l'école de la transition, c'est un temps de transformation qui n'entraîne pas nécessairement une crise ; pour l'école de la crise, le mitan de la vie est une période de crise ». D'avis partagés, il semble néanmoins que la majorité des auteurs s'entende sur un point. Survenant principalement à la suite d'un changement dans sa perspective temporelle, c'est durant la phase du mitan de la vie que l'adulte vit une période transitoire importante et pleine de conséquences durant laquelle il s'interroge sur sa vie personnelle, sa vie professionnelle, sa vie familiale, de même que sur sa vie sociale (Houde, 1999).

À ce sujet, les résultats de certaines études menées auprès d'hommes et de femmes âgés de 35 à 55 ans ayant fait un important virage dans leur cheminement de carrière montrent que ces changements de parcours sont souvent entrepris à la suite d'un long processus de réflexion plutôt que provoqués par des crises (Wrightsman, 1994). L'âge n'étant pas reconnu comme un facteur déterminant pouvant délimiter la phase du mitan, la plupart des chercheurs s'entendent toutefois pour dire que cette phase débute aux alentours de la quarantaine. L'adulte étant de plus en plus conscient de soi et des autres, c'est durant cette période de transition qu'il porte un jugement sur ce qu'il a accompli et sur ce qu'il lui reste à faire pendant qu'il en a encore le temps. Prenons l'exemple d'un prédécesseur qui arrive à la fin de la soixantaine et d'un successeur qui est au début de la quarantaine. Dans leurs

FIGURE 3.1
Les phases des saisons du jeune adulte et du mitan de la vie selon Levinson

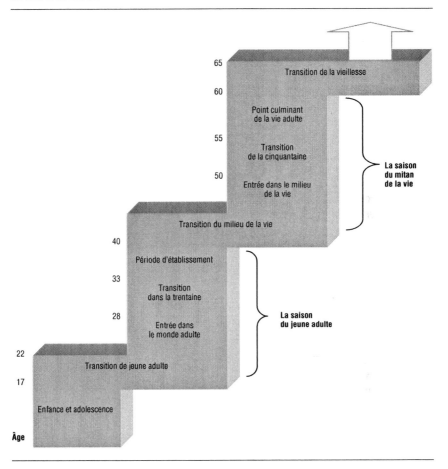

Source: Houde (1999, p. 131).

tranches d'âge respectives, le prédécesseur a le sentiment d'être allé au bout de ses rêves, alors que le successeur est, de son côté, en train de vivre les années durant lesquelles il a justement envie de relever de nouveaux défis, qui peuvent souvent paraître inutiles ou irréalistes pour le prédécesseur avec qui il interagit.

À la lumière de ce que nous venons de voir, nous comprenons dans quelle mesure le prédécesseur/cédant et le successeur/repreneur peuvent avoir des priorités différentes, selon leurs groupes d'âge respectifs. Comme l'illustre la figure 3.2, le successeur/repreneur, habituellement âgé de 25 à 45 ans (Cadieux et Morin, 2008), amorce sa vie professionnelle et de couple en même temps qu'il fonde sa propre famille. Alors que le prédécesseur/cédant, qui a plus de chances de retrouver dans une tranche d'âge variant entre 45 et 65 ans (Cadieux et Morin, 2008), amorce une nouvelle étape de sa vie au cours de laquelle il est préoccupé par son univers relationnel. Univers qu'il a souvent l'impression d'avoir négligé pendant qu'il développait et dirigeait son entreprise. Plus simplement, alors que le successeur/repreneur cherche à réussir DANS LA vie, le prédécesseur/cédant veut réussir SA vie, mettant ainsi en avant tout ce qu'il aurait négligé alors qu'il était préoccupé à réussir DANS LA vie.

FIGURE 3.2
Les préoccupations selon l'âge du successeur/repreneur et du prédécesseur/cédant

SUCCESSEUR/REPRENEUR		PRÉDÉCESSEUR/CÉDANT
25 ans	45 ans	65 ans
On a toute la vie devant soi		Il faut accomplir les choses qui nous tiennent à cœur pendant qu'il est encore temps
Préoccupations à l'égard du développement des compétences et de l'autonomie (époux, père, carrière)		Préoccupations à l'égard de l'univers relationnel (famille, amis, enfants, petits-enfants)
On veut réussir DANS LA vie		On veut réussir SA vie

À ce propos, l'étude de Davis et Tagiuri (1989) est incontournable. Les résultats de cette recherche menée auprès de 89 couples de pères et de fils travaillant ensemble dans l'entreprise familiale montrent que la relation est relativement problématique lorsque le père est âgé de 41 à 50 ans et que le fils a entre 17 et 22 ans; que la relation peut être relativement harmonieuse lorsque le père est âgé de 51 à 60 ans et que le fils a entre 23 et 33 ans; et que la relation est relativement problématique lorsque le père est âgé de 61 à 70 ans et que le fils a entre 34 et 40 ans. Ce qui, dans le dernier cas de figure, correspond aux tranches d'âge que nous sommes le plus susceptibles de rencontrer dans une dynamique de transmission, qu'elle soit familiale ou non. Les résultats de la recherche de Davis et Tagiuri (1989) révèlent aussi que les pères ont souvent tendance à évaluer la relation moins sévèrement que ne le font leurs fils. Sur ce point, alors que les pères disent s'être entendus rapidement avec leurs fils, ces derniers soutiennent avoir vécu une relation ambiguë avec leur père pendant plusieurs années. Bref, selon ce que nous venons d'exposer brièvement, nous comprenons combien la qualité de la relation existant entre les générations est, avant tout, une question de perception, selon la catégorie d'acteurs interrogés.

Les définissant surtout par des facteurs comme les événements marquants qui ont provoqué un changement dans la société, notamment sur le plan des valeurs, de l'attitude face au travail et à la famille, la documentation retient en général quatre générations principales, soit les traditionalistes, les baby-boomers, la génération X et la génération Y, qui seraient susceptibles de se retrouver en interaction au sein d'une même organisation. Dans la problématique qui nous concerne, cette dimension complexifie notre compréhension des dynamiques liant le prédécesseur/cédant et le successeur/repreneur.

ENCADRÉ 3.1
Le choc des générations : témoignage d'un entrepreneur

Un entrepreneur ayant assisté à une table ronde sur la relève disait : « *Quand je discute avec des jeunes des nouvelles générations, je me rends compte qu'ils n'ont aucun repère avec ma culture. Je leur décris un monde qu'ils ignorent totalement* » (Desjardins et Therrien, 2006, p. 20).

À titre d'exemple, les résultats d'une enquête menée par Arsenault (2004) auprès de 790 Américains des quatre générations que nous venons de nommer révèlent combien les modèles de chacun diffèrent, selon la génération à laquelle il appartient. Invités à nommer des personnes qu'ils considéraient comme des « leaders » dans la société américaine, les traditionalistes ont parlé, entre autres, de Harry Truman, de Colin Powell et de Winston Churchill ; les baby-boomers ont mentionné les noms de John F. Kennedey, Martin Luther King, Gandhi et Malcolm X ; les membres de la génération X ont nommé Ronald Reagan, Nelson Mandela et Bill Gates ; tandis que ceux de la génération Y ont identifié des personnalités publiques moins traditionnelles comme Michael Jordan et Tiger Woods. Bref, à l'aide de ce court exemple, nous pouvons déjà comprendre combien les valeurs ou les modes de gestion des générations pouvant se retrouver ensemble sur un même lieu de travail pourront différer. Pour nous aider à mieux comprendre le contexte, voici brièvement comment chacune des générations que nous avons nommées se distingue[1].

3.2. LES TRADITIONALISTES

La génération des traditionalistes comprend les personnes nées avant 1946 (Arsenault, 2004 ; Eisner, 2005 ; Fortier, 2007 ; Giancola, 2006 ; Zemke, Raines et Filipczak, 2000). Il s'agit d'une génération qui a été marquée par deux événements majeurs, la Grande Dépression et la Deuxième Guerre mondiale (Arsenault, 2004 ; Eisner, 2005). Le contexte économique dans lequel cette génération a évolué était difficile. La plupart des membres de cette génération ont, par conséquent, travaillé dur et fait des sacrifices pour relancer l'économie, notamment après la dépression des années trente (Fortier, 2007). C'est d'ailleurs cette génération qui a vécu la montée en flèche des moyens de transport auxquels nous sommes maintenant tellement habitués, comme l'automobile, le train et l'avion. Selon Zemke *et al.* (2000), les Américains de cette génération posséderaient aujourd'hui les trois quarts des capitaux financiers des États-Unis. Pensons seulement à Mary Kay ou à Warren Buffett qui, comme tant d'autres, ont révolutionné le monde des affaires. Plus près de chez nous, certains noms québécois peuvent aussi être mentionnés. Parmi les hommes et les femmes ayant marqué le monde des affaires, nous pouvons penser à Joseph-Armand Bombardier, à Pierre Péladeau, à Paul Desmarais, à André Chagnon ou à Jean Coutu qui ont, tous les cinq, bâti des empires. De la génération des traditionalistes, nous pouvons aussi penser à Janette Bertrand, à Yvon Deschamps, à Michel Tremblay ou à René Lévesque qui, par leurs ouvrages ou par leur engagement politique, ont provoqué des changements substantiels dans la société québécoise.

---

1. Bien que plusieurs adhèrent au concept de génération pour expliquer les différents comportements des individus, notons que celui-ci est critiqué par certains auteurs comme Davis, Pawlowski et Houston (2006) et Giancola (2006). Pour ces auteurs, cette typologie crée des préjugés à l'égard des générations, alors que celles-ci ne se distinguent pas aussi facilement les unes des autres, hormis le fait qu'elles évoluent dans des environnements tout à fait différents.

La valeur qui représente le mieux cette génération est la loyauté (Arsenault, 2004 ; Fortier, 2007 ; Eisner, 2005), qui se transpose dans la vie professionnelle. En général, les membres de cette génération pratiquent un style de gestion autocratique, lequel inclut implicitement des valeurs comme le respect de l'autorité (Arsenault, 2004 ; Eisner, 2005 ; Fortier, 2007 ; Zemke *et al.*, 2000) et le travail bien fait (Eisner, 2005). Pour la majorité des traditionalistes, leur plan de carrière consiste à passer leur vie avec le même employeur ou tout au moins dans un même domaine, leur permettant, dans la foulée, de construire un patrimoine intéressant pour leur famille (Eisner, 2005 ; Fortier, 2007). À ce sujet, Zemke *et al.* (2000) soulignent que les membres de cette génération ont fortement tendance à économiser et à consommer seulement lorsqu'ils peuvent « payer comptant ». Pensons simplement ici aux propriétaires dirigeants de PME qui font partie de cette génération et pour qui le développement de leur entreprise ne peut se faire que par le biais de la disponibilité des liquidités de celle-ci. Enfin, les traditionalistes appartiennent à cette génération où la conciliation travail-famille n'est pas encore une préoccupation. Habitués à un milieu de travail qui exige d'eux d'être présents au moment nécessaire (Fortier, 2007), pour eux la distribution des rôles est claire : les femmes sont à la maison et les hommes au travail (Eisner, 2005 ; Families and Work Institute, 2002 ; Zemke *et al.*, 2000).

3.3. LES BABY-BOOMERS

La génération des baby-boomers comprend les personnes nées entre 1946 et 1964 (Arsenault, 2004 ; Fortier, 2007 ; Eisner, 2005 ; Giancola, 2006 ; O'Bannon, 2001 ; Zemke *et al.*, 2000). Marquée par des événements majeurs comme le mouvement de libération des femmes et l'assassinat de John F. Kennedy (Arsenault, 2004), cette génération a toujours cru en son pouvoir de changer les choses (Eisner, 2005 ; Fortier, 2007). Comparativement aux trois autres générations, c'est celle qui compte le plus de membres (Zemke *et al.*, 2000). En raison de leur nombre imposant, les baby-boomers ont substantiellement provoqué un changement dans la dynamique de l'offre et de la demande telle qu'elle était connue jusque-là. Rapidement ciblés par les entreprises à la recherche de nouveaux marchés, ils sont d'ailleurs devenus des consommateurs insatiables. Zemke *et al.* (2000) signalent que cette génération, qui a plus tendance à dépenser qu'à économiser, est la première à utiliser le crédit pour des biens de consommation usuels, ce qui lui vaut le surnom de « la génération plastique ». Cette façon de faire, nous devons le rappeler, va à l'encontre des valeurs véhiculées par les membres de la génération précédente.

La valeur qui représente le plus les membres de cette génération est l'optimisme (Arsenault, 2004 ; Fortier, 2007 ; O'Bannon, 2001 ; Zemke *et al.*, 2000). Loyaux et respectueux de l'autorité, ceux-ci veulent néanmoins être traités en égaux (Eisner, 2005 ; Fortier, 2006 ; Zemke *et al.*, 2000), changeant ainsi la donne sur le plan de leur attitude face au monde du travail. Généralement reconnus pour être des bourreaux de travail, les baby-boomers préfèrent un style de gestion plus collégial, caractérisé par le travail d'équipe, le partage des responsabilités et la recherche du consensus parmi les membres de l'équipe et les collègues de travail (Arsenault, 2004 ; Eisner, 2005 ; Zemke *et al.*, 2000). Parmi les faiblesses notées chez les membres de cette génération, notons leur intolérance à l'autoritarisme et à la paresse, de même que leur difficulté à s'adapter aux nouvelles technologies (Eisner, 2005). Ce qui, nous devons l'admettre, peut paraître quasiment inacceptable par les nouvelles générations. En ce qui concerne la vie familiale, là encore, la génération des baby-boomers se distingue. À la recherche de nouvelles normes de vie, c'est la génération ayant connu le plus grand nombre de divorces (Eisner, 2005 ; Zemke *et al.*, 2000), ce qui aura un impact certain sur les générations que les baby-boomers ont mises au monde. Sans compter que, pour remplir leurs obligations, plusieurs mères de famille sont retournées sur le marché du travail.

3.4. LA GÉNÉRATION X

La génération X réunit les personnes nées entre 1964 et 1980 (Arsenault, 2004 ; Eisner, 2005 ; Fortier, 2007 ; Giancola, 2006 ; O'Bannon, 2001 ; Zemke *et al.*, 2000). Cette génération est marquée par des événements sociaux importants comme le sida, l'arrivée de MTV et l'évolution rapide des nouvelles technologies (Arsenault, 2004 ; O'Bannon, 2001 ; Zemke *et al.*, 2000). Suivant une génération qui a suscité l'intérêt de tous, la génération X passe quasiment inaperçue, d'autant plus qu'elle est plus petite en nombre que la génération précédente. Il s'agit, par ailleurs, de la première génération pour qui il est normal de voir les deux parents travailler à l'extérieur de la maison (Zemke *et al.*, 2000). La valeur qui représente le plus cette génération témoin de l'effritement des symboles de la stabilité est le scepticisme (Fortier, 2007). Pour la génération X, le plaisir, une bonne qualité de vie, l'autonomie, la flexibilité et la loyauté dans les relations interpersonnelles sont des valeurs importantes (Fortier, 2007 ; O'Bannon, 2001 ; Zemke *et al.*, 2000).

Stéréotypée comme étant paresseuse et déloyale par les générations précédentes (O'Bannon, 2001), la génération X est à la fois indépendante et pleine de ressources. Retenons ici que la majorité des membres de la génération X a dû travailler fort pour se tailler une place dans un environnement professionnel déjà fort occupé par les générations précédentes (Fortier, 2007 ; Zemke *et al.*, 2000). Selon Eisner (2005), la génération X favorise peu l'emploi à long terme et elle n'aime pas non plus travailler de longues heures. Préoccupés par le développement de leurs compétences (Fortier, 2007), les membres de cette génération préfèrent une gestion de style « coaching » qui, faite dans les règles de l'art, procure une reconnaissance rapide du travail accompli (Eisner, 2005). Enfin, au chapitre de leurs préoccupations à l'égard de la famille, là aussi, la génération X est à la recherche d'un nouvel équilibre (Eisner, 2005 ; Fortier, 2007 ; O'Bannon, 2001 ; Zemke *et al.*, 2000). Cela s'explique, entre autres, par le fait que près de la moitié d'entre eux viennent de familles divorcées ou monoparentales (O'Bannon, 2001).

3.5. LA GÉNÉRATION Y

La génération Y correspond aux personnes nées après 1980 (Arsenault, 2004 ; Eisner, 2005 ; Fortier, 2007 ; Giancola, 2006 ; Zemke *et al.*, 2000). L'environnement dans lequel cette génération évolue se caractérise par un contexte économique en croissance, mais aussi par la violence et le terrorisme (Arsenault, 2004 ; Eisner, 2005 ; Zemke *et al.*, 2000). Les valeurs qui correspondent le plus à cette génération sont le réalisme, l'optimisme, le devoir civil, la confiance et l'accomplissement (Arsenault, 2004 ; Audet, 2004 ; Eisner, 2005 ; Fortier, 2007 ; Zemke *et al.*, 2000). Cette génération est particulièrement influencée par l'omniprésence d'une technologie de plus en plus sophistiquée, qui donne un accès au monde en quelques secondes. Fortier (2006, p. 1) décrit cette génération comme « des gens de réseaux pour qui le monde est petit ». Pragmatique, la génération Y vit dans un environnement en perpétuel changement, ce qui lui permet d'être en continuelle recherche de nouveaux défis et de stimulations de plus en plus fortes (Audet, 2004 ; Eisner, 2005 ; Fortier, 2007).

Souvent décrits comme des enfants rois et des enfants gâtés (Fortier, 2006), les membres de cette génération ont pourtant une conscience sociale que d'autres n'ont pas, ce qui, selon Fortier (2006 ; 2007), promet un bouleversement du monde du travail. Plus simplement, pour la génération Y, le travail n'est pas tout dans la vie. À ce sujet, Fortier (2007) souligne qu'ils se sentent capables d'accomplir plusieurs tâches et d'occuper correctement plusieurs emplois en même temps. Selon Arsenault (2004), la génération Y a un style de gestion qui lui ressemble, puisqu'elle aime entretenir des relations polies avec l'autorité tout en étant dirigée par des gestionnaires adoptant un leadership rassembleur. À titre d'exemple, les résultats de l'étude de Eisner (2005) menée auprès de 350 membres de la génération Y révèlent que ceux-ci cherchent chez leurs patrons des qualités comme l'accessibilité, le sens de l'éthique, le respect et la justice. Enfin, en ce qui concerne la famille, la génération Y effectue un certain retour du balancier vers la génération traditionaliste, dans la mesure où, selon Eisner (2005), ils ont des valeurs familiales encore plus fortes que celles de la génération qui les précède.

ENCADRÉ 3.2
L'attitude des générations à l'égard de la famille

Les résultats d'une étude longitudinale menée auprès de 3000 Américains par le Families and Work Institute *(*2002) montrent que les générations X et Y sont plus préoccupées par leur famille (50 à 51 % comparativement à 41 % pour les baby-boomers) et moins préoccupées par leur travail (13 % comparativement à 22 % pour les baby-boomers). Après comparaison du temps que les pères réservent à leurs enfants, les résultats montrent que ceux de la génération X consacrent en moyenne 3,4 heures par jour à leurs enfants, alors que les baby-boomers s'occupent de leurs enfants en moyenne 2,2 heures par jour, et cela, indépendamment de l'âge de ces derniers.

Le tableau 3.1 résume les principales caractéristiques de chacune des générations que nous venons de présenter brièvement. Pour faciliter la compréhension de la dynamique, sans que la liste soit exhaustive, nous avons retenu certains personnages publics, appartenant aux quatre générations que nous avons nommées. Ces hommes et ces femmes ayant travaillé dans le monde des affaires ou dans d'autres sphères publiques, nous sommes convaincus qu'ils ont, chacun à leur façon, agi comme modèles tant pour leur génération que pour les

TABLEAU 3.1
Un portrait des générations au travail

	Traditionalistes (avant 1946)	Baby-boomers (1946-1964)	Génération X (1964-1980)	Génération Y (1980 et après)
Personnages du monde des affaires	Pierre Péladeau Paul Desmarais J.-A. Bombardier Laurent Beaudoin André Chagnon	Louis Garneau Guy Laliberté Daniel Langlois Trip Hawkins[a] Yves Guillemot[b]	Jimmy Wales[c]	Mark Zuckerberg[d]
Personnages du monde politique	Jean Lesage Pierre-E. Trudeau René Lévesque	Claude Charron Pauline Marois Jean Charest	Mario Dumont André Boisclair	
Personnages du monde culturel et social	Janette Bertrand Marcel Dubé Yvon Deschamps Michel Tremblay Maurice Richard Gilles Vigneault Paul McCartney Mick Jagger	Marie Laberge Robert Lepage Guy Lafleur Michel Rivard	Céline Dion Carla Bruni Laure Waridel[e] Patrick Roy Tiger Woods Vincent Vallières Guillaume Vigneault	Roger Federer Vincent Lecavalier Sydney Crosby Pierre Lapointe
Style de gestion privilégié	Autocratique	Collégial	Coaching	Rassembleur
Valeur dominante	Loyauté	Optimisme	Scepticisme	Réalisme
Attitude à l'égard du travail	Respectent la hiérarchie Respectent l'autorité Stabilité Aiment le travail bien fait Doivent travailler fort pour gagner leur vie convenablement	Respectent l'autorité mais veulent être traités comme des égaux Visent l'excellence et la stabilité d'emploi Travaillent de longues heures	Ont besoin de relever des défis intéressants Cherchent à développer leur portefeuille de compétences Sont peu enclins à travailler au même endroit longtemps Veulent avoir du plaisir	Sont très orientés vers les résultats Ont besoin de relever des défis stimulants Ont des relations polies avec l'autorité, mais préfèrent des leaders rassembleurs
Interaction famille/ travail	Les femmes à la maison et les hommes au travail	Génération des divorces et des mères au travail	Recherche de l'équilibre travail-famille	Retour aux valeurs familiales

a Cofondateur d'Electronic Arts.
b Cofondateur et PDG d'Ubisoft
c Fondateur de Wikipedia.
d Fondateur de Facebook.
e Cofondatrice d'Équiterre.

suivantes. À des fins de comparaison entre les générations, nous avons aussi retenu le style de gestion favorisé par chacune ; leur valeur dominante au travail, leur philosophie de gestion, leur attitude face au travail et à la famille. Ce tableau, si succinct soit-il, met donc en évidence certains points de convergence et de divergence qui peuvent exister naturellement entre les quatre générations types dont nous entendons régulièrement parler dans le monde des affaires. Pensons, par exemple, aux valeurs fondamentales auxquelles chacune de ces générations se réfère et qui peuvent être des sources de discorde entre les générations qui se retrouvent sur un même lieu de travail ou dans un même environnement. Ou pensons au style de gestion favorisé ou adopté par certaines générations comme les traditionalistes et les baby-boomers, mais qui n'est ni favorisé ni applicable tel quel par les nouvelles générations au travail, soit les générations X et Y.

3.6. UNE RÉFLEXION SUR L'INTERACTION DES GÉNÉRATIONS AU TRAVAIL

Depuis les années vingt, les organisations ont changé et les mécanismes de gestion ont évolué. Par exemple, au début du XXe siècle, les organisations qui avaient pour objectif de devenir de plus en plus présentes sur tous les marchés se concentraient, pour la plupart, sur une production de masse de biens tangibles et favorisaient, pour ce faire, une philosophie de gestion centralisée et hautement hiérarchisée. Depuis, de nouvelles formes d'organisation et de nouvelles philosophies de gestion plus cohérentes avec celles-ci sont apparues, toujours dans le but de répondre à une demande de plus en plus volatile.

Ayant évolué dans des environnements sociologique, économique, technologique, politique et géographique différents, il est donc normal que les membres de différentes générations aient, comme l'illustre la figure 3.3, le sentiment d'être désynchronisés lorsqu'ils se retrouvent en interaction les uns avec les autres. Retenons simplement que la valeur liée à l'argent a substantiellement changé depuis l'arrivée massive des baby-boomers dans les pays industrialisés. Au cours des dernières années, elle a continué à perdre sa signification première dans la mesure où la monnaie utilisée est de plus en plus virtuelle. Ou pensons aux valeurs familiales qui, avec le bagage expérientiel de chaque génération, changent au fur et à mesure que ses membres deviennent de nouveaux parents. Ou, encore, pensons aux intérêts des différentes générations et à leur habileté à travailler avec les nouvelles technologies, qui sont de plus en plus sophistiquées.

FIGURE 3.3
Les principaux points de divergence existant entre les générations

SUCCESSEUR/REPRENEUR			PRÉDÉCESSEUR/CÉDANT
25 ans	45 ans		65 ans
Génération Y	Génération X	Baby-boomers	Traditionalistes
Le travail procure une qualité de vie		Les loisirs dans la vie, c'est travailler	
La technologie fait partie de la vie courante		Les technologies doivent être apprivoisées	
Le monde est petit et les frontières inexistantes		Le monde est grand et à découvrir	
Les nouveaux entrepreneurs sont de plus en plus scolarisés		Les premiers entrepreneurs étaient souvent peu scolarisés	

À ce sujet, les résultats d'une enquête menée par Rodriguez, Green et Ree (2003) auprès de 1 000 gestionnaires américains travaillant dans le secteur des télécommunications montrent que la génération X utilise beaucoup plus les nouvelles technologies que ne le font les baby-boomers. Alors que la génération X utilise les courriels, les téléphones cellulaires, l'achat sur Internet, les baby-boomers préfèrent le contact téléphonique, plus personnalisé. Les modes de communication au travail sont donc différents, selon la génération à laquelle on s'adresse, et cela, même si ses membres évoluent dans un secteur d'activité pouvant être qualifié de technologique.

Enfin, les différentes générations susceptibles d'interagir en contexte de transmission se distinguent aussi par la manière dont leurs membres envisagent leur carrière professionnelle. Alors que pour les traditionalistes et les baby-boomers la vision de carrière correspond à une certaine forme de sécurité financière et d'emploi, pour les nouvelles générations la carrière équivaut au développement de leurs compétences, leur garantit ainsi une certaine liberté d'action combinée avec la possibilité de relever de nouveaux défis tous plus intéressants les uns que les autres.

Pourtant, d'après Kunreuther (2003), les baby-boomers et les membres des générations X et Y ne seraient pas si différents les uns des autres. Les résultats de son étude montrent en effet que, sur certains aspects, les trois générations peuvent se rejoindre, surtout si leurs membres travaillent dans le même type d'organisation et qu'ils adhèrent aux mêmes valeurs fondamentales. Par exemple, dans le secteur

ENCADRÉ 3.3
Les loisirs : témoignage d'un entrepreneur

« *J'ai appris de mon père que les loisirs, c'était de travailler* », note un entrepreneur ayant participé à une table ronde sur la relève. « *Les valeurs des générations divergent souvent sur cette question… Certaines personnes ne rechignent pas devant les semaines de 90 heures. Mais la jeune génération cherche avant tout la qualité de vie. Nous devons respecter cela. Et en discuter* » (Desjardins et Therrien, 2006, p. 20).

d'organismes à but non lucratif (OSBL), tous auraient tendance à travailler de longues heures. Cela indique combien se sentir investir d'une mission peut avoir un impact plus important sur l'attitude au travail des individus que les valeurs ou les normes habituellement attribuées aux générations types que nous avons décrites dans ce chapitre. Toutefois, en les comparant avec les baby-boomers, les résultats de Kunreuther (2003) révèlent que les générations X et Y sont plus préoccupés par la gestion des conflits entre travail et famille et qu'elles souhaitent évoluer dans des organisations plus souples. Ce qui, nous devons l'admettre, est tout à fait cohérent comme comportement.

Selon Fortier (2006), les différences existant entre les générations ne sont pas un phénomène nouveau. Au contraire, elles existent depuis fort longtemps. Il est donc possible de voir évoluer harmonieusement les membres de différentes générations dans une même PME, surtout si la finalité de leur interaction est d'assurer la pérennité de l'entreprise. À ce chapitre, les exemples de bonnes pratiques sont nombreux tant dans la documentation savante que professionnelle. Parmi ceux-ci, notons la capacité des traditionalistes et des baby-boomers à ajuster leurs styles de gestion, selon la génération avec laquelle ils travaillent, et à se montrer ouverts aux changements des normes sociétales, notamment en matière de conciliation travail et famille. Selon Fortier (2006), intéresser et, surtout, retenir les membres des nouvelles générations dans nos PME, cela peut se faire, entre autres, en leur procurant une bonne combinaison de défis et d'occasions en ce qui concerne tant leur vie professionnelle que personnelle. Du reste, comment les membres des générations précédentes, entrepreneurs dans l'âme, pourraient-ils résister à un nouveau défi, celui de transmettre leurs savoirs ? C'est ce qu'ils peuvent faire en agissant, entre autres, comme mentors ou comme coachs auprès des nouvelles générations (Duguay et Fortier, 2007 ; Eisner, 2005). Dans une perspective de transmission, qu'elle soit familiale ou non, chaque génération peut apporter à l'autre. L'important est que chacune comprenne ce qui les distingue et, surtout, les réunit. Par exemple, alors que les traditionalistes et les baby-boomers ont des connaissances et des savoir-faire à transmettre, notamment au chapitre de leur pensée stratégique, les générations X et Y ont, de leur côté, beaucoup à montrer en matière d'utilisation des nouvelles technologies.

Le transfert
de la propriété

Les formes

D ans une recherche américaine étudiant les faillites suivant une transmission familiale, File et Prince (1996) sont arrivés à la conclusion que le transfert de propriété est plus à l'origine des difficultés de l'entreprise que ne l'est le transfert de la direction, selon les 749 successeurs interrogés. Bien que cette conclusion ne soit pas partagée par une majorité d'auteurs, elle démontre tout de même que le transfert de la propriété représente un élément clé de la transmission qui se veut complémentaire au transfert de la direction. Il est néanmoins étonnant que l'étude de la propriété soit moins présente dans la documentation scientifique (Le Breton-Miller *et al.*, 2004). Selon Senbel et St-Cyr (2006a, p. 13), la raison pourrait être « sans doute liée à la difficulté qu'il existe à évoquer les questions d'argent avec les entrepreneurs ». Malgré la moins grande importance qu'on leur donne dans les écrits scientifiques, Walsh (2007) est d'avis qu'on accorde trop d'attention en pratique à plusieurs aspects techniques de la transmission familiale, et plus particulièrement au transfert de la propriété (minimisation des impôts, gel successoral, fiducie familiale, contrat, gestion du patrimoine), et qu'on dirige trop peu d'attention vers les personnes et vers la composante non technique (communication dans la famille, attentes, valeurs, compétences, dynamique familiale), éléments associés davantage au transfert de la direction. Cela peut probablement s'appliquer aussi aux autres formes de transmission. Il y a donc un besoin d'équilibre entre les deux types de transferts.

ENCADRÉ 4.1
Des contextes différents pour la transmission des PME

La transmission peut s'effectuer dans trois contextes bien différents (Scarratt, 2006). Le premier auquel on pense est le **retrait normal des affaires** pour prendre sa retraite. Il s'agit sans doute du contexte le plus fréquent, et nous l'avons mis en évidence dans notre ouvrage. En effet, ainsi qu'il a été discuté dans les chapitres précédents, la transmission devrait être abordée comme une stratégie à long terme. Toutefois, dans certaines circonstances, bien qu'il soit préférable d'avoir une stratégie à long terme, le transfert de propriété doit se faire dans un certain état d'urgence et en réaction à des événements.

Le deuxième contexte est l'**invalidité temporaire ou permanente**. Quoique la majorité des propriétaires dirigeants de PME veuille ignorer cette possibilité, l'invalidité peut avoir des conséquences graves sur les actionnaires et leur famille, de même que sur l'entreprise. À titre d'exemple, citons des événements tragiques comme une crise cardiaque ou un accident automobile, ou encore une invalidité plus subjective comme la dépression, le stress, l'anxiété, les maux de dos chroniques ou les maladies mentales (Scarratt, 2006). Cela soulève des problèmes comme la survie de l'entreprise, le maintien des relations avec la clientèle, les revenus de la famille du propriétaire dirigeant et de lui-même (Scarratt, 2006). Contrairement à la retraite, l'invalidité laisse peu ou pas de temps pour réagir.

Le troisième contexte est le **décès** du propriétaire dirigeant. Un décès peut plonger l'entreprise dans un état de crise, surtout s'il n'y a aucun plan de continuité en place. Ce décès peut être subit ou il peut survenir après plusieurs mois d'une maladie comme le cancer. Le décès du prédécesseur/cédant, surtout s'il est subit, entraîne l'entreprise dans un tourbillon. Cela est encore plus vrai s'il n'y a pas de successeurs désignés ni de plan de continuité de l'entreprise (Scarratt, 2006). Il va sans dire que ce contexte particulier ne permet pas au successeur/repreneur de prendre son temps, sinon très peu. Qu'on le veuille ou non, il y aura transfert de propriété à la suite d'un décès.

Il y a donc lieu d'envisager rapidement des solutions à court et à long terme. Le mieux est de prévenir plutôt que de guérir. Ainsi, il est plus facile de gérer n'importe quel contexte en planifiant ce qui devrait se passer dans les différents contextes possibles.

Au moment d'étudier la dynamique de la transmission de la propriété, une variété de sujets doivent être examinés dont plusieurs sont techniques. L'objectif de cet ouvrage n'étant pas d'examiner les complexités techniques de la fiscalité ou du droit, le niveau de détail est limité à cet égard. Toutefois, lorsqu'il en est question, il s'agit des règles canadiennes et québécoises. Il faut noter que si les règles fiscales dans le cas de transmission sont complexes au Canada, elles sont peut-être plus flexibles qu'aux États-Unis (St-Cyr *et al.*, 2005). Ces règles diffèrent selon les règles fiscales des différents pays (Bjuggren et Sund, 2005; Pettker et Cross, 1989). Dans une recherche européenne, Mignon (2001) cite certaines attentes des chefs d'entreprise en vue d'une meilleure préparation des transmissions. Parmi celles qui sont liées au transfert de propriété, notons les problèmes fiscaux (40 %), le mode d'évaluation de l'entreprise (29 %), les problèmes juridiques (29 %), le montage financier (15 %) et les modalités de transmission, le montant et la liquidation de la retraite du chef d'entreprise (11 %)[1]. Dans le présent chapitre, il est question des formes juridiques, des différents choix concernant le transfert de la propriété lors de la transmission d'entreprise, des techniques de gel successoral, de l'utilisation d'une fiducie et de la problématique de l'équité et de l'égalité.

ENCADRÉ 4.2
L'étude de la dynamique de la transmission de la propriété

L'étude de la dynamique de la transmission de la propriété touche principalement les éléments suivants:
- la forme juridique,
- les choix concernant la propriété lors de la transmission,
- les modes de détention et de transfert,
- le partage de la propriété avec équité et égalité,
- l'évaluation de l'entreprise,
- le prix de vente,
- la contrepartie,
- le financement et le montage financier,
- la fiscalité,
- le transfert légal de la propriété des actifs ou des actions,
- les autres considérations légales.

---

1.   Le total correspond à plus de 100 % en raison de réponses multiples.

4.1. LES DIFFÉRENTES FORMES JURIDIQUES

Sur le plan juridique, l'entreprise peut prendre plusieurs formes. Aux fins de nos discussions, nous retenons les trois principales : l'entreprise individuelle, la société en nom collectif et la société par actions. Il existe également d'autres formes juridiques d'entreprise, comme la coopérative (voir notamment le tableau 1.4 au chapitre 1) et la société en commandite. La forme juridique aura un impact, en particulier, lors du transfert de propriété. Chaque forme juridique comporte des avantages et des inconvénients et est plus appropriée dans certaines situations.

L'**entreprise individuelle** est une entreprise non constituée en société par actions et appartenant à une seule personne. Il s'agit de la forme juridique la plus simple. Elle confond l'entreprise, qui n'a pas d'existence juridique, et son propriétaire. L'imposition des bénéfices de l'entreprise s'effectue auprès du propriétaire dans sa déclaration de revenus personnelle. Selon qu'il utilise son propre nom ou une raison sociale distincte, le propriétaire devra déclarer ou enregistrer la raison sociale de son entreprise. La « raison sociale » correspond au nom de l'entreprise. Nous utiliserons l'abréviation « enr. » à la fin du nom de l'entreprise. Par exemple, Construction Labrie enr. Même si les formes juridiques ne sont pas parfaitement identiques au Québec et en France, plus de 50 % des PME françaises (56 %) ont adopté le statut d'entreprise individuelle, ce qui est probablement similaire au Québec. Cela se retrouve en particulier dans les très petites entreprises.

La **société en nom collectif** est un regroupement d'associés qui mettent en commun leurs ressources. Les associés partagent la gestion de l'entreprise, les bénéfices et les passifs dans des proportions convenues à l'avance. Cette forme confond l'entreprise, qui n'a pas d'existence juridique, et chaque associé. Il y aura une responsabilité partagée des gestes posés. L'imposition des bénéfices de l'entreprise, pour sa portion des bénéfices, s'effectue auprès de chaque associé dans sa déclaration de revenus personnelle. L'entreprise et les associés devront déclarer ou enregistrer la raison sociale de la société en nom collectif. Nous verrons apparaître l'abréviation « s.e.n.c. » à la fin du nom de l'entreprise afin de spécifier cette forme juridique. Par exemple, on retrouve plusieurs regroupements de professionnels sous cette forme. Un exemple pourrait être Cadieux et Brouard, s.e.n.c.

La **société par actions** est une entité juridique ou une personne morale distincte de ses propriétaires. Il est possible de retrouver les appellations « corporation » ou « compagnie » pour désigner cette société. Il s'agit d'une forme juridique plus complexe. L'entreprise émet des actions représentant le titre de propriété. C'est pourquoi les propriétaires portent le titre d'actionnaires. Sauf en cas de garantie personnelle, la responsabilité d'un actionnaire est limitée à sa mise de fonds dans la société par actions. L'imposition des bénéfices de l'entreprise s'effectue auprès de la société par actions dans une déclaration de revenus corporative. Les actionnaires sont imposés personnellement sur le revenu d'emploi (salaires et bénéfices) et les dividendes perçus.

Nous utiliserons l'abréviation « inc. », « limitée » ou « ltée » à la fin du nom de l'entreprise afin de désigner cette forme juridique. Il est possible de distinguer deux grandes catégories : la société privée et la société ouverte. Les actions de la société privée ou fermée sont détenues par un petit groupe d'actionnaires. Les actions ne peuvent être vendues au grand public. Un bon exemple est sans doute les PME typiques qui sont contrôlées par une seule personne ou par les membres d'une même famille. C'est le cas de la très grande majorité des PME. Une étude québécoise menée dans la MRC de Drummond a d'ailleurs révélé que 94 % des PME participantes appartiennent majoritairement à au moins un membre de la famille (membre unique ou plusieurs membres) (Cadieux, 2006a). Si l'on compare cette enquête avec une autre étude québécoise dans la région de Beauce-Sartigan (CEB, 2003), on pourra trouver des différences selon la région et la composition des PME d'une région donnée. Il existe aussi une distinction selon la taille des PME, les plus petites ayant plus souvent un actionnaire unique que les moyennes entreprises (Cadieux, 2006a). Citons les moyennes entreprises Pélican International inc., entreprise spécialisée dans la fabrication d'embarcations légères (300 employés en 2007 et un chiffre d'affaires de plus de 47 millions de dollars en 2006), Jeans Parasuco inc., société spécialisée dans la conception et la distribution de vêtements (288 employés en 2007), et Groupe B.M.R. inc., distributeur de matériaux de construction et quincaillerie (250 employés en 2007 et un chiffre d'affaires de 570 millions de dollars en 2006).

Les actions de la société ouverte sont négociées à la bourse et elles sont proposées à quiconque désire s'en porter acquéreur. Par exemple[2], la société Bombardier inc., une multinationale, est une société ouverte (plus de 14 000 employés au Québec et plus de 59 000 dans le monde en 2007 et un chiffre d'affaires de plus de 18 milliards de dollars en

---

2. Les données en termes du nombre d'employés et du chiffre d'affaires proviennent des classements publiés par Les Affaires, soit le *Classement des 300 plus importantes PME du Québec* (édition 2008) et le *Classement des 500 plus grandes entreprises* (édition 2008).

2006). Il existe aussi des moyennes entreprises qui sont des sociétés ouvertes. Citons les sociétés Boralex inc., entreprise spécialisée dans le développement et la production d'énergie renouvelable (300 employés en 2008 et un chiffre d'affaires de plus de 162 millions de dollars en 2006), Fortsum Solutions d'affaires inc., société spécialisée dans le développement et l'intégration de solutions d'affaires comptables, financières et commerciales (255 employés en 2007 et un chiffre d'affaires de plus de 27 millions de dollars en 2006), et Industries Amisco inc., entreprise spécialisée dans la conception et la fabrication de mobilier résidentiel (175 employés en 2007 et un chiffre d'affaires de plus de 30 millions de dollars en 2006). Les exigences de divulgation sont plus grandes auprès des sociétés ouvertes, ce qui permet de trouver de nombreux renseignements sur celles-ci. Le tableau 4.1 présente les caractéristiques des trois principales formes juridiques présentées.

TABLEAU 4.1
Les principales formes juridiques des PME

Entreprise individuelle	*Société en nom collectif*	*Société par actions*
▪ Entité légale non distincte	▪ Entité légale non distincte	▪ Entité légale distincte
▪ Responsabilité personnelle illimitée	▪ Responsabilité personnelle illimitée	▪ Responsabilité personnelle limitée
▪ Entité comptable distincte	▪ Entité comptable distincte	▪ Entité comptable distincte
▪ Revenu imposé dans les mains du propriétaire	▪ Revenu imposé dans les mains du sociétaire	▪ Revenu imposé dans les mains de la société par actions
▪ Coûts de démarrage relativement peu élevés	▪ Coûts de démarrage relativement peu élevés	▪ Forme juridique la plus coûteuse
▪ Problème de continuité en l'absence du propriétaire		▪ Continuité plus facile
		▪ Droit de propriété transmissible
		▪ Réglementation plus lourde

4.2. LES CHOIX CONCERNANT LE TRANSFERT DE LA PROPRIÉTÉ LORS DE LA TRANSMISSION D'UNE PME

Tout comme le transfert de la direction, le transfert de la propriété n'est pas une chose facile. Plusieurs choix doivent être compris afin de connaître ce qui peut être fait. Une entreprise se retrouve essentiellement dans les actifs ou dans les actions de celle-ci, et ces deux catégories de biens peuvent faire l'objet de la transmission. Autant du côté du prédécesseur/cédant que du côté du successeur/repreneur, l'entreprise peut être détenue avant et après la transmission selon les diverses formes juridiques dont nous avons parlé précédemment (entreprise individuelle, société en nom collectif, société par actions). Le transfert de la propriété peut se faire selon divers modes, qui se retrouvent dans les types de transmissions (familiale, interne, externe). Enfin, il y a la contrepartie, qui fait l'objet du chapitre 5. Les différentes options pour la transmission d'entreprise sont résumées au tableau 4.2 et sont discutées dans la présente partie. Ces options s'appliquent tout autant aux transmissions familiales, internes et externes. Ces éléments sont décrits dans les paragraphes ci-après.

TABLEAU 4.2
Les options pour la transmission de la propriété d'une entreprise: un résumé

Quoi?	Mode de détention	Mode de transfert	Contrepartie
• Actions • Actifs	• Personnelle • Société en nom collectif • Société par actions	• Total ou partiel • Une seule transaction ou graduellement	• Argent comptant • Dette • Actions
	• Une seule personne • Plusieurs personnes	• Cession • Donation • Vente • Gel successoral • Utilisation ou non d'une fiducie	

■ 4.2.1. Les actions ou les actifs

Fondamentalement, la valeur d'une entreprise se retrouve dans ses actifs ou dans ses actions (Bisson, 2006). Ces deux catégories de biens peuvent faire l'objet de la transmission. Une entreprise se compose d'éléments d'actifs. Par exemple, il peut s'agir des comptes débiteurs, de l'inventaire, des terrains, des bâtiments, des équipements et des actifs intangibles. Il est possible de céder en tout ou en partie les actifs de l'entreprise. Certains de ces actifs peuvent être loués par l'entrepreneur et faire partie ou non de la transaction. Le transfert des actifs implique la vente de ces actifs de l'entreprise à un ou plusieurs acheteurs potentiels. Il est ainsi possible de transmettre l'entreprise à plusieurs successeurs/repreneurs intéressés à différentes portions, soit certains équipements ou certaines divisions, de l'entreprise mais pas à sa globalité.

Ces actifs peuvent aussi se trouver dans les actions d'une société par actions appartenant à plusieurs actionnaires. Dans ce cas, il n'y a pas cession de chaque actif individuel. Le prédécesseur/cédant cède plutôt sa participation, c'est-à-dire ses actions, au successeur/repreneur, et non pas nécessairement les actions appartenant aux autres membres de la famille proche, à des employés ou à des actionnaires externes. Il est aussi possible de céder en totalité ou en partie les actions de la société. La détention personnelle des actions de l'entreprise à transmettre pourrait permettre au prédécesseur/cédant de profiter de la déduction du gain en capital de 750 000 $. Il s'agit sans aucun doute d'un argument central pour la vente des actions (Senbel et St-Cyr, 2006a). Ce genre de dispositions fiscales n'est pas identique dans tous les pays. Il pourrait y avoir changement de contrôle avec plusieurs implications fiscales négatives (Gagné, 2007).

Lorsqu'il s'agit d'une société par actions et que la totalité de celle-ci n'appartient pas au prédécesseur/cédant, ce qui est rarement le cas dans les petites et très petites entreprises, ce dernier doit obtenir l'autorisation des autres actionnaires. Lorsque les actions appartiennent à plusieurs personnes, il faut habituellement l'accord des autres actionnaires pour transférer les actions à un prédécesseur/successeur. Si elle existe, une convention entre actionnaires décrit la procédure à suivre pour obtenir l'accord des autres actionnaires (voir la discussion à la section 5.6 du chapitre 5). Dans certains cas, il faudra offrir en premier lieu les actions aux autres actionnaires. Avec le transfert des actions, le successeur/repreneur voudra probablement se prémunir contre les actions passées au moyen d'une clause limitant la responsabilité par rapport aux dettes passées, par exemple les passifs fiscaux antérieurs.

La tendance veut que le successeur/repreneur privilégie l'acquisition des actifs, alors que le prédécesseur/cédant préfère la vente des actions (Gagnon, 1991). Il existe certains avantages et inconvénients à l'achat/vente des actifs et des actions (voir le tableau 4.3). Il peut s'agir par exemple de la flexibilité offerte avec les actifs. Ainsi, le successeur/repreneur peut désirer choisir uniquement certains actifs, ce qu'il est plus difficile de faire avec l'acquisition des actions, où l'ensemble des actifs se retrouve dans la valeur des actions.Sur le plan de la complexité, il faut évaluer chaque actif et considérer les conséquences fiscales pour chaque actif de la société, puis considérer l'imposition de l'actionnaire à la suite du transfert des fonds obtenus. Dans le cas des actions, il ne faut considérer que l'imposition de l'actionnaire. Sur le plan fiscal, la vente des actions permet d'utiliser la déduction de gain en capital de 750 000 $, mais peut entraîner une fin d'année financière réputée en cas de changement de contrôle. Sur le plan légal, la

TABLEAU 4.3
Le choix entre l'achat/vente des actifs ou des actions – avantages et inconvénients

Achat/vente d'actifs	Achat/vente d'actions
Prédécesseur/cédant	
• Possibilité accrue de vendre des divisions à différents acheteurs • Attribution d'une plus grande valeur aux actifs non amortissables • Possibilité de conserver toutes les obligations liées à la société	• Simplicité • Possibilité d'utiliser la déduction de gain en capital (750 000 $) • Aucune récupération de la déduction pour amortissement fiscal • Réserve possible lorsque le paiement est différé (maximum de 5 ans) • Possibilité d'éviter le fardeau des règles sur la vente en bloc (Ontario) • Possibilité de se libérer de l'entreprise en totalité
Successeur/repreneur	
• Possibilité d'exclure les actifs non désirés en accordant une plus grande flexibilité • Report des pertes d'exploitation • Désengagement face aux passifs et aux risques antérieurs • Nécessité de déterminer et d'allouer le prix entre chaque actif • Actifs ajustés à leur juste valeur marchande sur le plan fiscal (notion de « *bump-up* ») • Possibilité d'augmentation de la déduction pour amortissement fiscal • Financement de la transmission facilité • Vérification diligente plus rapide (impôts, litiges, environnement) • Double niveau d'imposition (de la société et de l'actionnaire)	• Fin d'année financière réputée s'il y a changement de contrôle • Report des pertes à certaines conditions • Responsabilité des risques et passifs antérieurs • Déduction de l'intérêt pour financer l'acquisition • Transfert des droits de certains contrats facilité • Élimination de certains droits de mutation sur le transfert de biens immobiliers

Sources: Gagnon (1991, p. 81 et 85); Racette et Hinse (2002, p. 19-20).

responsabilité ou non des gestes posés par les actionnaires antérieurs au regard des risques et passifs antérieurs peut jouer en faveur des actifs, bien qu'il soit possible d'inscrire des clauses dans le contrat de vente afin de se désengager des passifs et risques antérieurs. La négociation à l'aide de professionnels permet de trouver un terrain d'entente entre les deux parties et de concilier les deux positions.

■■■ 4.2.2. Le mode de détention

L'entreprise peut être détenue selon diverses formes juridiques avant la transmission par le prédécesseur/cédant et après la transmission par le successeur/repreneur. Tel que décrit, il peut s'agir d'une entreprise personnelle, d'une société en nom collectif ou d'une société par actions. Ces modes de détention faciliteront ou non la transmission en permettant d'utiliser certaines techniques ou non. Par exemple, il sera impossible de profiter directement de la déduction du gain en capital de la petite entreprise s'il s'agit d'une entreprise personnelle. En effet, il est nécessaire de transférer les actions d'une société exploitant une petite entreprise. Le transfert d'actions n'est toutefois pas requis dans le cas de transfert de certains biens agricoles admissibles. Il est donc possible de transférer les actifs détenus par une entreprise personnelle ou une société en nom collectif dans cette situation.

Combiné avec les formes juridiques, le mode de détention peut aussi être considéré selon le nombre de personnes détenant les actifs ou les actions de la PME à transmettre. Il peut s'agir d'une seule personne ou de plusieurs personnes avant la transmission par le prédécesseur/cédant et après la transmission par le successeur/repreneur. Dans le cas des très petites entreprises, c'est en général une seule personne qui détient la totalité de l'entreprise, que ce soit par une entreprise personnelle ou par l'entremise d'une société par actions. Selon qu'une seule personne ou plusieurs personnes possèdent l'entreprise, il sera plus facile ou plus difficile de transmettre la PME. Ainsi, dans le cas d'un propriétaire unique, il n'y a pas d'autorisation ni de permission à demander à d'autres partenaires. Par contre, cela est différent si un grand nombre de personnes de la même famille sont propriétaires.

Kenyon-Rouvinez et Ward (2005) distinguent et illustrent trois stades d'évolution du mode de détention de la propriété dans le temps pour une entreprise familiale impliquant un nombre de plus en plus élevé de propriétaires. Au stade 1, le propriétaire dirigeant, avec ou sans sa conjointe, est le maître à bord. Au stade 2, on observe la présence de quelques enfants (la fratrie) qui dirigent. Il peut aussi y avoir des employés clés. Pour bon nombre de très petites entreprises, le deuxième stade ne sera jamais atteint. Au stade 3, il s'agit d'une famille élargie aux cousins avec ou sans la présence d'actionnaires extérieurs qui contrôlent l'entreprise. Selon Venter, Kruger et Herbst (2007), il est souhaitable de conceptualiser la transmission familiale du capital différemment selon que l'on est à l'un ou l'autre des trois stades. Le tableau 4.4 présente les trois stades et leurs caractéristiques. Bien entendu, il existe une multitude de stades de propriété qui ne peuvent pas être couverts en totalité par une combinaison de membres de la famille et d'autres personnes.

TABLEAU 4.4
Les types de la propriété dans le temps dans le cas des transmissions familiales

Stade 1 *Propriétaire dirigeant*	Stade 2 *Partenariat de la fratrie*	Stade 3 *Confédération des cousins*
• Décisions unilatérales • Système autoritaire • Décision rapide • Possibilité que les autres se sentent aliénés • Simplicité	• Décisions par consensus • Relations intenses et explosives • Diversité • Créativité • Plus grand risque de conflits	• Processus de décisions démocratiques • Propriété dispersée • Absence de contrôle • Règles et processus équitable • Perte d'intérêt personnel

Source : Kenyon-Rouvinez et Ward (2005, p. 10).

■ 4.2.3. Le mode de transfert

La transmission peut s'effectuer selon plusieurs modes de transfert. Elle peut se faire totalement ou partiellement ou dans une seule transaction ou graduellement par plusieurs transactions qui s'échelonnent dans le temps. Par exemple, le prédécesseur/cédant peut désirer étaler le transfert de la propriété dans le temps, conserver une certaine quantité d'actions lui permettant de garder le contrôle des décisions (Cadieux, 2004) ou, encore, conserver certains actifs immobiliers et de transférer uniquement le fonds de commerce au successeur/repreneur. Le fisc étant un acteur important pour l'ensemble des contribuables, y compris pour les propriétaires dirigeants d'entreprises, il convient d'examiner les modes de transfert qui s'offrent aux prédécesseurs/cédants et aux successeurs/repreneurs. Les conséquences fiscales de ces options doivent être évaluées avec soin par leurs conseillers. Il est ainsi possible de transférer l'entreprise selon plusieurs techniques de transmission. Une combinaison de ces techniques est également envisageable.

La première catégorie de techniques de transfert de la propriété d'une PME est la **cession**. La cession s'opère par une donation ou par une vente à la juste valeur marchande. Malgré sa simplicité, la cession entraîne des conséquences fiscales importantes et des impôts sur le revenu à payer. Il faut calculer le gain en capital imposable et le revenu d'entreprise généré par la vente des actions ou des actifs. Dans le cas de la donation, on a l'équivalent de la vente à la juste valeur marchande avec en plus des problèmes possibles de liquidité liés à la transmission d'entreprise. En effet, le transfert par donation n'amène pas de liquidités au prédécesseur/cédant contrairement à la vente, car le successeur/repreneur n'a aucun déboursé à effectuer. Il y a donc un appauvrissement du prédécesseur/cédant (Martel, 2004) ou le transfert plus rapide du patrimoine à sa progéniture, comme cela se fait fréquemment dans les entreprises agricoles. Sauf pour la donation, si la vente à une personne liée (par exemple des membres de la famille) ne s'effectue pas à la juste valeur marchande (JVM), il y aura une double imposition. Cette double imposition résulte de la règle fiscale exigeant des transactions à la JVM pour les personnes liées.

La deuxième catégorie de techniques de transmission d'entreprise est le **gel successoral**, qui utilise diverses dispositions fiscales permettant de reporter les conséquences fiscales de la transmission (Feltham, Feltham et Mathieu, 2003). En effet, le transfert par gel permet d'éviter les conséquences fiscales normales au moment de la transmission et de les reporter à une date ultérieure, jusqu'au rachat des actions non participantes de gel, par exemple. Étant donné leur importance, une section distincte énumère les différentes techniques de gel successoral tout comme le recours à une fiducie.

Il est possible de préciser davantage les modes de transfert en les distinguant selon les trois formes de transmission des PME accessibles au prédécesseur/cédant présentées au chapitre 1, soit familiale, interne et externe. Premièrement, la **transmission familiale** s'effectue par le transfert de la propriété aux membres de la famille. Dans ce contexte, il est possible de retrouver la cession, soit par donation, ce qui n'est pas ou qui est très rarement le cas avec les autres types de transmission, soit par vente ou, dans plusieurs cas, soit par gel successoral.

ENCADRÉ 4.3
Une illustration des conséquences fiscales de transactions à la JVM ou non

Le fisc exige que les transactions entre personnes liées, par exemple entre des membres de la même famille, s'effectuent à la juste valeur marchande (JVM). Dans le cas où il n'y a pas de liens de dépendance, il y a une présomption que les transactions s'effectuent à la JVM. En effet, il n'y a aucun avantage à donner un bénéfice à un étranger. Illustrons par trois exemples les conséquences fiscales de la vente d'un terrain pour une transaction en 20X1 et une revente quatre ans plus tard en 20X5. La règle fiscale influe sur le produit de disposition ou sur le coût réputé.

Exemple 1 – Transaction à la JVM
Produit de disposition en 20X1 = 110 000 $; coût initial = 10 000 $; JVM en 20X1=110 000 $
Produit de disposition en 20X5 = 310 000 $; JVM en 20X5 = 310 000 $
Conséquences fiscales en 20X1:
Produit de disposition – coût initial = 110 000 $ – 10 000 $ = 100 000 $ (gain en capital)
Conséquences fiscales en 20X5:
Produit de disposition – coût réputé = 310 000 $ – 110 000 $ = 200 000 $ (gain en capital)
Conséquences fiscales totales:
100 000 $ (gain en capital) + 200 000 $ (gain en capital) = 300 000 $ (gain en capital)

Exemple 2 – Transaction à un montant supérieur à la JVM
Produit de disposition en 20X1 = 210 000 $; coût initial = 10 000 $; JVM en 20X1 = 110 000 $
Produit de disposition en 20X5 = 310 000 $; JVM en 20X5 = 310 000 $
Conséquences fiscales en 20X1:
Produit de disposition – coût initial = 210 000 $ – 10 000 $ = 200 000 $ (gain en capital)
Conséquences fiscales en 20X5:
Produit de disposition – coût réputé = 310 000 $ – 110 000 $ = 200 000 $ (gain en capital)
Conséquences fiscales totales:
200 000 $ (gain en capital) + 200 000 $ (gain en capital) = 400 000 $ (gain en capital)

Exemple 3 – Transaction à un montant inférieur à la JVM

Produit de disposition en 20X1 = 60 000 $; coût initial=10 000 $;
    JVM en 20X1=110 000 $
Produit de disposition en 20X5 = 310 000 $; JVM en 20X5 = 310 000 $
Conséquences fiscales en 20X1:
Produit de disposition – coût initial = 110 000 $ – 10 000 $ = 100 000 $
    (gain en capital)
Conséquences fiscales en 20X5:
Produit de disposition – coût réputé = 310 000 $ – 60 000 $ = 250 000 $
    (gain en capital)
Conséquences fiscales totales:
100 000 $ (gain en capital) + 250 000 $ (gain en capital) = 350 000 $
    (gain en capital)

En comparant les conséquences fiscales totales des trois exemples, il est possible de déterminer une imposition supplémentaire de 100 000 $ dans l'exemple 2 et de 50 000 $ dans l'exemple 3 par rapport à une transaction à la juste valeur marchande.

Deuxièmement, la **transmission interne** implique une vente aux cadres et aux employés. La transmission interne peut aussi être combinée avec une transmission familiale. Notons le rachat de l'entreprise par les salariés (Management Buy-Out [MBO]), le rachat par effet de levier (Leveraged Buy-Out [LBO]), le rachat de l'entreprise par les salariés avec effet de levier (Leveraged Management Buy-Out [LMBO]) et la coopérative (Scholes *et al.*, 2008). Dans les cas de transmission interne, il est aussi possible de retrouver le gel successoral. En dépit de la différence de sens entre les termes cadres et salariés, l'Office québécois de la langue française regroupe sous la même notion les expressions rachat de l'entreprise par les salariés et rachat de l'entreprise par les cadres. Le terme anglais « *buy-out* » signifie que l'acheteur est issu de la société, qu'il s'agisse de salariés ou de cadres. La relève par les salariés regroupés en coopérative est une autre formule à envisager. Comme nous l'avons mentionné au chapitre 1, dans un tel cas les employés peuvent acquérir l'entreprise selon un rythme convenant aux deux parties. Alors que, d'une part, cette formule permet au prédécesseur/cédant de se distancier tranquillement de son entreprise, d'autre part, elle favorise l'appropriation graduelle de la gestion et de la propriété chez les successeurs/repreneurs.

Troisièmement, la **transmission externe** correspond à une cession à des repreneurs externes ou à une combinaison de repreneurs externes et d'employés. Pour la vente à des repreneurs externes, la cession s'effectue presque toujours à la juste valeur marchande, étant donné le peu ou l'absence de liens entre les deux parties. Notons le rachat de l'entreprise par des investisseurs (Management Buy-In [MBI]), le rachat avec effet de levier (Leveraged Buy-In [LBI]), le rachat de l'entreprise par des investisseurs avec effet de levier (Leveraged Management Buy-In [LMBI]), l'essaimage, la fusion d'entreprises, le regroupement d'entreprises. Le terme anglais « *buy-in* » signifie que l'acheteur est issu de l'extérieur de la société. L'essaimage correspond à un apport partiel d'actifs ou à un transfert d'éléments d'actifs à une autre société (Ménard, 1994). Dans certains cas, le successeur/repreneur pourrait décider de procéder à une réorganisation d'affaires (fusion, regroupement) lui permettant de réunir l'ensemble de ses entreprises selon la structure d'affaires souhaitée. Ainsi, il est possible que le successeur/repreneur contrôle plusieurs entreprises. Ce contexte peut soulever de l'inquiétude chez les employés qui craignent une rationalisation à la suite du regroupement.

Dans le cas du rachat de l'entreprise par les salariés ou par des investisseurs, il peut s'agir d'opérations de rachat d'une société avec ou sans effet de levier. L'effet de levier correspond à l'utilisation d'un endettement qui peut être bancaire. En général, le successeur/repreneur se sert de la capacité d'emprunt de l'entreprise en plaçant en garantie les actifs de l'entreprise et en comptant sur les flux futurs de trésorerie de l'entreprise (Ménard, 1994). Pour la vente à des repreneurs externes et à des employés, le terme rachat de l'entreprise par des investisseurs et par les salariés (Buy-In Management Buy-Out [BIMBO]) peut être retrouvé. Il s'applique lorsque l'équipe de repreneurs est composée de cadres de l'entreprise acquise et d'investisseurs externes. Le tableau 4.5 résume ces modes de transfert de la propriété selon les trois formes de transmission (familiale, interne, externe).

■ 4.2.4. La contrepartie

La contrepartie la plus simple est l'argent comptant reçu au moment de la transaction. Il est aussi possible de recevoir un solde de prix de vente ou une créance. Lors de la cession, il est possible de reporter le gain en capital sur une période de cinq années par l'utilisation d'une réserve sur un prix de vente à recevoir. La période s'étire à dix années dans le cas d'entreprises agricoles. Une autre option est

ENCADRÉ 4.4
L'option ultime: la fermeture et la liquidation

S'il est impossible de transmettre l'entreprise, il reste toujours une option ultime: la fermeture définitive et la liquidation (dissolution) de l'entreprise. Bien qu'il ne s'agisse pas d'une transmission, cette option est utilisée relativement souvent faute de successeur/repreneur. Lors d'une fermeture définitive et de la liquidation (dissolution) de l'entreprise, il s'agit essentiellement de vendre l'ensemble des actifs de l'entreprise, de payer les passifs de l'entreprise, y compris les impôts afférents à la liquidation et de distribuer les sommes restantes au prédécesseur.

Il existe deux formes de liquidation, soit la liquidation ordonnée et la liquidation forcée. Une liquidation ordonnée permet à l'entreprise de se départir de ses actifs en prenant le temps de trouver les acheteurs qui lui permettront d'obtenir la meilleure valeur de liquidation. Au moment d'une liquidation forcée, l'entreprise doit se départir de ses actifs sous une certaine urgence d'agir. Par exemple, il peut s'agir d'une liquidation à la suite d'un décès ou en raison d'une maladie inattendue. Il est donc préférable de procéder à une liquidation ordonnée des actifs de l'entreprise afin de pouvoir obtenir la meilleure valeur possible pour ces actifs.

Il y a donc des conséquences fiscales importantes qui peuvent être vues en trois étapes. La première étape consiste à vendre l'ensemble des actifs de l'entreprise. Lors de la vente de ces actifs, divers grands types de revenus à des fins fiscales peuvent apparaître pour l'entreprise (société par actions). Essentiellement, il peut s'agir de revenus d'entreprise (par exemple une récupération d'amortissement ou une perte finale) ou de gains en capital. La distinction est importante, puisque le revenu d'entreprise doit être inclus à 100% dans le revenu net, alors que le gain en capital imposable équivaut uniquement à un montant de 50% du gain en capital. Une perte finale sur la disposition de biens amortissables pourrait être déduit à 100% dans le calcul du revenu net. La deuxième étape consiste à payer les passifs de l'entreprise, y compris les impôts afférents à la liquidation. Ces impôts seront différents selon qu'il s'agit d'un revenu d'entreprise ou d'un revenu de placement (gain en capital imposable). Il y aura également récupération du remboursement au titre de dividendes. En additionnant le produit de disposition des actifs vendus et le remboursement au titre de dividendes et en soustrayant les impôts à payer, on obtient une somme qui correspond au montant disponible pour distribution. La troisième étape consiste à distribuer les sommes restantes aux actionnaires de l'entreprise. Le montant disponible pour distribution est diminué du capital versé et du montant du compte de dividendes en capital afin d'obtenir le montant de dividende qui doit être inclus dans le revenu de l'actionnaire en tenant compte de la majoration pour obtenir le dividende imposable. Il est également nécessaire de calculer un gain en capital au plan personnel à la suite de la disposition des actions.

TABLEAU 4.5
**Les différents modes de transfert de la propriété
selon les formes de transmission**

Familiale	*Interne*	*Externe*
Transfert familial • Donation • Vente • Gel successoral	Vente aux cadres et employés • Rachat de l'entreprise par les salariés (Management Buy-Out [MBO]) • Rachat par effet de levier (Leveraged Buy-Out [LBO]) • Rachat de l'entreprise par les salariés avec effet de levier (Leveraged Management Buy-Out [LMBO]) • Utilisation d'une coopérative • Gel successoral	Vente à des repreneurs externes • Rachat de l'entreprise par des investisseurs (Management Buy-In [MBI]) • Rachat par effet de levier (Leveraged Buy-In [LBI]) • Rachat de l'entreprise par des investisseurs avec effet de levier (Leveraged Management Buy-In [LMBI]) • Essaimage (*spin-off*) • Fusion d'entreprises • Regroupement d'entreprises Vente à des repreneurs externes et à des employés • Rachat de l'entreprise par des investisseurs et par les salariés (Buy-In Management Buy-Out [BIMBO])

la réception d'actions de la société qui acquiert l'entreprise à transmettre. Ainsi, une réorganisation d'affaires pourrait permettre cette conversion d'actions ou le remaniement du capital en diminuant les conséquences fiscales. Il faut noter la possibilité de combiner certaines formes de contrepartie.

4.3. LE GEL SUCCESSORAL

L'une des techniques privilégiées dans un contexte de transmission familiale est le gel successoral (Louis et Prasad, 2006, 2007). Le gel successoral est une opération permettant d'échanger des biens qui prendront de la valeur (actions participantes) contre des biens (actions non participantes de gel) dont la contrepartie demeurera fixe. Il y a donc un gel de la valeur de l'entreprise à une date donnée. Ce gel permet le transfert de la plus-value future sur les actions participantes qui seront détenues par les successeurs. L'objectif est d'attribuer l'augmentation de valeur des actions à partir de la date du gel au successeur qui détient les actions participantes. Dans l'éventualité où l'entreprise ne serait pas incorporée, il faudrait procéder à un transfert des actifs à une société par actions.

La notion de gel successoral est utilisée lors d'une succession chez plus de la moitié des répondants dans deux études canadiennes sur les entreprises familiales (GCEQ, 2004; St-Cyr et Richer, 2003a). Cela contraste avec l'étude des 237 entreprises familiales dans l'Outaouais (UQAH, 1993). Ainsi, selon cette étude, plus de la moitié (58,1%) des répondants ne connaissent même pas la notion de gel successoral, le quart (24,5%) la connaissent plus ou moins et 17,5% connaissent très bien cette notion. Se familiariser avec la notion de gel successoral représente sans doute une première étape avant l'utilisation. Il faut peut-être y voir une amélioration dans le temps, selon des différences régionales ou en fonction de répondants qui sont rendus à des niveaux différents dans leur préparation ou dans leurs connaissances[3].

En général, les bénéficiaires d'un gel successoral sont les enfants, petits-enfants, neveux et nièces, membres de la nouvelle génération du prédécesseur/cédant. Il n'est pas utile d'effectuer un transfert vers le conjoint en raison des règles fiscales permettant de transférer des biens sans impôt autant du vivant que lors du décès et du souci de transmission à la prochaine génération, sans compter la préoccupation concernant le fractionnement du revenu (Martel, 2004). Les frères, sœurs, cousins et cousines peuvent également être des bénéficiaires, en particulier s'il y a une bonne différence d'âge entre le prédécesseur/cédant et le successeur/repreneur. Il faut noter qu'il est toujours possible d'effectuer un gel successoral en faveur d'une personne autre que des membres de la famille du prédécesseur, un employé par exemple. Nous parlons alors ici de la possibilité d'un gel pour deux formes de transmission: familiale et interne.

---

3. L'étude du Groupement des chefs d'entreprise du Québec porte particulièrement sur la succession, tandis que les deux autres études se concentrent sur les entreprises familiales en général. Il faut noter le nombre peu élevé de répondants par rapport à l'ensemble des membres du Groupement des chefs d'entreprise du Québec qui se situe autour de 1200 propriétaires de PME, ce qui peut diminuer la représentativité des résultats.

■ 4.3.1. Les types de gels

Les types de gels peuvent se regrouper selon deux grandes catégories de techniques, soit le gel à l'interne et le gel à l'externe (voir le tableau 4.6) que nous décrivons ci-après. La distinction entre le gel externe et le gel interne se situe au plan de la formation ou non d'une nouvelle entité légale par rapport à l'entreprise à transmettre (Charest et Grégoire, 2005 ; Martel, 2004). À titre d'exemple, la figure 4.1 présente la situation initiale d'une structure d'affaires simple avant le transfert de la propriété. Cette figure permet de comparer ce qui se produit après l'une ou l'autre des techniques de gel. Ainsi, initialement, le

TABLEAU 4.6
Les techniques de transmission par le gel successoral

Gels à l'interne	*Gels à l'externe*
▪ Remaniement de capital ▪ Conversion d'actions ▪ Roulement interne ▪ Paiement d'un dividende en actions ▪ Octroi d'options d'achat d'actions	▪ Vente à une société de portefeuille (gel classique) ▪ Vente d'éléments d'actif (gel inversé) ▪ Utilisation d'une société de personnes

FIGURE 4.1
Situation initiale

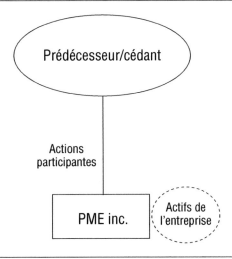

prédécesseur/cédant possède l'ensemble des actions participantes (ordinaires) d'une société par actions, PME inc., qui elle possède les actifs de l'entreprise.

ENCADRÉ 4.5
Les notions d'actions participantes et d'actions privilégiées

Les actions participantes sont des actions «donnant à son porteur le droit de participer pleinement aux bénéfices de la société émettrice et, par conséquent, de toucher tout dividende déclaré sur les bénéfices en proportion de sa participation dans la société» (Ménard, 1994, p. 531). Par contraste, les actions non participantes ne donnent pas le droit de participer au-delà du dividende prescrit par le type d'actions. Par définition, les actions ordinaires sont pleinement participantes et votantes. Il est possible d'accorder certains privilèges à certaines catégories d'actions (actions privilégiées). Il peut s'agir de participation aux bénéfices, mais aussi d'un dividende cumulatif ou non à un taux prescrit payé en priorité par rapport aux détenteurs d'actions ordinaires, de la possibilité de rachat au gré de l'actionnaire ou de l'entreprise, de la conversion au gré de l'actionnaire ou de l'entreprise contre d'autres catégories d'actions (par exemple des actions ordinaires) ou du droit de vote. Ainsi, la valeur accumulée dans l'entreprise se retrouve dans les actions participantes. Lors d'une transmission de PME, l'octroi de certains privilèges à certains actionnaires permet d'atteindre les objectifs visés. Il peut s'agir de l'utilisation dans le cadre d'un gel successoral ou pour accorder davantage de votes à un prédécesseur/cédant pour une période de temps donnée et ensuite procéder au rachat.

■ 4.3.2. Le gel à l'interne

Parmi les techniques de gel successoral à l'interne, notons le remaniement de capital, la conversion d'actions, le roulement interne, le paiement d'un dividende en actions et l'octroi d'options d'achat d'actions. Lors d'un remaniement de capital, d'une conversion d'actions ou d'un roulement interne, il s'agit pour le prédécesseur/cédant d'échanger ses actions participantes contre des actions non participantes et d'obtenir possiblement une contrepartie autre que des actions. Comparativement au gel à l'externe, il n'est pas nécessaire de créer une nouvelle société par actions avec un gel à l'interne, ce qui réduit les coûts de la transaction. La figure 4.2 présente la situation après un gel à l'interne, par exemple par un remaniement de capital.

FIGURE 4.2
Situation après un gel par remaniement de capital

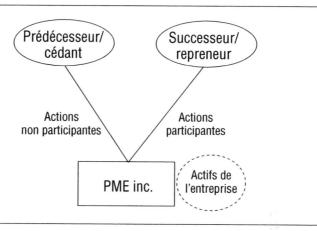

Lors d'un **remaniement de capital** (art. 86 L.I.R.), le prédécesseur/cédant échange les actions participantes qu'il possédait avant la transaction et obtient de nouvelles actions non participantes. Le coût des anciennes actions devient le coût des nouvelles actions. Le résultat est qu'il n'y a pas de gain en capital. Dans le cas du paiement d'une contrepartie autre que des actions, et si cette contrepartie excède le capital versé des actions échangées, il est possible qu'il y ait une imposition sur un dividende réputé. Cette technique est simple, mais elle implique une modification des statuts de la société par actions. Elle ne permet pas de profiter de la déduction du gain en capital de 750 000 $ selon les lois de l'impôt canadienne.

Au moment de la **conversion d'actions** (art. 51 L.I.R.), le prédécesseur/cédant convertit les actions participantes qu'il possédait avant la transaction et obtient de nouvelles actions non participantes. Le coût des anciennes actions devient le coût des nouvelles actions. Le résultat est qu'il n'y a pas de gain en capital. Selon cette technique simple, il est impossible de recevoir une contrepartie autre que des actions. Cette technique n'implique pas une modification des statuts de la société par actions et elle ne permet pas de profiter de la déduction du gain en capital de 750 000 $ (Charest et Grégoire, 2005).

Lors d'un **roulement interne** (art. 85(1) L.I.R.), l'auteur du gel, soit le prédécesseur/cédant, doit recevoir des actions et il peut aussi obtenir une contrepartie autre que des actions, sous forme d'espèces ou de billet. Le billet correspond à un effet de commerce par lequel une

ENCADRÉ 4.6
La notion de dividende

Les actionnaires d'une nouvelle société par action (M. et Mme Fleurant) investissent dans leur PME en acquérant des actions du capital actions (1 000 actions chacun) de cette société en échange de leur mise de fonds (10 000 $ chacun). Les lois fiscales permettent aux actionnaires de recevoir la somme investie en échange de ces actions, le capital versé (10 000 $ chacun), à l'abri de l'impôt. Les bénéfices d'exploitation après impôt générés au fil des années peuvent être versés aux actionnaires sous forme de dividendes. Cependant, ces dividendes payés ne sont pas à l'abri de l'impôt. Puisque ces bénéfices ont déjà fait l'objet d'une imposition au plan corporatif, l'imposition des dividendes au plan des actionnaires bénéficie d'un traitement préférentiel par un mécanisme d'inclusion d'un montant majoré par rapport au montant reçu et d'un crédit d'impôt pour dividendes. En théorie, le mécanisme de majoration et de crédit d'impôt permet de tenir compte du montant d'impôt payé au plan corporatif. Il s'agit de la théorie de l'intégration.

Il arrive toutefois aussi que certaines transactions corporatives amènent un **dividende réputé**. Le dividende correspond généralement à la différence entre le montant reçu et le capital versé. Le dividende réputé représente un dividende qui n'a pas été déclaré comme tel, mais qui doit être inclus dans son revenu au même titre qu'un dividende régulier en fonction des règles fiscales. Il découle normalement des transactions qui permettent à l'actionnaire de recevoir à une date ultérieure ou immédiatement un avantage. Citons une modification du capital versé, qui permettrait à l'actionnaire de recevoir cette somme à l'abri de l'impôt. Citons aussi le paiement de sommes résultant d'une liquidation de l'entreprise. La liquidation vide la société par actions de tous ses actifs en les transférant aux actionnaires, qui doivent s'imposer sur les surplus accumulés en tenant compte de certaines exceptions. Enfin, un rachat d'actions permet de verser à un actionnaire une valeur atteinte à une date donnée, qui comprend une partie des surplus accumulés. Ces exemples permettent de mieux comprendre la notion de dividende, mais plusieurs aspects techniques ne sont pas mentionnés.

personne s'engage à payer une somme au bénéficiaire désigné ou au porteur. Le roulement (art. 85(1) L.I.R.) permet de choisir un produit de disposition qui se situe entre le coût (prix de base rajusté – PBR) et la juste valeur des actions transférées. En choisissant un produit de disposition égal au coût, le prédécesseur/cédant peut retarder l'imposition du gain en capital. Il faut noter qu'en vertu des règles fiscales canadiennes la contrepartie autre que des actions affecte le produit de disposition choisi lors du roulement. La disposition fiscale amenant un dividende réputé ne s'applique pas, car la disposition a lieu avec la même société (art. 84.1 L.I.R.). Le prédécesseur/cédant qui est un particulier peut choisir un produit de disposition plus élevé que le coût, générant ainsi un gain en capital admissible pour la déduction du gain en capital de 750 000 $. Cette technique est plus complexe.

Au moment du **paiement d'un dividende en actions**, il s'agit de verser un dividende en actions non participantes rachetables à un montant égal à la juste valeur des actions participantes lors de la

---

ENCADRÉ 4.7
Les notions de prix de base rajusté, de produit de disposition et de gain en capital

Expliquons les notions de prix de base rajusté, de produit de disposition et de gain en capital. Selon les lois fiscales, les actions possèdent certaines caractéristiques. Il y a les concepts de capital versé et de prix de base rajusté. Le capital versé, qui est un concept qui se situe davantage au niveau de la société par actions, représente le montant investi dans la société par actions. Le prix de base rajusté, qui est un concept qui se situe davantage au niveau de l'actionnaire, représente le coût d'un bien, par exemple celui des actions. Le produit de disposition représente le prix de vente d'un bien. Le gain en capital correspond à la différence entre le produit de disposition et le prix de base rajusté. Si la différence est positive, il s'agit d'un gain en capital et si elle est négative, il s'agit d'une perte en capital. La portion imposable ou déductible est seulement de 50 % et s'intitule le gain en capital imposable et la perte en capital déductible.

Reprenons l'exemple de l'encadré 4.6 pour illustrer ces notions. Les actionnaires d'une nouvelle société par actions (M. et Mme Fleurant) investissent dans leur PME en acquérant des actions du capital-actions (1 000 actions chacun) de cette société en échange de leur mise de fonds (10 000 $ chacun). Le capital versé et le prix de base rajusté de ces actions est de 10 000 $ chacun, et ce, tant pour Monsieur que pour Madame. L'année suivante, M. Fleurant décide de vendre l'ensemble de ses actions à Mme Pissard, qui les paie 25 000 $. Le capital versé de ces actions est de 10 000 $ chacun, et ce, autant pour Mme Fleurant que pour Mme Pissard. Le prix de base rajusté de ces actions est de 10 000 $ pour Mme Fleurant, mais de 25 000 $ pour Mme Pissard. M. Fleurant réalise un gain en capital de 15 000 $ (produit de disposition 25 000 $ – prix de base rajusté 10 000 $) et un gain en capital imposable de 7 500 $.

déclaration du dividende (Martel, 2004). De cette manière, on ramène les actions participantes à une valeur nulle. L'**octroi d'options d'achat d'actions** permet d'obtenir quelque chose de similaire. Les techniques de paiement d'un dividende en actions et d'octroi d'options d'achat d'actions ne sont pas abordées en détail, car elles sont peu utilisées lors du transfert familial pour des raisons techniques (Martel, 2004 ; St-Cyr *et al.*, 2005).

■ 4.3.3. Le gel à l'externe

Parmi les techniques de gel successoral à l'externe, notons la vente à une société de portefeuille (gel classique), la vente d'éléments d'actif (gel inversé) et l'utilisation d'une société de personnes. Parmi les 36 répondants à l'étude du Groupement des chefs d'entreprise du Québec (GCEQ, 2004), plus de la majorité (58 %) utilisent une société de gestion pour leur succession.

Lors d'une vente à une société de portefeuille, ou **gel classique**, le prédécesseur/cédant cède les actions participantes de sa société par actions à une nouvelle société de portefeuille (St-Cyr *et al.*, 2005). Les actions participantes de la nouvelle société de portefeuille sont détenues par le successeur/repreneur et les actions non participantes appartiennent au prédécesseur/cédant. La figure 4.3 présente la situation après un gel en utilisant une nouvelle société de portefeuille en plus de conserver la société PME inc.

En vertu de l'article 85(1) L.I.R., l'auteur du gel, soit le prédécesseur/cédant, doit recevoir des actions et peut aussi obtenir une contrepartie autre que des actions, sous forme d'espèces ou de billet. Le roulement (art. 85(1) L.I.R.) permet de choisir un produit de disposition qui se situe entre le coût (prix de base rajusté – PBR) et la juste valeur des actions transférées. En choisissant un produit de disposition égal au coût, le prédécesseur/cédant peut retarder l'imposition du gain en capital. Il faut noter qu'en vertu des règles fiscales canadiennes la contrepartie autre que des actions affecte le produit de disposition choisi lors du roulement.

Lorsque le gel successoral se fait en faveur de personnes liées, par exemple des membres de la famille, et que la contrepartie autre que des actions dépasse le coût des actions, le produit de disposition est réputé être le coût et il y aura paiement d'impôt sur un dividende réputé et non un gain en capital admissible pour la déduction du gain

FIGURE 4.3
Situation après un gel avec une société de portefeuille

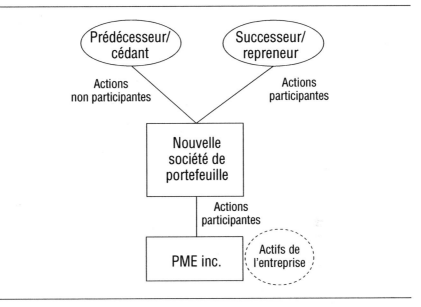

en capital (art. 84.1 L.I.R.). S'il s'agit d'un gel successoral en faveur de personnes non liées, le prédécesseur/cédant qui est un particulier peut choisir un produit de disposition plus élevé que le coût, générant ainsi un gain en capital admissible pour la déduction du gain en capital de 750 000 $. Selon les fiscalistes consultés par St-Cyr *et al.* (2005), l'article 84.1 L.I.R. est un irritant dans la transmission familiale et devrait être modifié, car il empêche de bénéficier de la déduction du gain en capital.

Lors d'un **gel inversé**, la société par actions qui détient les actifs de l'entreprise transfère des éléments d'actifs à une nouvelle société par actions et reçoit des actions non participantes en contrepartie du transfert. La nouvelle société par actions émet des actions participantes au successeur. Le prédécesseur/cédant conserve les actions participantes de l'ancienne société qui peut avoir conservé certains actifs, par exemple un immeuble. Quoique plus complexe, cette technique offre une grande flexibilité. Ainsi, le prédécesseur/cédant peut conserver des actifs dans une société et louer ces biens à l'autre société. Elle ne permet pas de profiter de la déduction du gain en capital de 750 000 $. La figure 4.4 présente la situation après un gel inversé.

ENCADRÉ 4.8
Un exemple pratique illustrant un gel avec une société de portefeuille

Afin de mieux illustrer la notion de gel, prenons l'exemple d'une entreprise fictive, PME inc., et de son actionnaire unique, M. Alarie. N'ayant pas d'enfants, celui-ci décide de transférer l'entreprise par un gel successoral à l'une de ses jeunes employées, Mme Belleau. Il s'agit donc d'un exemple d'une transmission interne. Mme Belleau est considérée par M. Alarie comme sa fille, même s'il n'existe aucun lien de parenté entre les deux. Comme M. Alarie est encore jeune, il décide d'effectuer uniquement un gel partiel des actions de PME inc. Avant la transaction, le capital-actions de PME inc. s'établit à 100 actions ordinaires (et donc participantes). La valeur de l'entreprise se situe à 200 000 $ d'après une évaluation d'un comptable agréé indépendant. M. Alarie n'a pas besoin de bénéficier de la déduction de gain en capital, car il a déjà utilisé la totalité de cette déduction pour une autre de ses entreprises qu'il a cédées l'an dernier.

M. Alarie et Mme Belleau créent une nouvelle société de portefeuille, GESTION inc. Chacun investit 1 000 $ et ils obtiennent 1 000 actions ordinaires (et participantes) de cette société par actions. M. Alarie cède l'ensemble des actions participantes de PME inc. à GESTION inc. et reçoit en échange 20 000 actions privilégiées non participantes et rachetables au gré du détenteur. La valeur de rachat de ces actions privilégiées est établie à la valeur des anciennes actions ordinaires juste avant le gel.

Après les transactions de gel, le capital-actions de PME inc. s'établit toujours à 100 actions ordinaires et ces actions sont détenues en totalité par GESTION inc., qui agit comme une société de portefeuille. Le capital-actions de GESTION inc. s'établit à 2 000 actions ordinaires détenues à parts égales par monsieur Alarie et madame Belleau et à 20 000 actions privilégiées non participantes et rachetables au gré du détenteur à une valeur de 10 $ chacune détenues par monsieur Alarie.

Lors de l'**utilisation d'une société de personnes**, on crée une société de personnes, qui peut être une société en nom collectif ou une société en commandite (Martel, 2004). Cette technique est toutefois rarement employée, car il existe des problèmes techniques à son utilisation, notamment au plan du partage des revenus (Martel, 2004).

FIGURE 4.4
Situation après un gel inversé

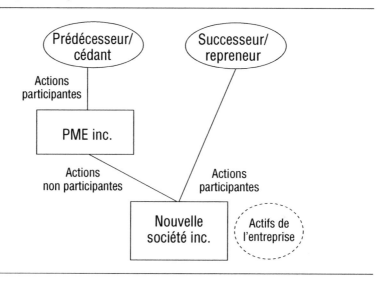

■ 4.3.4. Les autres éléments à considérer lors d'un gel

Le moment choisi pour procéder au gel dépend notamment de l'âge du prédécesseur/cédant, de l'importance du patrimoine, de la composition du patrimoine (valeur de l'entreprise et des autres biens), du besoin de sécurité financière du prédécesseur/cédant, du niveau de préparation du successeur/repreneur. Ainsi, il peut être sage d'attendre un certain âge ou un âge certain pour procéder au gel (Sansing et Klassen, 2003), par exemple entre 45 et 60 ans. Il doit exister un certain niveau de confiance envers le successeur/repreneur. Il faut que l'entreprise représente un bon potentiel de croissance pour envisager un gel. Chu, Feltham et Mathieu (2001) suggèrent que le moment optimal sur le plan fiscal est dès que le prédécesseur/cédant peut utiliser pleinement sa déduction pour gain en capital.

Sur le plan des avantages, un gel peut permettre de mesurer l'ampleur des impôts sur le revenu à payer lors du décès du prédécesseur/cédant, de profiter des lois fiscales actuelles, de fractionner le revenu entre les membres de la famille en versant des dividendes (en tenant compte des mesures antiévitement, qui sont des mesures fiscales pour permettre aux gouvernements de contrecarrer des transactions visant l'évitement fiscal), d'impliquer les successeurs/repreneurs, de

---

ENCADRÉ 4.9
Le meilleur moment pour effectuer un gel successoral

Il y a lieu de se demander quel est le meilleur moment pour effectuer un gel successoral. Martel (2004) propose trois aspects à considérer. Le premier est l'**âge**. Il faut que le prédécesseur ait l'âge d'y songer en possédant l'attitude qui convient. S'il est trop jeune, il peut y avoir une absence de famille et s'il est trop vieux, il peut y avoir peu d'augmentation de valeur à transférer. Le successeur potentiel peut être trop jeune pour savoir s'il veut on non continuer dans l'entreprise familiale. Il n'est pas interdit de faire plus d'un gel selon l'évolution de la situation. Le second aspect est l'**importance du patrimoine**. Le montant de patrimoine doit être suffisant pour assurer la sécurité financière actuelle et future du prédécesseur. Quelques millions sont-ils suffisants ? Cela dépend de l'évaluation de chacun. Le troisième est la **composition du patrimoine**. Le patrimoine doit comporter des biens qui augmenteront de valeur dans le futur. Par exemple, cela ne convient pas pour des certificats de placement, mais convient pour les actions d'une société promise à l'expansion et à la croissance. Pour Martel (2004), c'est davantage la composition du patrimoine qui importe. Bref, il n'y a pas d'âge, ni de chiffre magique de patrimoine pour effectuer un gel.

---

former la relève aux rouages de l'entreprise et aux notions financières, de développer un intérêt pour l'entreprise, d'intégrer les successeurs/repreneurs d'une manière ordonnée et graduelle (Martel, 2004).

Un gel ne se fait également pas sans quelques inconvénients (Martel, 2004). Il est toutefois possible de prévenir certains de ces inconvénients. La perte ou un amoindrissement du contrôle de la part du prédécesseur/cédant représente sans doute l'inconvénient le plus sérieux. Un autre problème est l'effet du gel sur les bénéficiaires s'ils ne sont pas tenus dans l'ignorance. Ainsi, se sachant riches, certains enfants pourraient attendre le moment de la récolte sans trop se forcer. Cela est moins problématique dans les très petites entreprises où l'augmentation de la valeur n'est pas aussi forte, ce qui peut influencer leur ardeur au travail ou dans leurs études (Bergstrom, 1989). Le choix des bénéficiaires doit être judicieux même tôt dans le processus, soit avant que les enfants soient prêts à prendre la relève. La nature du gel fait qu'il y a abandon d'une partie du patrimoine. Le prédécesseur/cédant doit se faire à l'idée de se séparer d'une partie de son patrimoine. Le prédécesseur/cédant doit pouvoir maintenir son rythme de vie avec le patrimoine déjà acquis. Un gel partiel est toujours possible.

L'ensemble de l'opération entraîne une certaine complexité et des coûts pour le travail effectué par les intervenants. Il existe une possibilité de payer des impôts sur le revenu plus rapidement dans le cas où le successeur/repreneur décède avant le prédécesseur/cédant, s'il n'y a pas d'assurance-vie.

La valeur d'un gel dépend de plusieurs variables. Notons la croissance de l'entreprise, le nombre d'années avant que le successeur/repreneur ne transmette les actions à la prochaine génération, c'est-à-dire ses propres enfants, l'augmentation du taux d'imposition du gain en capital, le nombre d'années pendant lesquelles le successeur/repreneur conserve l'entreprise (Chu, Feltham et Mathieu, 2001).

La notion de perte de contrôle amène une discussion sur les caractéristiques des actions. Les actions non participantes de gel reçues par le prédécesseur/cédant lors du gel doivent s'accompagner de certains droits et privilèges afin de conserver leur valeur jusqu'au moment du rachat. La conservation de leur valeur entre le gel et le rachat est particulièrement importante, car il ne faut pas chercher à conférer un avantage à une personne liée (Martel, 2004). Notons le caractère non participant des actions, le droit de vote, le droit au dividende, le droit au rachat, le droit au remboursement, les restrictions sur les transferts et les restrictions sur les sorties de fonds (Martel, 2004; St-Cyr *et al.*, 2005). Le caractère non participant des actions est essentiel à l'opération de gel successoral. Advenant la participation dans les profits, le prédécesseur/cédant continue de bénéficier de la plus-value de l'entreprise. L'objectif du gel étant de transférer cette plus-value, ce serait mal avisé.

Le droit de vote permet au prédécesseur/cédant de conserver un contrôle sur les opérations de l'entreprise. Ainsi, il peut être avantageux pour le prédécesseur/cédant de posséder un contrôle important afin de s'assurer de récupérer la valeur de son patrimoine dans l'entreprise. Des actions de contrôle lui permettront de jouir d'un nombre de votes supérieur à celui des autres catégories d'actions. En plus des actions votantes assurant un contrôle, il pourrait y avoir une convention entre actionnaires ou une fiducie discrétionnaire (Martel, 2004). Il s'agit d'inscrire dans la convention entre actionnaires les règles à suivre au plan des votes et en accordant certains droits particuliers au prédécesseur/cédant.

Le droit au dividende permet au prédécesseur/cédant de recevoir un montant sur une base mensuelle (préférable) ou annuelle afin d'assurer son rythme de vie. Il faut toutefois limiter ce droit afin de ne pas trop empiéter sur la plus-value de l'entreprise que l'on essaie de transférer. Le dividende peut être préférentiel, mais il devrait être non cumulatif.

Le droit au rachat amène un rachat des actions reçues à la juste valeur, soit la valeur au moment du gel. Il peut être utile d'inclure une clause d'ajustement de la juste valeur au cas où les autorités fiscales ou les tribunaux imposent une nouvelle juste valeur marchande (Giroux, 2008). Pour conserver leur valeur, les actions doivent être rachetables au gré du détenteur. Il s'agit de l'élément clé de la valeur des actions non participantes de gel. Il serait possible que le rachat soit aussi au gré de la société, mais cela pourrait avoir des conséquences négatives, comme des impôts concentrés sur une année plutôt que répartis dans le temps. Le seul avantage de ce privilège pour la société apparaîtrait en cas de transfert au décès à une personne qui ne convient pas aux actionnaires de l'entreprise. Le rachat des actions non participantes de gel amène généralement un dividende présumé. Ce dividende correspond à la différence entre le produit de disposition et le capital versé des actions (art. 84(3) L.I.R.). Il existe également une disposition pouvant entraîner un gain en capital. La perte en capital qui pourrait en résulter est assujettie à certaines restrictions.

Le droit au remboursement stipule que le remboursement des actions à leur pleine valeur se fait avant les autres catégories d'actions en cas de liquidation ou de dissolution de la société. Il s'agit d'une

---

ENCADRÉ 4.10
Exemple de clause d'ajustement de prix

Pour contrer les effets négatifs des règles fiscales de la juste valeur marchande, il est suggéré d'inclure, dans le contrat de vente, une clause d'ajustement de prix liant le prix et la juste valeur marchande. La clause d'ajustement de prix pourrait se lire comme suit:

« Le prix de vente des actions de la PME est la juste valeur marchande du bien. Les parties ont déterminé que cette juste valeur marchande correspond à la somme de... Les parties s'entendent pour substituer le prix desdites actions dans le cas où les autorités fiscales ou judiciaires n'accepteraient pas la juste valeur marchande des actions de la PME telle qu'établie ci-dessus. Dans ce cas, les parties feront tous les rajustements nécessaires afin de donner effet à cette nouvelle détermination de la juste valeur marchande. »

Exemple basé sur les suggestions de Giroux (2008)

exigence des autorités fiscales. Les restrictions sur les transferts ne doivent pas exister, Ainsi, le prédécesseur/cédant ne peut être empêché de transférer ses actions. Les autorités fiscales demandent également qu'il y ait des restrictions sur les sorties de fonds afin de protéger le prédécesseur contre le paiement de dividendes en faveur d'autres actionnaires qui pourrait empêcher le rachat à la juste valeur. Selon les conditions changeantes, il est possible de procéder à un dégel (Louis et Prasad, 2007). Ces conditions peuvent être des changements dans la famille, par exemple un décès, une modification des lois fiscales ou une détérioration de la valeur de l'entreprise. Les mesures techniques pour y arriver ne sont pas abordées en détail, car elles débordent le propos du livre.

4.4. LA DÉDUCTION DU GAIN EN CAPITAL

L'un des avantages les plus importants du système fiscal canadien relativement à la transmission d'entreprise est sans doute la déduction du gain en capital (art. 110.6 L.I.R.) que l'on trouve dans d'autres pays. Le transfert des actions d'une société par actions permet au prédécesseur/cédant, à titre de particulier et à certaines conditions, de profiter de certaines dispositions fiscales permettant une déduction du gain en capital de 750 000 $ à l'égard des actions admissibles de petite entreprise et des biens agricoles.

Il est ainsi possible de diminuer les conséquences fiscales de la vente pour autant que les actions respectent les critères établis par le fisc. Le montant de 750 000 $ était de 500 000 $ avant le budget fédéral canadien de mars 2007 et il est harmonisé dans les lois fiscales du Québec. Si les critères ne sont pas respectés, il est possible d'effectuer deux types de planification fiscale, soit la cristallisation et la purification. D'autres règles comme les pertes nettes cumulatives sur placement (PNCP), les pertes déductibles au titre de placement d'entreprise, l'impôt minimum de remplacement peuvent annuler ou diminuer l'avantage de la déduction du gain en capital.

Lors de la vente, il est également possible de reporter le gain en capital sur une période de cinq années par l'utilisation d'une réserve sur un prix de vente à recevoir ou de reporter le gain en capital s'il y avait rachat des actions d'une société exploitant une petite entreprise (SEPE). Il peut aussi être avantageux de profiter de l'existence de pertes reportées existantes.

ENCADRÉ 4.11
La planification pour la déduction du gain en capital

Deux techniques de planification fiscale peuvent être intéressantes afin de profiter de la déduction du gain en capital. La première est la cristallisation et la seconde est la purification. Dans une **cristallisation**, on déclenche un gain en capital, qui sera contrebalancé par la déduction du gain en capital. Ainsi, le prix de base rajusté des actions sera augmenté, ce qui diminuera d'autant le gain en capital futur sur lequel il faudra payer des impôts. Cela requiert que l'ensemble des conditions de la déduction du gain en capital soit rempli. Seulement le quart (26 %) des 36 répondants à l'étude du Groupement des chefs d'entreprise du Québec (GCEQ, 2004) ont utilisé la cristallisation du gain en capital. La **purification** consiste à rendre la société admissible en purifiant le bilan de la société afin que les conditions et critères sur la période de temps et à une date donnée soient respectés. La purification pourrait prendre la forme du versement de dividendes, du paiement de dettes, de l'achat de biens admissibles pour l'exploitation ou d'investissement dans une société admissible. Cela permettra ainsi de profiter de la déduction du gain en capital au moment de la vente ou en cas de décès.

■■■ **4.4.1. Les actions admissibles de petite entreprise**

Les actions admissibles de petite entreprise (AAPE) sont des actions d'une société exploitant une petite entreprise (SEPE). Une SEPE est une société privée sous contrôle canadien. Pour se qualifier comme SEPE, la société doit aussi respecter trois critères au moment de la disposition et 24 mois précédant la disposition. Voici les trois critères :

1) Au moment de la disposition :

   ▪ Les actions appartiennent à un particulier.

   ▪ Tous les éléments d'actifs ou presque (90 %) de la juste valeur marchande de l'actif sont :

     ◆ soit utilisés dans une entreprise exploitée activement principalement au Canada par la société ou une société liée ;

     ◆ soit des actions ou des titres de créances de sociétés rattachées qui sont des SEPE (deux sociétés sont rattachées lorsque l'une contrôle l'autre ou que l'une possède plus de 10 % des actions de l'autre) ;

     ◆ soit une combinaison des deux.

2)   Pour une période de 24 mois précédant la disposition :

- Les actions appartiennent au même particulier ou à une personne liée à lui.

3)   Pour une période de 24 mois précédant la disposition :

- La juste valeur marchande des éléments d'actifs est principalement (à plus de 50 %) utilisée dans une entreprise exploitée activement et principalement au Canada par la société.

■ 4.4.2. Les biens agricoles admissibles

Les biens agricoles comprennent :

> un immeuble utilisé dans l'exploitation d'une entreprise agricole (terrain ou bâtiment) ;

> une action du capital-actions d'une société agricole familiale ;

> une participation dans une société de personnes agricole familiale ;

> un bien en immobilisation admissible utilisé dans l'exploitation d'une entreprise agricole (par exemple des quotas).

Une société agricole familiale reprend les critères d'une SEPE. Les fermiers amateurs (« *hobby farmers* ») ne sont pas admissibles. En plus de la déduction du gain en capital, il est possible de bénéficier d'un transfert intergénérationnel permettant de reporter en tout ou en partie l'impôt découlant du transfert d'un bien agricole à un enfant, petits-enfants ou arrière-petits-enfants (art. 73(3) L.I.R.). Le prédécesseur/cédant peut choisir un produit de disposition se situant entre son coût fiscal et la juste valeur marchande. En cas de donation ou de vente à un prix inférieur au coût, le produit de disposition sera égal au coût fiscal. Il y a lieu de distinguer la déduction du gain en capital qui sauve de l'impôt et le transfert intergénérationnel qui reporte l'impôt (Scarratt, 2006).

4.5. L'UTILISATION D'UNE FIDUCIE

Une fiducie peut se définir comme une institution par laquelle une personne (nommée fiduciaire) gère les actifs constituant le patrimoine fiduciaire qui lui sont confiés par le constituant pour l'avantage de bénéficiaires (Ménard, 1994). Les pouvoirs au fiduciaire peuvent être discrétionnaires ou non discrétionnaires, ainsi qu'il est précisé dans l'acte de fiducie. Il y aura un partage des revenus et du capital selon des règles préétablies. Le constituant peut transférer les actifs à la suite de son décès (fiducie testamentaire) ou de son vivant (fiducie entre vifs). Selon l'étude du Groupement des chefs d'entreprise du Québec (GCEQ, 2004) seulement une minorité ont utilisé la fiducie discrétionnaire (13 %) et la fiducie testamentaire (10 %) pour la succession. Même si elle ne se limite pas à la transmission familiale, c'est lors de ce type de transmission que l'on retrouve le plus souvent la fiducie.

Martel (2003) souligne trois incertitudes qui pourraient justifier l'utilisation d'une fiducie lors d'une transmission d'entreprise, mais il y en a d'autres. La première est l'incertitude quant aux bénéficiaires. Il est possible que les successeurs/repreneurs ne soient pas clairement identifiés, qu'il s'agisse de jeunes enfants ou d'employés clés ou que le prédécesseur hésite toujours. Par une fiducie discrétionnaire, il est possible de choisir des bénéficiaires (Martel, 2004). Par exemple, les bénéficiaires ne sont pas déterminés au départ ou ils peuvent être modifiés au fil du temps. Ainsi, il est possible de verser les revenus ou le capital aux bénéficiaires désignés par le fiduciaire. La seconde est l'incertitude liée au partage des biens. Le prédécesseur/cédant peut être hésitant quant au partage final de la participation de chacun selon les capacités, qualités et défauts que chacun peut démontrer. La troisième est l'incertitude quant à la finalité de la transmission. Le prédécesseur/cédant peut vouloir conserver la possibilité de recevoir des biens de l'entreprise transmise en cas de divorce, de remariage ou de changements législatifs.

Il est possible d'ajouter une quatrième incertitude, soit l'âge des bénéficiaires. Il est sans doute prudent de confier à une fiducie plutôt que directement à des enfants mineurs la propriété de l'entreprise. Cette protection peut être mise en place jusqu'au moment où le prédécesseur/cédant juge que le successeur/repreneur a atteint une maturité suffisante, ce qui peut se produire après l'âge légal de 18 ans.

Le recours à une fiducie pourrait permettre au prédécesseur/cédant de contrôler les actions des successeurs/repreneurs en agissant à titre d'administrateur ou en nommant des administrateurs de confiance. La figure 4.5 présente la situation après un gel utilisant une fiducie. Le successeur/repreneur ne détient pas directement les actions participantes de la société PME inc. ; c'est plutôt la fiducie qui détient ces actions pendant un certain temps. Les décisions sont prises par les administrateurs de la fiducie.

FIGURE 4.5
Situation après un gel avec une fiducie

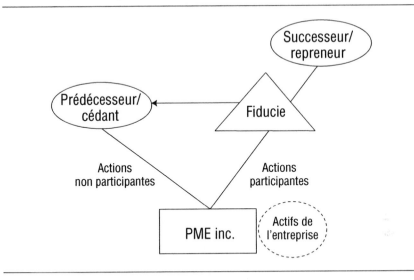

Charest et Grégoire (2005) soulignent certains avantages de l'utilisation d'une fiducie dans le cadre d'une transmission d'entreprise, en particulier pour la transmission familiale. Citons notamment: le positionnement en cas de dégel éventuel, la protection contre les créanciers, la conservation du contrôle de la société opérante, l'augmentation de la latitude dans la répartition du capital et des revenus entre les bénéficiaires, la souplesse pour fractionner le revenu lorsque les enfants atteindront 18 ans et le pouvoir d'utiliser la déduction du gain en capital.

Même si cela va au-delà du propos de ce livre, ajoutons qu'il existe de nombreuses autres dimensions concernant les particularités des fiducies où il est bon de consulter un juriste ou un fiscaliste (Bueschkens, 2007). L'une de ces particularités est la règle de disposition présumée des biens de la fiducie après 21 ans suivant la création de la fiducie. Cette limite dans le temps remplace la règle de disposition présumée des biens au décès qui pourrait être contournée par l'utilisation d'une fiducie. Il ne s'agit donc pas d'une protection éternelle et il faut que le prédécesseur/cédant en soit conscient.

4.6. L'ÉGALITÉ ET L'ÉQUITÉ

Un problème particulier qui se pose au prédécesseur/cédant est la notion d'égalité et d'équité envers le successeur/repreneur et les autres enfants. Cela est particulièrement accentué dans le cadre d'une transmission familiale, lorsque l'un des enfants s'implique dans l'entreprise mais pas un autre. Il est plus facile de gérer cet aspect lors d'une transmission externe, car le résultat n'est plus l'entreprise mais plutôt de l'argent. Il ne faut pas confondre égalité et équité même si ce n'est pas toujours facile (Scarratt, 2006). Une discussion ouverte et franche entre les parents et les enfants est essentielle pour parvenir à un terrain d'entente qui conviendra à chacun.

La notion d'égalité implique que l'entreprise soit transmise en parts égales entre les différents enfants de la famille. Cette solution n'est peut-être pas idéale surtout si l'un des enfants n'est pas impliqué dans l'entreprise, ayant des intérêts dans une autre sphère d'activité (Scarratt, 2006). Ainsi, pour contrer la perception d'inégalité entre des successeurs actifs et inactifs, il est possible d'adopter une rémunération distincte pour le travail (salaires) et le capital (dividendes).

La notion d'équité commande que chaque enfant soit traité de manière équitable, chacun recevant une part du patrimoine qui lui convient. Il peut s'agir d'actions de l'entreprise, mais aussi de biens autres que l'entreprise, par exemple un chalet ou d'autres placements. L'équité doit s'appliquer autant pour le prédécesseur/cédant et son conjoint que pour les enfants, successeurs ou non. Il est nécessaire d'avoir un patrimoine suffisant pour une retraite décente et un héritage convenable pour les enfants. La notion d'équité peut aussi jouer un rôle dans le cas de la sélection du successeur/repreneur (Gilliland, 1993) ou dans le niveau de rémunération des enfants qui s'impliquent à des niveaux divers dans l'entreprise (Carrasco-Hernandez et Sanchez-Marin, 2007). Il faut trouver un processus équitable (Greenberg, 1987 ; Lansberg, 1989 ; Martel et Chevalier, 2007 ; Van der Heyden, Blondel et Carlock, 2005).

Les résultats d'une recherche menée auprès de 36 successeurs dans des entreprises agricoles permettent de conclure que le climat froid de la famille, le désaccord face à l'équité et le désaccord face aux règles d'équité prédisent les conflits générés par la transmission (Taylor et Norris, 2000). Il est possible d'évaluer l'équité au moyen de quelques questions (Taylor et Norris, 2000). Ces questions peuvent servir de base à la discussion entre les membres de la famille sur un sujet délicat pour nombre de familles.

ENCADRÉ 4.12
Des questions pour évaluer l'équité du transfert

Un bref questionnaire élaboré par Taylor et Norris (2000) pour une entreprise agricole permet d'évaluer la notion d'équité dans la famille.

1. Dans ma famille, la personne qui a le moins de ressources est celle que nous pensons qui devrait recevoir le plus. De cette façon, l'équité est réalisée quand la personne qui a le moins est ramenée au même niveau de vie que les autres.

2. Dans ma famille, chaque enfant reçoit une part égale. Si on donne à l'un, on donne à tous. De cette façon, l'équité est réalisée quand les biens sont distribués également.

3. Dans ma famille, l'enfant qui contribue le plus, reçoit le plus. En d'autres termes, nous croyons que l'enfant qui contribue le plus à la ferme devrait recevoir la plus grande part. Nous pensons que l'enfant a acquis le droit d'avoir plus.

4. Dans ma famille, nous croyons que quiconque « gagne la bataille », devrait être récompensé. En d'autres termes, quiconque fait le mieux valoir son point de vue mérite d'être récompensé.

Quel paragraphe décrit le mieux le principe que vous utilisez pour déterminer ce qui est équitable ? N° _____

Source: Traduction par Traget Laval (2005, p. 4) du questionnaire de Taylor et Norris (2000).

4.7. UN RETOUR SUR LES STRATÉGIES DE TRANSFERT DE LA PROPRIÉTÉ

Afin de faciliter la réflexion des acteurs engagés dans le processus de transfert de la propriété, le tableau 4.7 résume les stratégies de transfert qui ont été décrites précédemment, présentées du point de vue du prédécesseur/cédant et selon les trois formes de transmission (familiale, interne, externe). Il s'agit de la cession, qui se présente sous la forme d'une donation ou d'une vente, du gel successoral et de l'utilisation d'une fiducie. Certaines stratégies s'appliquent différemment selon qu'il s'agit des membres de la famille, des employés, de repreneurs externes ou de combinaisons de ces personnes. Chaque stratégie est analysée selon la fréquence, qui diffère selon les formes de transmission. Étant donné la grande diversité de situations, il est difficile de généraliser ce qu'il est préférable de faire.

TABLEAU 4.7

**Les stratégies de transfert de la propriété
selon les formes de transmission**

Stratégies de transfert de la propriété	Formes de transmission		
	Familiale	Interne	Externe
Donation			
En faveur de membres de la famille	++		
En faveur d'employés		–	
En faveur de repreneurs externes			—
Vente			
Aux membres de la famille	++		
Aux cadres et aux employés		++	
À des repreneurs externes			++
Aux membres de la famille et à des employés	++	++	
Aux membres de la famille et à des repreneurs externes	++		++
À des repreneurs externes et à des employés		++	++
Gel successoral			
En faveur de membres de la famille	++		
En faveur d'employés		+	
En faveur de repreneurs externes			—
Utilisation d'une fiducie	++	+	–

Note : ++ = très fréquent, + = peu fréquent, – = très rare, — = inexistant.

Chapitre 5

Prix, valeur et processus de négociation

D ans le contexte d'une transmission d'entreprise, un aspect important est la négociation du prix et des conditions de la transaction. Autant le prédécesseur/cédant que le successeur/ repreneur veulent obtenir le meilleur prix et les meilleures conditions (Mandl, 2004). Durant cette étape du processus de transfert de la propriété d'une PME, plusieurs travaux comptables et documents légaux sont produits. Si l'on se reporte aux phases discutées au chapitre premier pour le transfert de propriété, ces travaux se retrouvent dans l'ensemble des phases, mais en particulier dans les trois dernières phases, c'est-à-dire la consultation, le choix et la sanction. Dans le présent chapitre, il est question des concepts de prix et de juste valeur, des différentes méthodes d'évaluation d'une entreprise et de la contre-partie financière ainsi que des autres conditions résultant du processus de négociation.

5.1. LE PRIX

Le prix représente souvent le symbole de la transaction de transmission d'une PME. Il se définit comme la « somme d'argent réclamée, proposée ou obtenue en échange de la vente d'un bien ou de la prestation d'un service » et correspond à la « mesure monétaire de la valeur d'un bien sans qu'il y ait échange » (Ménard, 1994, p. 567). Ce symbole prend une importance d'autant plus grande qu'il est difficile pour les entrepreneurs de parler d'argent, par comparaison avec leurs histoires de famille (LeBreton-Miller *et al.*, 2004 ; Senbel et St-Cyr 2006a ; St-Cyr et Richer, 2003a).

Il s'agit d'un concept doté d'une réalité multiple qui varie dans le temps. Premièrement, il y a le montant réclamé par le prédécesseur/cédant pour la mise en vente d'un bien, soit le montant annoncé pour une transaction éventuelle. Deuxièmement, il y a le montant proposé par le successeur/repreneur pour en faire l'acquisition. Troisièmement, il y a le prix négocié, s'il y a entente entre les parties. Ce prix correspond au point d'équilibre entre l'offre et la demande et le résultat des forces du marché. Ainsi, en raison des pressions démographiques, il sera plus difficile de trouver des successeurs/repreneurs, car un plus grand nombre de prédécesseurs/cédants présenteront leur entreprise sur le marché, créant ainsi une offre élevée alors que la demande sera probablement stable ou en baisse. Cela devrait entraîner une baisse de prix (Vachon, 2005).

Dans la perspective du prédécesseur/cédant, il faut obtenir le prix le plus élevé possible. Les autorités fiscales sont du même avis et visent également un prix plus élevé afin de générer davantage d'impôts (Scarratt, 2006). Cela est vrai dans le cas de la transmission externe, mais ça l'est moins dans le cas d'une transmission familiale ou interne. En effet, d'autres considérations entrent en ligne de compte afin de réaliser la transmission. Par exemple, un parent peut décider d'obtenir un prix moins avantageux pour l'entreprise afin de permettre à ses enfants de poursuivre l'entreprise familiale. De son côté, le successeur/repreneur désire le prix le plus bas possible dans la presque totalité des cas. Par exemple, il peut être prêt à payer davantage pour obtenir plus rapidement l'entreprise ou l'entreprise peut représenter une valeur stratégique à ses yeux. Le successeur/repreneur peut offrir un prix plus élevé dans un but spéculatif. Les banquiers et les institutions financières adopteront une approche conservatrice de la valeur, ce qui va un peu dans le même sens (Scarratt, 2006).

La notion de prix peut être vue comme la résultante de deux composantes, soit la portion basée sur le passé et celle basée sur le futur (Mignon, 2001). La figure 5.1 présente ces deux composantes. Ainsi, la composante du passé permet de se baser sur l'accumulation des actifs (tangibles et intangibles) et sur l'historique de rendement réalisé au fil des années ; alors que la composante du futur permet d'anticiper les bénéfices et flux monétaires futurs. Le concept de prix fait intervenir la notion de juste valeur sur laquelle il est fondé.

ENCADRÉ 5.1
L'évaluation de la cible : un problème de perception

«Les cédants se font une fausse idée de la valeur de l'entreprise dans leurs mains en raisonnant par comparaison et en gommant, volontairement ou par méconnaissance des bases de l'évaluation, les différences entre les transactions et les valorisations boursières, d'une part, et la cession d'une entreprise individuelle ou familiale à un repreneur individuel, d'autre part. Et ils ne sont pas démentis par leurs conseils, qui pratiquent de plus en plus l'application sommaire de multiples de transactions ou de multiples boursiers, au risque d'ailleurs de générer une nouvelle bulle par «copié-collé» de valorisations de plus en plus élevées» (Paliard, 2007, p. 219).

FIGURE 5.1
Les composantes du prix

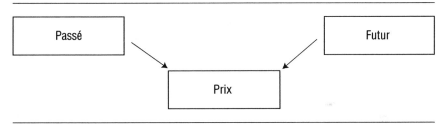

5.2. LA JUSTE VALEUR

Étant une opinion, la juste valeur se distingue du prix qui, lorsqu'il est accepté par les deux parties en présence, devient un fait vérifiable dans les contrats. La juste valeur représente une valeur subjective, alors que le prix représente le montant négocié entre deux parties (McGowan *et al.*, 2006). Le prix peut donc refléter une valeur marchande qui tient compte de facteurs pouvant entraîner un optimisme ou un pessimisme qui provoque un sentiment de panique ou d'anticipation de gain très élevé (Panagis et Tardif, 1983). Cela se vérifie particulièrement lorsque la demande s'emballe pour un bien. Au fil des années, le marché de l'immobilier est un bon exemple où il y a un emballement dans le marché pour un type d'habitation ou un secteur particulier. Il y a quelques années, les entreprises technologiques ont subi ce vent d'optimisme avec la «bulle techno», où le prix a nettement dépassé la valeur.

Essentiellement, la juste valeur marchande est le «prix comptant le plus élevé qu'on peut obtenir, compte tenu des conditions générales du marché, lors de la vente d'un bien conclue entre des parties prudentes, bien informées, libres de toute contrainte et sans lien de dépendance» (Dubuc, 1993, p. 31). Cette juste valeur marchande peut être très différente selon que l'on est dans la peau du successeur/repreneur ou dans celle du prédécesseur/cédant. Il y a donc un élément de subjectivité dans l'établissement de la valeur.

Il existe plusieurs valeurs. Il ne faut pas oublier que «la valeur demeure fondamentalement une opinion quantifiée, basée sur le point de vue de la personne intéressée tel qu'un vendeur ou un acheteur» (Panagis et Tardif, 1983, p. 170). Notons la valeur subjective, la valeur émotive ou sentimentale, la valeur pour le propriétaire dirigeant, la valeur stratégique, la valeur intrinsèque et les valeurs réalistes provenant de valeurs établies par des personnes indépendantes (Panagis et Tardif, 1983; Senbel et St-Cyr 2006a). L'ensemble de ces valeurs comprend, à des degrés divers, la valeur des actifs tangibles et intangibles en tenant compte de l'usure du temps.

La valeur subjective est un montant attribué de manière subjective et sans justification rationnelle. Panagis et Tardif (1983) donnent l'exemple d'une œuvre d'art pour illustrer la valeur qu'un peintre donne à un tableau pour sa vente. L'émotion peut jouer un rôle dans la juste valeur si l'on pense à un contexte de décès, de maladie, de divorce, de grève ou de fraude. Dans certains cas, le prédécesseur/cédant connaît le montant ou la valeur sentimentale qu'il est prêt à accepter pour quitter sa PME (Scarratt, 2006). La valeur pour le propriétaire dirigeant comprend l'attachement et la comptabilisation des efforts personnels déployés au fil des années (Panagis et Tardif, 1983). Ces valeurs émotives sont souvent supérieures à des valeurs plus rationnelles. Selon les recherches de Senbel et St-Cyr (2006a), la valeur émotive attribuée par un prédécesseur/cédant serait trop élevée par rapport à sa juste valeur. Une valeur émotive trop élevée pourrait nuire à la transaction (Senbel et St-Cyr 2006a). Cette valeur émotive ou sentimentale ne correspondant pas, en effet, à une valeur établie par des personnes indépendantes, par exemple un comptable agréé. Il arrive que le prédécesseur/cédant veuille un prix inférieur pour sortir d'une situation difficile et précaire. S'agit-il d'une vente forcée? Il peut aussi exister des restrictions au transfert de la propriété, par exemple par une convention entre actionnaires.

La valeur intrinsèque est «la valeur conférée à un bien ou une entreprise basée uniquement sur les avantages qu'elle procure à son propriétaire» (Panagis et Tardif, 1983, p. 172). Comparativement à la juste valeur marchande, cette valeur ne tient pas compte des effets de l'offre et de la demande du marché. La valeur stratégique représente la valeur pour un concurrent ou pour une autre entreprise qui pourrait ainsi réaliser des économies d'échelle et des synergies avec ses propres opérations, augmentant ainsi la valeur de la PME visée (Senbel et St-Cyr, 2006a).

Les valeurs réalistes et les différentes méthodes pour les déterminer sont examinées dans une prochaine section. Dans les cas de **transmission familiale**, une seule évaluation par une firme comptable indépendante sera souvent suffisante et considérée comme adéquate par les membres de la famille, alors que deux évaluations distinctes sont souvent produites par deux firmes indépendantes dans les cas de **transmission interne ou externe** (Senbel et St-Cyr, 2006a). Lors d'une transmission familiale, les enfants qui n'héritent pas des actions de l'entreprise auront peut-être tendance à croire que la valeur des actions que les autres enfants ont reçues est supérieure à la leur, ce qui ramène la problématique de l'équité (Scarratt, 2006).

ENCADRÉ 5.2
Être réaliste ou non sur la valeur de la PME, voilà la question

Selon un professionnel de la transmission, il faut avoir une idée réaliste de la valeur de la PME à transmettre. « *La plupart des entrepreneurs ont des idées farfelues sur le prix de leur entreprise parce qu'ils disent: "J'ai travaillé fort, cela fait 30 ans, etc., donc il faut que ça paye!" Et ça, c'est 75% des gens qui raisonnent comme cela! Évidemment, pour ça il ne trouve pas de repreneurs et ce n'est pas finançable. Mais s'ils mettent une valeur réaliste, c'est sûr qu'il y a de l'argent pour l'achat.*» (Senbel et St-Cyr, 2006b, p. 27)

Bien que certains auteurs et certains textes de lois (McGowan *et al.*, 2006; Panagis et Demanche, 1990) établissent une distinction entre juste valeur et juste valeur marchande, dans le présent texte, il n'existe pas de différence entre ces deux termes. Une différence

résiderait dans la valeur d'un bloc minoritaire d'actions en comparaison avec la valeur en bloc de l'entreprise. Les caractéristiques de
la juste valeur peuvent se résumer comme étant le prix le plus élevé,
dans un marché libre et sans restriction, avec des parties consentantes
et averties et sans lien de dépendance et sans contrainte d'agir. La
notion de juste valeur est particulièrement importante lorsqu'il s'agit
de transactions avec des personnes avec des liens de dépendance, par
exemple des membres de la même famille. En effet, il peut y avoir une
double imposition si les transactions entre des personnes liées ne se
font pas à la juste valeur marchande.

ENCADRÉ 5.3
La définition de la juste valeur marchande

Selon l'Agence de revenu du Canada (auparavant Revenu Canada), « la juste
valeur marchande est le prix le plus élevé, exprimé en dollars, qui puisse être
obtenu sur un marché ouvert qui n'est soumis à aucune restriction, lorsque
les parties à la transaction sont bien informées, qu'elles agissent avec
prudence, qu'elles n'ont aucun lien de dépendance entre elles et que ni l'une
ou l'autre n'est forcée de quelque manière de conclure la transaction » (Revenu
Canada, 1989 : Circulation d'information 89-3, paragraphe 3).

5.3. LE PROCESSUS D'ÉVALUATION D'UNE PME

Examinons maintenant l'établissement de la juste valeur marchande
d'une PME. L'évaluation d'entreprise regroupe l'« ensemble d'activités
liées à la détermination de la valeur d'un bien ou d'une entreprise »
(Dubuc, 1993, p. 17). L'évaluation d'une entreprise vise à quantifier les
avantages futurs qu'en retireront les actionnaires actuels et potentiels
(Panagis et Tardif, 1983). Il s'agit essentiellement de porter un jugement.
De cette définition, il est possible de souligner l'élément rentabilité
(quantification des avantages), l'élément risque (probabilité que les
avantages se réalisent ou non) et l'élément liquidité (transférabilité
des avantages à d'autres actionnaires) (Panagis et Tardif, 1983). Lors
de l'établissement d'une juste valeur marchande, l'utilisation de
plusieurs méthodes est appropriée. Ces différentes méthodes permettent
d'établir non pas uniquement une valeur, mais plutôt une fourchette

de valeurs (Panagis et Gagnon, 1983). Cela est particulièrement vrai dans le cas des entreprises privées où il n'y a pas de marché libre des actions de l'entreprise.

■ 5.3.1. Les principes de l'évaluation d'entreprise et les concepts clés

Il existe certains principes fondamentaux de l'évaluation d'entreprise qu'il est important de bien saisir (CGA-Québec, 1994; Lajoie, 1994; Massé et Panagis, 1987; Panagis, 2006; Samson Bélair, s.d.). En voici une liste:

➤ L'évaluation se fait à une date donnée. Même si l'entreprise se situe dans un contexte dynamique, sa valeur d'une entreprise s'effectue à une date précise et peut varier si l'on change le contexte.

➤ La valeur est prospective et dépend de ce que l'actif peut rapporter. La valeur d'une entreprise est basée sur ce qu'elle peut générer dans le futur en matière de bénéfices et de flux monétaires.

➤ La valeur dépend des prévisions. La qualité de l'évaluation dépend de la qualité des prévisions sur lesquelles elle se base. Ces prévisions s'appuient sur les données historiques de l'entreprise.

➤ Les conditions économiques influent sur la valeur. Le contexte économique de l'entreprise et son secteur d'activité influencent la valeur de l'entreprise.

➤ Les événements postérieurs à l'évaluation ne sont pas considérés. Les événements survenus après l'évaluation ne sont pas considérés et ne doivent pas influencer une évaluation effectuée *a posteriori*. Il faut se limiter à ce qui est connu et anticipé au moment de la transaction.

➤ Les actifs corporels diminuent le risque. Plus il existe d'actifs corporels, plus le risque est diminué par la possibilité de revendre les actifs en cas de pépin. Pour le même niveau de risque, il est possible d'utiliser une valeur plus élevée.

➤ Le marché dicte le taux de rendement requis. L'investisseur se basant sur le marché choisit son taux de rendement requis.

➤ Les acheteurs stratégiques se situent dans une classe distincte des acheteurs ordinaires. L'acheteur stratégique possède un intérêt particulier et peut donc offrir un prix plus élevé. Ceux-ci doivent être inclus dans l'évaluation globale de l'entreprise.

L'évaluation se fait généralement selon deux approches, soit la continuité de l'exploitation ou la liquidation. La liquidation est évidemment moins pertinente en cas de transmission. D'une part, la continuité de l'exploitation permet d'évaluer l'entreprise en présumant qu'elle poursuit ses activités de manière normale avec le nouveau successeur/repreneur. Ainsi, il y a une détermination de la viabilité de l'entreprise. D'autre part, la liquidation permet d'évaluer l'entreprise en présumant qu'elle cesse ses activités et qu'il y a disposition de ces actifs d'une manière accélérée ou en prenant son temps pour liquider les actifs. Habituellement, la continuité de l'exploitation donne une valeur plus élevée. Dans un contexte de transmission, la valeur de liquidation permet d'estimer le montant qui peut être recouvré en cas de difficultés financières et ainsi d'évaluer le niveau de risque. La valeur de liquidation diminue le risque potentiel total. L'actif net ajusté inclut des ajustements relativement à des actifs pour tenir compte de la variation dans la valeur de certains actifs par rapport au montant comptabilisé dans les états financiers.

Il peut être utile de comparer les notions de risque avec différentes valeurs de l'entreprise (OCAQ, 1998). La figure 5.2 présente les notions de risque de continuité et de risque absolu. Ces risques sont

FIGURE 5.2
Les notions de risques en évaluation d'entreprise

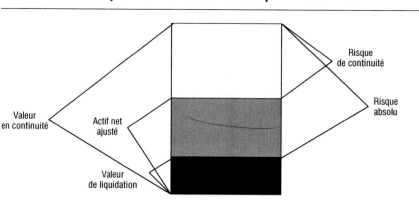

Source : Adaptation de OCAQ (1998, p. 7).

basés sur la valeur de liquidation, l'actif net ajusté et la valeur en continuité. La théorie financière permet de savoir que les investisseurs qui prennent des risques élevés seront plus exigeants en matière de rendement afin de faire contrepoids aux risques supplémentaires. Par exemple, un investisseur demandera un taux beaucoup plus élevé pour l'achat d'une entreprise que s'il plaçait son argent dans un dépôt à terme auprès d'une institution financière reconnue. Le rendement exigé est ainsi un facteur du risque.

À ce stade, il peut être intéressant de définir certains concepts clés susceptibles d'intervenir lors d'une évaluation d'entreprise. Le tableau 5.1 présente la définition de certains de ceux sur lesquels nous reviendrons ultérieurement, puisque ces termes sont utilisés à titre de base dans les différentes méthodes d'évaluation. Il s'agit notamment du taux de capitalisation, du taux d'actualisation, du bénéfice net, des flux monétaires, de l'achalandage, des actifs excédentaires ainsi que de la participation majoritaire et minoritaire.

TABLEAU 5.1
Les concepts clés de l'évaluation d'entreprise et leur définition

Termes	*Définition*
Taux de capitalisation	« Taux de rendement appliqué aux bénéfices et aux flux monétaires futurs dans la détermination de la juste valeur marchande de l'entreprise » (p. 20)
Taux d'actualisation	« Taux de rendement servant à ramener les flux monétaires futurs à leur valeur au moment où l'on se place » (p. 26)
Bénéfice net	« Excédent des produits sur les charges, après déduction des impôts » (p. 43)
Flux monétaire	« Rentrées nettes de fonds provenant de l'ensemble des activités de l'entreprise » (p. 20)
Achalandage	« Excédent de la valeur d'une entreprise sur la somme des valeurs attribuées aux éléments identifiables de son actif net » (p. 33)
Actifs excédentaires	« Éléments d'actif qui ne sont pas mis directement à contribution dans l'exploitation de l'entreprise » (p. 53).
Participation majoritaire	« Possession de plus de 50 % des actions avec droit de vote dans une entreprise » (p. 41)
Participation minoritaire	« Bloc d'actions qui ne confère à son propriétaire aucun pouvoir de décision prépondérant » (p. 42)

Source : Dubuc (1993).

■ 5.3.2. Les méthodes d'évaluation d'une PME

Pour les spécialistes de l'évaluation d'entreprise, il est possible de distinguer trois grandes catégories de méthodes d'évaluation d'entreprise, soit celles axées sur l'exploitation, celles axées sur les actifs et celles axées sur le marché (OCAQ, 1998 ; Panagis, 2006). D'ailleurs, en pratique, les prix établis sont souvent le fruit du travail d'une firme d'évaluation comptable qui utilise d'une manière ou d'une autre ces méthodes (Senbel et St-Cyr, 2006a).

Un premier groupe de **méthodes d'évaluation d'entreprise est axé sur l'exploitation ou le rendement**. Ainsi, la valeur d'une entreprise correspond à la valeur économique des avantages futurs. Il existe deux grandes approches : la capitalisation et l'actualisation. Avec la **capitalisation**, il s'agit de prendre un taux de capitalisation ou multiple (représentatif de l'industrie) et d'appliquer ce multiple à la base choisie (bénéfices ou flux monétaires). L'expérience et l'expertise de l'évaluateur combinées avec certaines données établies par des firmes d'information financière (comme Dun et Bradstreet) permettent de déterminer le taux de capitalisation approprié pour une entreprise particulière. Par exemple, un taux de rendement de 20 % amène un taux de capitalisation de 5 (1/20 %). Avec l'**actualisation**, il s'agit de prendre un taux d'actualisation pertinent et d'actualiser la base choisie (bénéfices ou flux monétaires) afin de déterminer la valeur actualisée (en dollars constants) de l'entreprise. Ainsi, le taux d'actualisation est le « taux de rendement servant à ramener les flux monétaires futurs à leur valeur au moment où l'on se place » (Dubuc, 1993, p. 26). Par exemple, deux entreprises, générant chacune 500 000 $ de flux monétaires au cours des cinq prochaines années, n'auront pas la même valeur si l'une génère ce montant uniformément sur cinq ans, comparativement à l'autre qui génère ce montant principalement dans les deux dernières années. La première aura une valeur plus élevée que la seconde.

Il existe également deux grandes bases pour déterminer le rendement estimé, soit les bénéfices et les flux monétaires. Les bénéfices correspondent aux résultats financiers de l'entreprise présentés dans son état des résultats. Ces résultats montrent la différence entre les produits et les charges après l'application des principes comptables généralement reconnus (PCGR). Les flux monétaires correspondent aux entrées et sorties de trésorerie. Il s'agit de la variation de l'encaisse à la suite des opérations. Tant les bénéfices que les flux monétaires peuvent être des chiffres réels provenant du passé tout autant que des projections sur le futur. Dans le cas de chiffres futurs, il faut être encore plus sceptique et prudent.

Bien que ces deux bases de rendement soient appropriées dans diverses situations, il est important de choisir la base la plus fiable relativement aux rendements futurs. Il importe donc de s'attarder aux différentes nuances liées aux notions de bénéfices et de flux monétaires. Les bénéfices et les flux monétaires seront qualifiés de caractéristiques ou de normalisés afin de bien faire ressortir des montants qui sont susceptibles de se reproduire dans le futur et qui ne sont pas seulement le fruit d'une excellente année. Parmi les éléments à ajuster, il peut s'agir du salaire excessif des propriétaires dirigeants, de produits ou charges exceptionnels et non récurrents et de produits ou charges associés aux actifs excédentaires (HEC-Desjardins-Acquizition.biz, 2007). Les flux monétaires peuvent être réduits des investissements nécessaires au maintien de ses activités et ils seront qualifiés de flux monétaires discrétionnaires (Dubuc, 1993).

Les actifs excédentaires représentent des éléments qui ne sont pas requis pour l'exploitation d'une entreprise. Il peut s'agir d'un surplus d'encaisse, de placements temporaires, d'actifs immobilisés ne servant pas dans l'entreprise courante, comme un terrain vacant. Les actifs et les revenus et dépenses liés à ces actifs excédentaires devront être ajustés (OCAQ, 1998). En effet, un prédécesseur/cédant les retirera de la transaction ou exigera une compensation équivalente s'il les laisse dans l'entreprise. Par exemple, une entreprise qui aurait habituellement un bénéfice annuel de 200 000 $, mais qui verrait son bénéfice s'accroître à 500 000 $ une année donnée en raison d'un contrat exceptionnel ne pourrait prétendre que ces 500 000 $ sont caractéristiques ou représentatifs d'une situation normale. Ce phénomène est aussi appelé la normalisation des résultats. Un autre phénomène dans le calcul de la valeur est d'effectuer une pondération des résultats normalisés. Ainsi, les résultats de la dernière année auront plus de poids que ceux d'il y a trois ans.

Selon les spécialistes de l'évaluation de Raymond Chabot Grant Thornton, le bénéfice est plus approprié pour les entreprises de service, les distributeurs et les détaillants, alors que les flux monétaires sont plus appropriés pour les entreprises manufacturières et les entreprises qui requièrent régulièrement des investissements en capital importants (OCAQ, 1998). Ces derniers indiquent aussi que l'actualisation des flux monétaires est plus intéressante quand il s'agit d'une entreprise à durée de vie limitée (mines), d'une entreprise réglementée, d'une entreprise en démarrage, bref d'une entreprise où il est plus facile de prévoir avec plus d'exactitude les flux monétaires futurs.

Un deuxième groupe de **méthodes d'évaluation d'entreprise est axé sur les actifs**. L'actif net redressé, l'avoir des actionnaires ajusté ou la valeur comptable nette ajustée correspondent au même concept. Il s'agit essentiellement de prendre l'actif net (actifs – passifs), qui équivaut à l'avoir des actionnaires, et de modifier ce montant par les différences entre la juste valeur marchande et la valeur comptable des éléments d'actifs et des passifs, par la valeur des actifs incorporels et par les impôts reportés (OCAQ, 1998). Ainsi, un terrain inscrit à son coût d'origine de 100 000 $, mais ayant une juste valeur marchande de 400 000 $, génère un redressement de 300 000 $, moins les impôts afférents.

Le coût de remplacement permet d'évaluer la valeur en se basant sur le coût qu'il faudrait supporter pour remplacer les actifs de l'entreprise. Il s'agit essentiellement d'estimer ce qu'il en coûterait pour acheter les actifs semblables et pour des passifs ayant les mêmes caractéristiques. Ce type d'évaluation est utilisé aussi dans les cas de police d'assurance, par exemple.

La valeur de liquidation correspond au montant net que recevront les actionnaires d'une entreprise après la disposition de tous les actifs (prix de vente moins les frais de vente) et le paiement de tous les passifs. Habituellement, le prix de vente des actifs est moindre selon que l'entreprise travaille dans une situation d'urgence ou qu'elle prend son temps pour trouver des successeurs/repreneurs et un meilleur prix de vente.

Un troisième groupe de **méthodes d'évaluation d'entreprise est axé sur le marché**. Ainsi, il peut s'agir de trouver des entreprises comparables et d'examiner les transactions antérieures afin de déterminer des valeurs comparables. Ce type d'évaluation se fait beaucoup dans le domaine de l'immobilier, pour estimer le prix de vente d'une maison mise sur le marché. Une autre méthode pourrait être celle qui est axée sur les cours boursiers, mais elle est très peu présente dans le cas des PME et jamais dans le cas des très petites entreprises. Elle n'est donc pas analysée ici, pas plus que le modèle d'évaluation des actifs financiers (Capital Asset Pricing Model – CAPM). Le tableau 5.2 résume, d'une manière simplifiée, les principales méthodes d'évaluation des PME, selon les trois grandes catégories et sous-catégories.

Tableau 5.2
Les principales méthodes d'évaluation des PME : un résumé

Méthodes axées sur l'exploitation		*Méthodes axées sur les actifs*	*Méthodes axées sur le marché*
Capitalisation	• des bénéfices • des bénéfices caractéristiques • des flux monétaires • des flux monétaires caractéristiques	Actif net redressé Avoir des actionnaires ajusté Valeur comptable nette ajustée ou normalisée	Entreprises comparables ------------------------ Transactions antérieures ------------------------
Actualisation	• des bénéfices • des bénéfices caractéristiques • des flux monétaires • des flux monétaires caractéristiques	------------------------ Coût de remplacement ------------------------ Valeur de liquidation	Cours boursier

■ 5.3.3. Les facteurs qualitatifs à considérer

En plus de l'analyse quantitative des bénéfices ou des flux monétaires espérés, il existe de nombreux facteurs qualitatifs qu'il faut considérer (Lajoie, 1994). Comme son nom l'indique, l'aspect qualitatif est difficile à quantifier, mais son importance n'en est pas moins grande au moment de l'évaluation. Les tableaux 5.3 et 5.4 fournissent une liste de contrôle des facteurs à considérer lors de l'évaluation d'une PME. Cette liste peut servir d'aide-mémoire ou de guide pour orienter la réflexion tant des prédécesseurs/cédants que des successeurs/repreneurs. Ces facteurs peuvent être classés en deux grands groupes, soit les facteurs externes et les facteurs internes. La différence réside dans le niveau de contrôle que l'entreprise peut avoir ou non sur ces facteurs. Parmi les facteurs externes, notons ceux qui traitent de l'environnement économique et ceux liés à l'industrie ou au secteur d'activité. Parmi les facteurs internes, notons ceux qui concernent le processus d'évaluation de la situation financière, l'entreprise, le marketing et les ventes, les opérations et la gestion générale.

TABLEAU 5.3
Une liste de contrôle de facteurs externes à considérer pour l'évaluation des PME

Catégories	Facteurs à considérer
Concernant l'environnement économique	▪ Les prévisions économiques (taux d'intérêt, chômage, inflation) ▪ Le climat politique et social ▪ Le comportement boursier ▪ Les développements technologiques
Concernant l'industrie ou le secteur d'activité	▪ L'évolution des marchés (aux niveaux régional, national et international) ▪ L'existence de produits de substitution ▪ L'existence de barrières à l'entrée dans l'industrie ▪ Le caractère cyclique ou saisonnier de l'industrie ▪ La structure de l'industrie (monopole, oligopole) ▪ Le degré de croissance ou de maturité de l'industrie ▪ Les comportements et investissements des concurrents ▪ La place de l'entreprise dans l'industrie (leader)

5.4. LA CONTREPARTIE

La contrepartie payée et reçue se compose principalement de trois choses : l'argent comptant, les dettes et les prêts ainsi que les actions et les options d'achat d'actions (Panagis, 2006). L'**argent comptant** est probablement l'élément le plus facile à saisir et à traiter. Il s'agit d'espèces sonnantes. En cas de transactions dans une autre devise, il faudrait porter attention aux fluctuations du taux de change qui pourraient affecter le montant total de la transaction. Les **dettes et les prêts** constituent un autre type de contrepartie. Par exemple, le prédécesseur/cédant peut accorder un certain délai au successeur/repreneur en lui offrant une balance du prix de vente, c'est-à-dire un solde à recevoir sur le prix de vente total. Le prédécesseur/cédant doit s'assurer d'obtenir des garanties afin de recevoir ce solde. Cela peut permettre au successeur/repreneur de payer une partie du prix d'achat avec les fonds générés par l'entreprise. Ces titres peuvent avoir un taux d'intérêt inférieur, égal ou supérieur au taux du marché.

La notion fiscale de réserve peut être liée à celle de dette. En effet, il est possible, selon les lois fiscales canadiennes, de réduire le montant de gain en capital inclus par le prédécesseur/cédant en cas de non-réception entière du prix de vente. Une balance du prix de vente pourrait jouer ce rôle et permettre l'échelonnement dans le temps du gain en capital. Le délai peut être de cinq ans, ou de dix ans s'il s'agit d'une entreprise agricole.

TABLEAU 5.4
Une liste de contrôle de facteurs internes à considérer pour l'évaluation des PME

Catégories	*Facteurs à considérer*
Concernant le processus d'évaluation de la situation financière	• La fiabilité des états financiers (vérifiés ou non) • La qualité des estimations effectuées dans les états financiers • L'existence de prévisions financières • La connaissance des limites du processus d'évaluation • L'existence d'actifs et de passifs hors bilan (passifs éventuels découlant d'une poursuite) • La dépendance économique face à quelques clients • Les risques fiscaux acceptés par l'entreprise • Le niveau d'investissement requis à l'avenir • Le niveau d'endettement • La gestion des actifs • Le niveau de rentabilité passée et future • L'historique de la rentabilité (bénéfice brut, bénéfice net) • La croissance espérée des ventes et du bénéfice • La comparaison des ratios financiers avec ceux de l'industrie
Concernant l'entreprise	• La réputation de l'entreprise • L'emplacement géographique de l'entreprise • La capacité d'adaptation au changement • Le modèle d'affaires
Concernant le marketing et les ventes	• L'image de marque des produits et services de l'entreprise • La valeur ajoutée des produits et services de l'entreprise • Le cycle de vie des produits et services et le stade de chacun • La mise en marché récente et fréquente de nouveaux produits et services • La satisfaction de la clientèle face aux produits et services • La qualité du réseau de distribution • La qualité de la force de ventes • L'état du carnet de commandes • Le niveau de concurrence
Concernant les opérations	• L'âge et la qualité des installations et équipements • La capacité inutilisée des installations • Le niveau technologique des opérations • Les efforts de recherche et développement • Les sources d'approvisionnement • La dépendance économique face à certains fournisseurs • La qualité des inventaires • Les problèmes liés à l'environnement et à l'écologie
Concernant la gestion générale	• La compétence du personnel en place • La présence d'un syndicat et les relations avec ce dernier • La durée et l'échéance des conventions collectives • Le niveau de rémunération face aux concurrents • La relève dans l'entreprise • La présence d'une équipe de dirigeants ou d'une seule personne

Les **actions et options d'achat d'actions** d'une autre société représentent une autre manière de payer une acquisition. Ainsi, le successeur/repreneur acquiert l'entreprise du prédécesseur/cédant par une troisième société par actions et cède des actions de cette société au successeur/repreneur, directement ou indirectement. Par exemple, une société privée pourrait être achetée par une société publique et le prédécesseur/cédant se retrouverait avec des actions de la société ouverte, ce qui lui donne une certaine flexibilité et lui offre un marché pour ses actions s'il veut les revendre ultérieurement. Dans le cas de gel successoral et de transmission familiale, il est normal de retrouver de nouvelles actions dans les mains du prédécesseur. Ces actions de l'entreprise seront probablement rachetables sur un certain nombre d'années.

5.5. LES AUTRES CONDITIONS

Il existe probablement autant de conditions à négocier lors de la transmission qu'il existe de successeurs/repreneurs et de prédécesseurs/cédants. Ainsi, chacun désire, à des degrés divers, ajouter certains aspects au contrat de vente. L'objectif n'est pas de décrire de manière exhaustive l'ensemble des conditions possibles et imaginables, mais plutôt de souligner les plus importantes et fréquentes, soit la confidentialité lors du partage de l'information et les clauses conditionnelles comme la clause d'ajustement basé sur la performance et celle de non-concurrence.

■ 5.5.1. Le partage de l'information et la confidentialité

Pour mieux évaluer l'entreprise et négocier la transmission, il est nécessaire pour l'acquéreur d'effectuer une collecte de renseignements afin de bien connaître l'entreprise ciblée (HEC-Desjardins-Acquizition. biz, 2007). Cette collecte de l'information se fait essentiellement à deux sources, soit, d'une part, l'information publique et, d'autre part, l'information privée. Dans le cas de l'information publique, le prédécesseur/cédant a peu à dire à ce propos, la collecte se faisant souvent à son insu. En effet, il s'agit d'une information qui est hors de son contrôle. Par exemple, notons les articles qui ont paru dans les journaux ou les magazines concernant l'entreprise, ses activités, ses produits/services, ses projets ou ses dirigeants. Le site Internet de l'entreprise peut constituer une source abondante de renseignements. Il s'agit d'une première démarche afin d'évaluer sommairement l'intérêt pour une transaction (Clément, 2007).

Dans le cas de l'information privée, le prédécesseur/cédant est plus réticent à la partager avec le premier venu. Dans ce type d'information, notons les états financiers, le plan stratégique, les contrats importants, le plan d'affaires et la liste des clients de l'entreprise. Ce type d'information est donc plus sensible, le prédécesseur/cédant désirant se protéger contre une utilisation déloyale. Une entente sur le partage de l'information est essentielle de manière à permettre à chaque partie d'obtenir l'information recherchée, mais en assurant la confidentialité de la démarche (Gagnon, 1991).

L'entente de confidentialité est justement un véhicule permettant d'assurer une certaine protection. Malgré ce genre d'entente, il doit exister un certain lien de confiance entre les parties, découlant d'une démarche sérieuse (Gagnon, 1991). La notion de confiance est généralement moins problématique dans les cas de transmission familiale et interne, mais elle se pose davantage pour la transmission externe en raison de l'absence de liens entre les parties. L'entente de confidentialité signée par les deux parties peut comporter plusieurs clauses. Notons l'interdiction d'utiliser ou de divulguer l'information confidentielle (sauf aux employés concernés et à ses conseillers), une définition de l'information confidentielle visée, une définition de la transaction envisagée, la durée de l'entente, des clauses pénales (saisie, injonction, pénalités) en cas de non-respect de l'entente (Gagnon, 1991 ; HEC-Desjardins-Acquizition.biz, 2007).

Le prédécesseur/cédant ne veut pas ébruiter même la possibilité d'une transaction étant donné les impacts potentiels sur le personnel, la clientèle et la concurrence (Senbel et St-Cyr, 2006a). Une transmission externe vers un concurrent est particulièrement délicate. En effet, le concurrent a ainsi accès à des renseignements stratégiques. Même la visite des installations de l'entreprise peut représenter un problème. Il est toutefois possible d'y aller à des moments où le personnel est absent ou en se faisant passer pour quelqu'un d'autre. La rencontre avec des dirigeants peut parfois mal se passer, surtout dans le contexte où ceux-ci ou d'autres employés souhaitent une transmission interne. En pratique, il semble que malgré les ententes de confidentialité la nouvelle d'une transaction éventuelle se répande assez rapidement (Senbel et St-Cyr, 2006a).

ENCADRÉ 5.4
Exemple d'entente de confidentialité

ENTENTE DE CONFIDENTIALITÉ

Intervenue à _____, le _____.

ENTRE: **PME 1**, personne morale légalement constituée en vertu des lois de [Province], [Pays], ayant son siège social au _____, et représentée aux fins de la présente par _____, dûment autorisé(e) tel qu'il (elle) le déclare.
Ci-après appelée «**PME 1**»

ET: **PME 2**, personne morale légalement constituée en vertu des lois de [Province], [Pays], ayant son siège social au _____, et représentée aux fins de la présente par _____, dûment autorisé(e) tel qu'il (elle) le déclare.
Ci-après appelée «**PME 2**»

Ci-après désignées collectivement les «**Parties**» ou individuellement une «**Partie**»

PRÉAMBULE

ATTENDU QUE PME 1 possède certaines informations relativement à _____ qu'elle considère comme confidentielles et sur lesquelles elle détient les droits, ci-après désignées Information confidentielle;

ATTENDU QUE PME 2 possède certaines informations relativement à _____ qu'elle considère comme confidentielles et sur lesquelles elle détient les droits, ci-après désignées Information confidentielle;

ATTENDU QUE les Parties entendent divulguer et s'échanger une partie de l'Information confidentielle, telle que ci-dessus mentionnée, sur une base confidentielle et aux seules fins d'évaluer la possibilité de conclure la transmission d'une entreprise;

ATTENDU QUE les Parties désirent confirmer leur entente par écrit.

LES PARTIES À LA PRÉSENTE CONVIENNENT CE QUI SUIT:

PME 1 et PME 2 s'entendent pour s'échanger l'Information confidentielle aux conditions suivantes:

1. L'Information confidentielle concerne toute information transmise sous la forme écrite ou sous quelque autre forme que ce soit, portant la mention «confidentiel» ou «secret», et elle doit porter une date de divulgation.

Lorsqu'elle est transmise verbalement, l'Information confidentielle est confirmée dans un délai raisonnable par un écrit daté et portant la mention « confidentiel » ou « secret ». À titre indicatif, les Parties joignent en annexe de la présente entente un document intitulé « Liste des éléments d'information confidentielle », qui énumère les éléments d'information confidentielle divulgués par les Parties au moment de la signature de la présente entente.

2. Chaque Partie s'engage à :

2.1   utiliser l'Information confidentielle uniquement aux fins mentionnées dans le préambule, à moins d'avoir obtenu l'accord écrit préalable de la Partie à qui appartient l'Information confidentielle ;

2.2   ne pas divulguer ou permettre que soit divulguée l'Information confidentielle à aucun tiers. De plus, chaque Partie s'engage à restreindre la divulgation de l'Information confidentielle à l'intérieur de sa propre organisation à ceux de ses employées ou employés, administratrices ou administrateurs, dirigeantes ou dirigeants ou mandataires qui ont particulièrement besoin de la connaître pour les fins recherchées par cette entente et qui acceptent d'en respecter toutes les obligations ;

2.3   ne pas reproduire ni utiliser l'Information confidentielle pour fabriquer, vendre, faire fabriquer ou faire vendre des produits ou technologies commercialisables, à moins qu'une licence à cet effet n'intervienne entre les Parties ;

2.4   remettre à l'autre partie, à la suite d'une demande écrite à cet effet, l'Information confidentielle lorsqu'elle a terminé son évaluation et détruire toute copie ou transcription, en tout ou en partie, qu'elle aurait fait de l'Information confidentielle ;

2.5   traiter l'Information confidentielle de la même manière et avec la même diligence qu'elle applique à sa propre Information confidentielle, y incluant tous les soins raisonnablement requis.

3. Les Parties reconnaissent que les informations suivantes ne sont pas assujetties à la présente lorsque :

3.1   l'information est déjà ou devient connue du public sans qu'il y ait manquement à la présente entente de la part des Parties ;

3.2   une Partie était légalement en possession de l'information avant de la recevoir de l'autre Partie et qu'elle ne l'a acquise ni directement ni indirectement de celle-ci ;

3.3   l'information leur a été fournie légalement par un tiers de bonne foi sans lien de dépendance ;

3.4   la divulgation était nécessaire en vertu d'une loi, d'un règlement ou d'une ordonnance du tribunal.

4. Les obligations des Parties en vertu de la présente entente demeurent en vigueur pendant cinq (5) ans à partir de la date de réception par chaque Partie de l'Information confidentielle.

5. Advenant un manquement à l'engagement de confidentialité ci-devant décrit, la partie en défaut s'engage à verser à l'autre Partie la somme de _____ $ CAN dont les Parties conviennent qu'elle constitue une juste compensation pour les dommages causés par tout manquement à l'obligation de confidentialité de l'une ou l'autre des Parties. Cette somme est exigible en totalité sur signification d'un avis de défaut.

6. Chacune des Parties peut, à sa seule discrétion, mettre fin à la présente entente sans préavis et exiger le retour de toute Information confidentielle, selon les termes de cette entente.

7. Tout avis destiné à une partie est réputé avoir été valablement donné s'il est fait par écrit et acheminé par courrier recommandé ou par service de courrier à telle Partie à l'adresse indiquée au début de la présente entente.

8. Les Parties à la présente ne peuvent céder la présente entente à un tiers sans avoir obtenu l'accord écrit préalable de l'autre Partie.

9. La présente entente lie les successeurs et ayants droit des Parties.

10. Les Parties à la présente conviennent et reconnaissent que cette entente ne crée ni licence, ni société, ni association temporaire, ni aucun lien entre les Parties autre que celui qui est particulièrement établi ci-dessus et aux seules fins restreintes qui y sont définies.

11. Toute modification de la présente entente doit être constatée par un écrit dûment signé et approuvé par les Parties.

12. La présente entente doit être interprétée conformément au droit applicable dans la province de Québec. Toute action en justice ou réclamation découlant de la présente entente sera soumise à la juridiction exclusive des tribunaux du district judiciaire de _____.

13. Le préambule fait partie intégrante de la présente entente.

EN CONSIDÉRATION DE QUOI, les Parties ont signé la présente entente en double exemplaire, aux lieu et date indiqués ci-dessous,

PME 1

Nom : _____ Titre : _____

Signée à _____ En date du _____

PME 2

Nom : _____ Titre : _____

Signée à _____ En date du _____

(Texte adapté de documents de l'Université de Sherbrooke, du fonds de radiodiffusion et des nouveaux médias de Bell et de la société Univalor)

■ 5.5.2. Les clauses conditionnelles

Lors de certaines transactions, il existe certains doutes sur la rentabilité future de l'entreprise et donc sur le prix. Ainsi, une clause d'ajustement basé sur la performance (clause « *earn-out* ») permet aux deux parties de se rassurer (Paquette, 2007). Le prédécesseur/cédant persuadé de la performance future de son entreprise est prêt à avoir une portion du prix de vente basé sur cette performance future, alors que le successeur/repreneur est disposé à payer davantage s'il s'avère que la performance va au-delà de ces espérances. Il y aura donc un ajustement ex-post du prix selon la performance en l'augmentant ou en le diminuant.

Une autre clause est celle de non-concurrence (Pelland, 2007 ; Sebastiani, 2008). Cette clause peut se retrouver dans le contrat de vente ou dans une convention d'emploi. Par cette clause, le successeur/ repreneur se protège du prédécesseur/cédant. En effet, le prédécesseur/ cédant pourrait très bien redémarrer une entreprise similaire, reprendre sa clientèle et ainsi faire concurrence au successeur/repreneur. Cette situation est moins problématique dans le cas de transmission familiale, sauf s'il y a un désaccord familial. Cette clause pourrait avoir des limites en termes de durée dans le temps (12-24 mois), de territoire

ENCADRÉ 5.5
Exemple de contenu d'une clause d'ajustement basé sur la performance

La clause d'ajustement basé sur la performance pourrait comporter les composantes suivantes : une fourchette de paiement (10 % à 25 % du prix), une durée dans le temps (1 à 5 ans), une description des revenus visés, le résultat financier de référence (bénéfice net, bénéfice avant intérêts et impôts (BAII), bénéfice avant intérêts, impôts et amortissement (BAIIA), bénéfice brut, ventes nettes), le mécanisme de calcul, les modalités de paiement, la limitation au pouvoir de gestion après la clôture de la transaction, les obligations pour assurer l'intégrité des montants, les pratiques comptables utilisées et le recours à l'arbitrage ou aux tribunaux. Cette clause permet de financer une partie de la transaction ou d'offrir une offre plus intéressante. Elle n'est toutefois pas sans problèmes pratiques. Ce type de clause peut avoir un intérêt certain pour rassurer dans le domaine de la haute technologie où l'incertitude est plus grande et pour régler une asymétrie de l'information (Paquette, 2007).

couvert et de type d'activités (Pelland, 2007). Encore faut-il que les limites soient précises et raisonnables pour que la clause soit valide sur le plan juridique (Pelland, 2007). Il y a également toute la question des conséquences fiscales des montants découlant des clauses de non-concurrence, qui pourraient être non imposables dans certaines circonstances (Pelland, 2007). Certaines clauses peuvent également impliquer des actionnaires minoritaires ou des employés clés.

5.6. LE PROCESSUS DE LA NÉGOCIATION

La négociation d'une transaction aussi importante que la transmission d'une entreprise nécessite un degré élevé de confiance entre les parties. Cette relation de confiance est moins problématique lors de transmissions familiale ou interne. Il devrait y avoir aussi l'établissement de certaines règles du jeu. Il existe de nombreuses stratégies et techniques de négociation. L'objectif du présent texte n'est cependant pas d'en faire état (voir HEC-Desjardins-Acquizition.biz, 2007). Le recours à des conseillers externes est probablement une bonne idée.

Parmi les règles du jeu, il y a le partage de l'information et la confidentialité discutée précédemment. Au cours du processus de négociation, il devrait aussi y avoir une exclusivité des discussions afin d'éviter que des prédécesseurs/cédants ou des successeurs/repreneurs soient mis en concurrence pour bonifier leur offre par une mise aux enchères ou du moins la diffusion de la perte d'exclusivité si elle se produit (Gagnon, 1991). L'établissement d'un calendrier de négociation et la précision des modalités des discussions (qui, quand, où, quoi) devraient également être discutés.

La durée de la transaction s'échelonne sur plusieurs mois, sinon plusieurs années. Cette durée est variable selon le type de transmission et le contexte. Ainsi, Senbel et St-Cyr (2007) distinguent trois tendances au plan de la durée. Premièrement, la courte durée (moins de six mois) se retrouve dans les transmissions internes avec des employés (MBO), dans celles d'entreprises en difficulté financière et lorsque le prédécesseur/cédant agit à la suite d'un événement imprévisible. Deuxièmement, la moyenne durée (9 à 14 mois) se situe dans des entreprises saines sur le plan financier. Troisièmement, la longue durée se retrouve principalement dans les transmissions familiales. Il est possible d'établir un lien entre le transfert de la propriété et la durée du transfert de la direction qui s'étend sur une période de

10 à 12 ans pour les transmissions familiales, alors que la transmission interne s'étire jusqu'à 5 ans et que la transmission externe se situe autour de 6 mois.

Il existe plusieurs étapes et documents dans la négociation d'une transmission d'entreprise. Adaptant les diverses phases décrites au chapitre 1, la figure 5.3 présente une synthèse des documents au plan du transfert de la propriété selon ces phases. Malgré les nuances requises selon les différentes formes de transmission des PME, ces phases sont identifiées ainsi : l'amorce, la mise en œuvre, la transition, l'officialisation et l'après-transfert. Si l'on se réfère à ces phases, il est possible de répertorier sommairement huit documents, soit l'enquête préliminaire, l'analyse des options, l'entente de confidentialité, la lettre d'intention, l'offre d'achat, la vérification diligente, le contrat de vente lors de la clôture et le plan de transfert de la propriété. Bien entendu, il existe d'autres documents qui sont associés à certaines des étapes. Même si les étapes et les documents sont plus formels dans le cas des transmissions interne et externe, elles s'appliquent aussi aux transmissions familiales.

FIGURE 5.3
Phases du processus de transfert de la propriété et documents

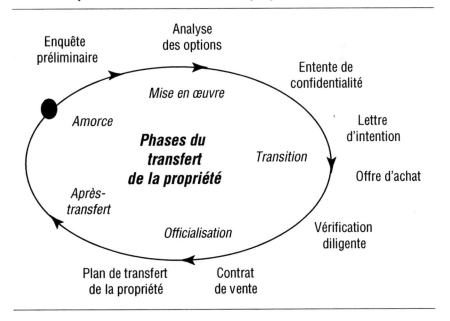

ENCADRÉ 5.6
Une question de temps et de compréhension des étapes du processus de négociation

Autant pour le prédécesseur/cédant que pour le successeur/repreneur, la lenteur du processus est un obstacle. Selon les paroles de quelques entrepreneurs: « Ça va prendre plus de temps que tu penses! Il faut donc établir un échéancier de travail raisonnable, acceptable... pas un échéancier trop agressif pour se retrouver dans des situations avec des dates butoirs réelles ou artificielles » (Senbel et St-Cyr, 2006b, p. 11). *« Une transaction c'est long! Il faut vraiment être sûr de ce qu'on veut. La stratégie qu'on avait mise en place avec les vendeurs était de leur parler chaque semaine. Même quand il n'arrivait rien, on les appelait le vendredi après-midi pour le dire: "Bien, il est rien arrivé cette semaine, on continue, voici les prochaines étapes." D'un autre côté, c'était l'occasion de savoir aussi ce qui se passait de leur côté: "Comment ça va vous autres?" Ça nous a permis d'apprendre sur le marché de l'entreprise et sur l'entreprise avant d'être ici. Ça fait qu'à chaque fois qu'on les appelait, même quand il n'y avait rien c'était: "Ah! Ici, on va bien, on a signé un gros contrat cette semaine ou il y a un nouveau client qu'on a approché", ce qui fait qu'on savait. Ça fait que ça, ça permettait à eux aussi de passer le temps et de voir qu'on était motivé. Pour nous autres, c'était clair dès le début que tous les vendredis on les appelait, peu importe ce qui arrivait. Ça a été très important à la fin parce que quand t'es rendu à la fin, les entrepreneurs (prédécesseurs), ils ont vécu pendant 14 mois exactement la même chose que nous autres, les mêmes frustrations, les mêmes stress... Ça fait qu'ils ont vu qu'on était vraiment intéressé »* (Senbel et St-Cyr, 2006b, p. 11-12). Selon les paroles d'un professionnel de la transmission d'entreprise: *« C'est pas le financement. Ce qui manque, c'est une compréhension des étapes à passer pour une transaction. Beaucoup de fois, j'ai des transactions qui n'aboutissent pas à cause du fait que le vendeur et l'acheteur ne comprennent pas les étapes qu'ils doivent passer... et ils deviennent impatients. Ils pensent que la lenteur du processus est une stratégie d'un côté (vendeur ou acheteur) qui fait tout pour ralentir les choses... Ils doivent comprendre que c'est lent (6 à 12 mois) »* (Senbel et St-Cyr, 2006b, p. 27).

Lors de l'**enquête préliminaire**, le prédécesseur/cédant cherche un successeur/repreneur pour sa PME et le successeur/repreneur cherche une entreprise cible. La recherche est probablement moins difficile et ardue dans le cas d'une transmission familiale étant donné la proximité évidente des acteurs. Ainsi qu'il a été mentionné précédemment dans la section sur le partage de l'information, il est souhaitable

pour les deux parties de chercher à obtenir le maximum de renseignements sur l'entreprise et l'autre partie. Les deux parties doivent
cependant suivre certaines étapes dans la poursuite du projet de transmission (HEC-Desjardins-Acquizition.biz, 2007 ; Gagnon, 1991).

Clément (2007) est d'avis qu'au cours de l'enquête préliminaire
plusieurs sources pourraient être consultées, et ce, à plusieurs reprises
durant les discussions, afin de recueillir le plus de renseignements
possible. Il est ainsi possible de chercher certains renseignements sur
les sociétés faisant des affaires et constituées au Québec et au Canada,
sur les poursuites (tant en demande qu'en défense) dirigées contre la
société cible et ses filiales, sur le détail sur les sûretés grevant les biens
mobiliers (comprenant le crédit-bail, la vente conditionnelle et le bail),
sur le titre de propriété d'un immeuble, les servitudes, l'acte d'échange,
sûretés grevant un immeuble et préavis de recours hypothécaires affec-
tant un immeuble, sur les sûretés visant les inventaires et des informations sur les marques de commerce, les brevets, les procédures
prises en vertu de la *Loi sur la faillite et l'insolvabilité* et sur les sociétés
ouvertes, soit celles dont les valeurs mobilières sont cotées à la Bourse.
Le tableau 5.5 présente ces sources au Canada et la nature de l'information disponible. Même si celles-ci concernent davantage les moyennes
entreprises, elles peuvent aussi servir, mais dans une moindre mesure,
pour les très petites et petites entreprises.

D'un côté, le prédécesseur/cédant doit faire la mise en marché
de sa PME en informant certaines personnes, par exemple les membres
de sa famille et ses conseillers, de son intention de transmettre son
entreprise. C'est sans doute en développant son réseau de contacts
d'affaires et en multipliant le nombre de solutions que le prédéces-
seur/cédant pourra trouver un successeur/repreneur en qui il pourra
avoir confiance. Dans le cas de la transmission familiale, les succes-
seurs/repreneurs sont plus facilement identifiables. Selon une étude
française (DCASPL, 2007), le nombre de solutions mises en œuvre
pour trouver un repreneur dans un contexte de retrait des affaires se
situe à trois en moyenne, soit aucune solution (18 %) (uniquement
bouche à oreille), une solution (17 %), deux solutions (28 %), trois à
cinq solutions (22 %), six solutions et plus (15 %). D'un autre côté, le
successeur/repreneur doit lui aussi faire preuve d'ouverture d'esprit
face aux occasions et montrer une attitude proactive. Selon la même
étude française (p. 39), « l'initiative revient plus au repreneur et non
pas au cédant » dans les cas en dehors des transmissions familiales ;
de plus, « sur 100 dirigeants envisageant de céder, seuls 18 n'y parviennent
pas (qu'ils cherchent ou non un repreneur ». En contrepartie, selon

TABLEAU 5.5
Les organisations, les registres et la nature de l'information disponible

Organisations et registres	Nature de l'information disponible
Registraire des entreprises de la province de Québec (<www.igif.gouv.qc.ca>)	Information sur les sociétés faisant des affaires au Québec et celles constituées en vertu de la *Loi sur les compagnies du Québec*
Industrie Canada (<www.strategis.gc.ca>)	Information sur les sociétés constituées ou continuées en vertu de la *Loi canadienne sur les sociétés par actions*
Plumitifs des tribunaux de la province de Québec et cour fédérales (civil et criminel) (<www.azimut.soquij.qc.ca>)	Poursuites (tant en demande qu'en défense) dirigées contre la société cible et ses filiales
Registre des droits personnels et réels mobiliers (<www.rdprm.gouv.qc.ca>)	Détails sur les sûretés grevant les biens mobiliers (comprenant le crédit-bail, la vente conditionnelle et le bail)
Bureau de la publicité foncière (<www.registrefoncier.gouv.qc.ca>)	Titre de propriété d'un immeuble, servitudes, acte d'échange, sûretés grevant un immeuble et préavis de recours hypothécaires affectant un immeuble
Banque du Canada (<www.bas.csrs.net>)	Sûretés visant les inventaires
Registre des marques de commerce au Canada, aux États-Unis et dans d'autres juridictions (<www.strategis.ic.gc.ca>) (<www.thomson-thomson.com>)	Information sur les marques de commerce
Brevets (<www.strategis.ic.gc.ca>)	Information sur les brevets
Surintendant de faillite (<www.strategis.ic.gc.ca>)	Information sur les procédures entreprises en vertu de la *Loi sur la faillite et l'insolvabilité*
Site Web des bourses, des commissions des valeurs mobilières (<www.cvmq.com>) (<www.sedar.com>) (<www.edgar-online.com>)	Informations sur les sociétés ouvertes, dont les valeurs mobilières sont cotées en bourse

Source: Clément (2007).

Senbel et St-Cyr (2006a), le premier réflexe d'un successeur/repreneur est de se tourner vers les professionnels de l'intermédiation. Cela serait moins vrai pour les très petites entreprises. Elles citent les comptables et banquiers, puis les courtiers en entreprise, les avocats, les chambres de commerce, les revues d'affaires spécialisées et les sites Internet d'intermédiation. L'importance de ces sources serait différente en Europe si l'on se fie à l'étude DCASPL (2007).

L'**analyse des options** permet, autant au prédécesseur/cédant qu'au successeur/repreneur, d'examiner les options possibles dans la phase de mise en œuvre de la transmission. Il peut être préférable d'adopter une approche comportant certaines étapes préalables. Premièrement, il serait souhaitable que le successeur/repreneur cerne sa recherche d'une entreprise en ciblant, par exemple, une région géographique, un domaine d'activité, une taille d'entreprise, ce qui représente son champ de recherche. Deuxièmement, il devrait analyser son champ de recherche, par exemple en établissant une grille d'évaluation avec des critères obligatoires et souhaités et en examinant la vitalité d'un domaine d'activité qui passionne le successeur/repreneur. Il est possible qu'une industrie le passionne, mais qu'elle ne présente pas une bonne perspective d'avenir. Troisièmement, le successeur/repreneur potentiel peut entrer en contact avec diverses sources existantes pour l'aider dans sa recherche. Le tableau 5.6 présente ces sources.

Quatrièmement, le successeur/repreneur concentre son attention sur quelques entreprises cibles et entame les discussions avec celles-ci. Il s'intéresse particulièrement à certains aspects. Cela peut prendre

TABLEAU 5.6
Des sources disponibles pour trouver une entreprise

Intervenants et réseaux

- Intermédiaires de marché
- Sources spécialisées – journaux
- Sources spécialisées – sites Internet
- Firmes d'avocats
- Courtiers en transactions d'entreprises
- Banquiers
- Chambres de commerce
- Relations d'affaires
- Relations familiales et personnelles

Source : HEC-Desjardins-Acquizition.biz (2007, p. 40-41).

de la patience ou nécessiter de modifier son champ de recherche si le successeur/repreneur potentiel ne trouve pas ce qu'il cherche. Le prédécesseur/cédant doit lui aussi analyser ses options, que ce soit la transmission interne ou la transmission externe.

ENCADRÉ 5.7
Les critères de choix pour le successeur/repreneur

Il est possible de recenser certains critères de choix pour le successeur/repreneur. Parmi elles, nous retenons « le marché pour les produits et services, la compétition, les résultats de la vérification diligente, financière et opérationnelle, l'existence d'actifs redondants, l'impact de la technologie, les forces de la direction, les clients, les fournisseurs et prêteurs, les locateurs d'immeubles et les employés » (McGowan, Weigl, Wilton et Aldridge, 2006, p. 86).

Le successeur/repreneur doit faire preuve de sérieux en se préparant, en connaissant ses forces et ses faiblesses, en faisant appel à un mentor et en développant son réseau de contacts d'affaires (HEC-Desjardins-Acquizition.biz, 2007). Le contact entre le prédécesseur/cédant et le successeur/repreneur doit se faire avec délicatesse (Gagnon, 1991). Ce contact est plus facile dans le cas de la transmission familiale, puisque les membres de la famille sont en contact constant. Cela est d'autant plus vrai si l'entreprise est celle de l'entrepreneur fondateur pour qui l'entreprise représente toute sa vie ou presque. Il faudra agir avec discrétion, car des rumeurs pourraient avoir des effets négatifs sur l'entreprise et sur les employés, d'où l'importance de signer une **entente de confidentialité**. Il faudra agir avec tact afin de ne pas blesser le prédécesseur/cédant et de saisir ses préoccupations personnelles. Il faudra agir avec sérieux en évitant les critiques qui peuvent être perçues comme personnelles face à sa gestion et à celle de ses employés.

Un autre document important est la **lettre d'intention**[1]. La lettre d'intention peut se définir comme « un document écrit précontractuel reflétant des ententes préliminaires à parfaire entre des parties qui conviennent de continuer les négociations en vue de la conclusion

---

1. Pour éviter une confusion terminologique, précisons que la lettre d'intention est aussi connue sous les vocables d'entente de principe, de protocole d'entente, d'esquisse de transaction ou sous les expressions anglaises de *memorandum of understanding* (MOU) et *agreement in principle*.

ENCADRÉ 5.8
La confidentialité en question

Selon un professionnel de la transmission de PME, la confidentialité est un point théorique, mais avec des implications pratiques. « *Ça peut être intéressant pour un vendeur de vendre à un compétiteur mais, souvent, le vendeur ne veut pas parler à ses concurrents. C'est une barrière psychologique. Pour vendre à un concurrent, le concurrent dit la plupart du temps : "Oui, je suis intéressé !" Alors, qu'est-ce qu'on fait, on baisse les culottes... et le concurrent "renifle". Il regarde tout ça, pose des questions, prend le nom des employés, il obtient un paquet d'informations et après ça, il dit : "Non, je suis pas intéressé." Le lendemain, malgré qu'il ait signé 50 formulaires de confidentialité, il va dire dans le milieu : "Hey, X est à vendre !" Ça, c'est le marché* » (Senbel et St-Cyr, 2006b, p. 27).

---

d'un contrat », il s'agit de « la formalisation ou le point de départ d'une négociation sérieuse en vue de conclure une affaire, les parties convenant qu'ils s'activeront et déploieront des efforts pour finaliser leur entente » (Clément, 2007, p. 1 :14). Considérant les frais payés ou à engager, il s'agit d'une protection du sérieux des deux parties vers la finalisation d'une transaction. Il s'agit de mettre par écrit les points d'entente et le travail à effectuer avant la signature d'un contrat de vente. En effet, il existe une grande quantité de points qu'il faut planifier, discuter, négocier, vérifier, et s'entendre (Gagnon, 1991). Il faut donc s'entendre au moins sur les grandes lignes et les grands principes de la transaction.

La lettre d'intention pourrait comporter divers éléments de contenu où certaines portions servent d'aide-mémoire, alors que d'autres servent de base pour une protection juridique (Clément, 2007). Parmi les éléments, notons : la nature de la lettre, l'objet de la transaction, le prix d'acquisition, les modalités de paiement, la convention d'achat et de vente, les autres ententes à signer, la vérification diligente, la gestion intérimaire, les recours, la collaboration, la confidentialité, la non-sollicitation des employés, une date butoir (2 à 4 semaines plus tard), les conditions de clôture, les autres conditions à la transaction et des éléments de généralités juridiques (paiement des frais, lois applicables, langues, amendement écrit).

L'**offre d'achat** représente un engagement ferme de procéder à la transaction. Une offre est une « manifestation claire (et qui se veut finale), par des mots ou des agissements, de conclure une entente, l'autre partie devant être justifiée de comprendre que, par son accord, l'entente sera conclue» (Clément, 2007, p. 1:21). Parmi les éléments contenus dans une offre d'achat (Gagnon, 1991), notons: la nature de l'offre, les parties impliquées, l'objet de l'offre, le prix d'acquisition, les modalités de paiement, le dépôt, le financement, la structure de la transaction, la répartition du prix d'achat entre les divers actifs, les représentations et garanties du prédécesseur/cédant, la vérification diligente, la gestion intérimaire de l'entreprise entre l'acceptation et la clôture, les recours, les conditions préalables à la conclusion de la vente et les circonstances libérant le successeur/repreneur de son obligation d'acheter, la procédure de conclusion, le délai et les modalités d'acceptation de l'offre, les autres conditions à la transaction, la convention d'achat et de vente, et des éléments de généralités juridiques (paiement des frais, lois applicables, langues, amendement écrit).

À la suite du dépôt de l'offre d'achat par le successeur/repreneur et de son acceptation par le prédécesseur/cédant, il s'agit de la période de préclôture où le successeur/repreneur devrait s'assurer que l'entreprise cible ne comporte pas de problèmes et que les chiffres et la situation de l'entreprise sont bien ce qui est anticipé. Au cours de cette étape, il s'agit de procéder à la **vérification diligente** afin d'éviter toutes mauvaises surprises.

Bien que la vérification diligente puisse se définir comme l'«ensemble des analyses réalisées en vue de l'acquisition potentielle d'un bien» (Dubuc, 1993, p. 27), il s'agit davantage des analyses opérationnelle, financière, juridique et fiscale réalisées avant la clôture de la transaction afin d'examiner les activités, de s'assurer de la véracité des informations et de la situation de l'entreprise et de tout autre élément important (Gagné, Lapointe, Fréchette et Côté, 2004). Il est possible de distinguer une vérification diligente initiale lors de l'enquête initiale et une vérification diligente détaillée lors de la préclôture.

La plupart des conseillers en transmission d'entreprise possèdent une liste de contrôle assez détaillée comportant plusieurs pages afin de procéder à la vérification diligente (Gagné, Lapointe, Fréchette et Côté, 2004, annexe L; Gagnon, 1991, annexe 1). Il est possible de répertorier certaines questions, notamment l'état corporatif de la société et de ses filiales, la situation financière, comptable et fiscale, des renseignements sur les ressources humaines, l'exploitation de la société, la visite des lieux, les systèmes d'information, les assurances, les biens, droits et obligations de la société, le carnet de commandes, l'environnement, les litiges. Dans certains cas, le prédécesseur/cédant met à la disposition du successeur/repreneur un ensemble de documents dans un « dataroom », soit un endroit neutre, diminuant ainsi les possibilités de fuites, et contrôlé par le prédécesseur/cédant (HEC-Desjardins-Acquizition.biz, 2007). Advenant la découverte d'un problème, il est de mise d'agir rapidement afin de déterminer la nature du problème et son impact sur la transaction (Gagnon, 1991). Il y a lieu de suivre la procédure établie dans l'offre d'achat et d'évaluer les possibilités sur le plan juridique de se soustraire à la transaction ou de trouver une solution acceptable par la négociation.

L'étape de préclôture comporte également d'autres tâches, notamment la finalisation du financement, les diverses procédures juridiques pour effectuer la transition (structure d'affaires, administrateurs), la négociation d'ententes avec les employés, le transfert des documents et registres de l'entreprise (systèmes d'information, dossiers), le transfert de permis, les arrangements bancaires et financiers (marge de crédit, assurances, autorités fiscales) et l'obtention du consentement d'autres personnes face à des contrats ou ententes (Gagnon, 1991). Selon le contexte, il est possible que la *Loi sur le patrimoine familial*, la *Loi sur la concurrence* et la *Loi sur Investissement Canada* s'appliquent. Dans d'autres situations, une demande sera adressée à certaines autorités réglementaires avant de pouvoir procéder à la transaction, par exemple au Conseil de la radiodiffusion et des télécommunications canadiennes (CRTC).

Dans certaines situations, il existe des contrats ou des ententes qui ont des clauses particulières en cas de transmission d'entreprise. Par exemple, la transmission d'entreprise n'invalide pas les contrats d'emploi et il y a poursuite des années de service pour les normes du travail (Fortier et Royal, 2007). Il y a lieu d'examiner les divers contrats comme les contrats d'achat, les ententes avec les principaux clients.

La clôture est l'étape où il y a finalisation de la transaction et signature du **contrat de vente**. Il faut noter que la date de clôture ne constitue pas nécessairement la date effective de la transaction. Dans ce cas, il faut prévoir des mécanismes d'ajustement entre les deux dates. Le contrat de vente est similaire à l'offre d'achat sur le plan du contenu. Certaines clauses doivent toutefois être adaptées pour refléter la nature différente de ce document légal. Parmi les éléments du contenu du contrat de vente (Gagnon, 1991), notons : la nature du contrat, les parties en cause, l'objet du contrat, le prix d'acquisition, les modalités de paiement, la structure de la transaction, la répartition du prix d'achat entre les divers actifs, les représentations et garanties du prédécesseur/cédant à la date de la transaction, les recours, les conditions liées à la performance, de même que des éléments de généralités juridiques (paiement des frais, lois applicables, langues, amendement écrit).

En plus du contrat de vente, il y a d'autres documents légaux comme l'ensemble de la documentation sur l'entreprise (résolution des administrateurs, modifications aux livres de la société, changement de vérificateurs), les certificats de dirigeants et les déclarations solennelles attestant les faits importants qu'il est difficile de vérifier, les consentements, les autorisations, les libérations, les quittances, les choix fiscaux, le paiement, les rapports et documents à produire auprès d'organismes publics, les avis juridiques et les contrats et ententes accessoires (Gagnon, 1991). Accompagnant le contrat de vente, le **plan de transfert de la propriété** stipule la manière d'effectuer le transfert de propriété des biens et fournit un calendrier. Il pourra notamment inclure un inventaire et une évaluation de l'actif et du passif.

Auparavant, un affidavit de vente en bloc devait être signé, mais ce n'est plus nécessaire au Québec et dans la majorité des provinces canadiennes et des États américains. Ces dispositions ont été abrogées en 2002 au Québec pour éviter le fardeau des règles du *Code civil du Québec* (L.Q., 1991, c. 64, art. 1767 à 1778 C.c.Q.) sur la vente en bloc.

La convention entre actionnaires est un document important, en particulier pour une PME. Elle stipule certaines clauses qui peuvent être utiles dans diverses circonstances. Scarratt (2006) la compare à la sortie d'urgence d'un immeuble. Il faut la prévoir en espérant ne pas avoir à l'utiliser. Les conventions entre actionnaires ont plusieurs objectifs (OCAQ, 1998), notamment :

➤ fournir une procédure pour céder ses actions ;

➤ prévoir une méthode pour fixer le prix des actions ;

➤ fournir aux actionnaires restants les moyens pour acquérir la participation ;

➤ empêcher le transfert d'actions à des personnes jugées indésirables par les autres actionnaires ;

➤ établir des normes de gouvernance (pouvoirs des administrateurs, vote sur certaines questions).

Parmi les clauses de convention entre actionnaires, notons la restriction du transfert des actions, le droit de préemption et de premier refus pour l'achat des actions, l'émission de nouvelles actions, la clause de coercition (« *shot-gun* »), la clause d'achat-vente en cas de décès, la clause en cas d'invalidité, l'utilisation de l'assurance vie, la restriction de donner les actions en garantie, la retraite des actionnaires, le vote des actionnaires, les droits des actionnaires minoritaires, la clause d'opposabilité, la clause de modification de la convention (Louis et Prasad, 2007 ; Martel, 2006 ; Scarratt, 2006).

Lors de la période d'après-transfert, il s'agit essentiellement de finaliser les éléments en suspens après la clôture et de se concentrer sur la transition au plan humain, ce qui est plus particulièrement vrai lors d'une transmission externe (Gagnon, 1991). Malgré un ensemble de précautions, comme la vérification diligente, il est possible que certaines surprises surgissent (Senbel et St-Cyr 2006a). Il faut donc savoir gérer ces surprises.

Le tableau 5.7 présente une synthèse des étapes et documents du transfert de la propriété pour les cinq phases retenues. Ces étapes et documents ne sont pas repris ici, car les phases ont été expliquées dans les sections précédentes. Le tableau identifie les premiers acteurs concernés parmi le prédécesseur/cédant et le successeur/repreneur. Bien entendu, pour la presque totalité des étapes et documents, les deux acteurs sont concernés dans une certaine mesure.

TABLEAU 5.7
Une synthèse des étapes et des documents du transfert de la propriété des PME

Phases	Étapes	Documents	Acteurs concernés	
			Préd/céd	*Succ/rep*
Amorce	Sensibilisation à la transmission		✓	
	Analyse préliminaire des options		✓	
	Préparation d'un sommaire de l'entreprise à vendre		✓	
	Clarification des valeurs et des principes		✓	
		Enquête préliminaire	✓	✓
Mise en œuvre	Consultation de conseillers		✓	✓
		Analyse des options	✓	✓
	Invitation des acheteurs potentiels		✓	
Transition	Choix des actions ou actifs		✓	✓
	Choix du mode de transfert		✓	✓
		Entente de confidentialité	✓	✓
	Négociation de la transaction		✓	✓
		Lettre d'intention	✓	✓
	Évaluation d'entreprise		✓	✓
	Fixation du prix		✓	✓
	Montage financier			✓
		Offre d'achat	✓	✓
	Préclôture		✓	✓
		Vérification diligente		✓
Officialisation	Échange de contrepartie		✓	✓
		Contrat de vente	✓	✓
		Plan de transfert de la propriété	✓	✓
	Signature des documents légaux		✓	✓
	Clôture		✓	✓
Après-transfert	Examen des conditions conditionnelles de la transaction		✓	

Préd/céd : prédécesseur/cédant et Succ/rep : successeur/repreneur.

Chapitre 6

Le financement
de la transmission

L ors d'une transmission d'entreprise, la question du financement représente certainement un élément important pour le successeur/repreneur avant qu'il conclue et finalise la transaction et la structure d'acquisition (Bisson, 2006). C'est pourquoi ce chapitre s'intéresse plus particulièrement au successeur/repreneur. Selon la FCEI (2006), le financement est l'un des trois facteurs clés dans la planification des aspects financiers, en plus du prix d'achat établi à partir de l'évaluation et du calendrier de la méthode de paiement. Faisant partie intégrante de la négociation, le financement s'appuie et influe sur le prix déterminé et l'ensemble des autres conditions négociées (McGowan *et al.*, 2006). En effet, pour une entreprise donnée, le prix est plus élevé si le paiement est étendu sur une plus longue période, et vice versa.

Autant au Canada que dans d'autres pays, comme les États-Unis, il est très difficile d'obtenir des statistiques précises sur le phénomène du financement de la transmission d'entreprise et des transactions effectuées, ce qui complique la description de la situation (St-Cyr *et al.*, 2005)[1]. Le financement est souvent une pierre angulaire de la conclusion

---

1. Les statistiques sont plus faciles à trouver en Europe, par exemple en France et en Belgique, avec l'envoi de données et l'inclusion dans une centrale des bilans.

ou non d'une transaction (FCEI, 2006). Avec le financement vient généralement le transfert réel de la propriété de l'entreprise. En effet, par le transfert d'argent amené par le financement, il s'agit véritablement d'une scission au plan du droit de propriété sur l'entreprise. Le prédécesseur/cédant voulant se protéger en cas de non-paiement, une clause sur le transfert effectif des actions est souvent inscrite dans le contrat de vente. Dans le cas d'un gel successoral, la plupart du temps il y a la présence d'actions privilégiées rachetables et possiblement associées à un nombre plus élevé de votes.

La problématique du financement discutée dans le présent chapitre s'articule principalement autour du contexte du financement, du type de financement et des sources de financement. Les types de financements se distinguent par la nature du financement, alors que les sources s'intéressent à sa provenance. Aussi associés au financement, il y a les critères utilisés pour l'obtention du financement et des exemples types de montage financier.

6.1. LE CONTEXTE DU FINANCEMENT

Considérant les particularités du financement, il faut bien structurer celui-ci avec des conseillers d'expérience afin de pouvoir optimiser les bénéfices et avantages fiscaux, notamment ceux relatifs aux frais de transaction et à la déductibilité des intérêts (Bisson, 2006). Il y a donc lieu d'être attentif à la situation financière des parties et aux diverses sources de financement disponibles.

Dans la majorité des cas de transmission (familiale, interne, externe), l'un des problèmes est l'absence de ressources financières suffisantes pour acquitter le prix de vente et l'absence d'éléments d'actif pouvant servir de garanties pour un emprunt (St-Cyr *et al.*, 2005). Au moment d'une transmission familiale ou interne, les liens familiaux ou personnels et cette absence de ressources financières peuvent toutefois amener le prédécesseur/cédant à offrir une grande flexibilité au successeur/repreneur, même s'il doit étaler dans le temps son désengagement. Même dans le cas où un membre de la famille ou un employé manifeste de l'intérêt, une absence de ressources financières peut amener un prédécesseur/cédant à choisir une transmission externe et un repreneur qui dispose d'un financement.

Parmi les problèmes du financement de la transmission d'entreprise, il y a le partage des risques entre le prédécesseur/cédant et le successeur/repreneur. Sauf exception, lors du transfert de la propriété, le prédécesseur/cédant s'attend généralement à recevoir une contrepartie financière en échange de son patrimoine dans l'entreprise et idéalement le plus tôt possible. Dans le cas de la cession par donation, le prédécesseur/cédant doit posséder suffisamment de liquidités pour payer les impôts sur le revenu afférents au transfert. Bien que le prédécesseur/cédant ne reçoive pas de liquidités à la suite du transfert, il doit payer les impôts sur la cession de l'entreprise. Dans le cas de la cession par vente, le prédécesseur/cédant doit également payer les impôts sur la cession de l'entreprise, mais il devrait recevoir un minimum de liquidités.

Pour le gel successoral, il existe une plus grande latitude quant au moment du versement des liquidités, mais les risques sont nombreux. Ces risques sont associés à l'entreprise et aux successeurs/repreneurs. Les risques associés à l'exploitation de l'entreprise peuvent affecter sa situation financière. Il peut s'agir de difficultés financières à la suite d'une mauvaise gestion ou de mauvaises décisions. Dans le cas des successeurs/repreneurs, des problèmes d'entente peuvent surgir s'il y a plusieurs successeurs/repreneurs ou si des problèmes se manifestent au plan de leur comportement. Cela peut avoir un impact sur le versement reporté du prix de vente de l'entreprise.

Pour diminuer ces risques, le prédécesseur/cédant a avantage à conserver un certain contrôle sur l'entreprise jusqu'au versement complet du montant déterminé. Il pourrait ainsi conserver des actions de contrôle lui permettant de jouir d'un nombre de votes supérieur aux autres catégories. Une convention entre actionnaires pourrait offrir une solution alternative à la perte éventuelle de contrôle. Il s'agit d'inscrire dans la convention entre actionnaires les règles à suivre sur le plan des votes. Le recours à une fiducie pourrait permettre au prédécesseur/cédant de contrôler les actions des successeurs/repreneurs en agissant à titre d'administrateur ou en nommant des administrateurs de confiance. Le prédécesseur/cédant peut également conserver certains actifs immobiliers ou certains équipements et transférer uniquement le fonds de commerce au successeur/repreneur. Selon les liens entre la relève non apparentée et le prédécesseur/cédant, celui-ci peut désirer accorder certains privilèges au successeur/repreneur qu'un acheteur externe non lié avec lui ne pourrait obtenir. C'est le cas notamment d'un achat par les cadres au moment d'une transmission interne (Dupras, Guestier et Lapointe, 2007).

6.2. LES TYPES DE FINANCEMENTS

Avant de regarder le financement propre à la transmission d'entreprise, il peut être utile d'examiner les différents types de financements que les PME utilisent en temps normal. Dans certains cas, ces types de financements peuvent servir pour acquérir une très petite entreprise. Une étude d'Industrie Canada (2004), se basant sur une enquête de Statistique Canada sur le financement des PME, distingue deux grands types d'instruments financiers utilisés par les PME. Il s'agit des instruments formels et informels. Le tableau 6.1 présente ces différents instruments financiers. L'utilisation de chaque instrument varie selon que la PME est établie ou qu'elle est en démarrage. Les résultats de cette enquête montrent que les instruments financiers les plus populaires sont les économies personnelles des propriétaires dirigeants, les marges de crédit commerciales et personnelles, les cartes de crédit commerciales et personnelles, les prêts commerciaux, les bénéfices non répartis de l'entreprise et le crédit commercial des fournisseurs. Les instruments financiers informels sont plus importants que les instruments formels.

Si l'on examine les fournisseurs de financement sollicités par les PME, il est possible de les distinguer selon trois grands types de financements formels, soit le financement par emprunt, le financement par crédit-bail et le financement par capitaux propres (Industrie Canada, 2004). Le tableau 6.2 présente le pourcentage des fournisseurs de financement approchés par les PME selon le type de financement. Les fournisseurs les plus populaires sont les banques à charte ainsi que les coopératives d'épargne et de crédit et les caisses populaires, les fabricants, concessionnaires ou fournisseurs, les sociétés de crédit-bail. Et c'est sans compter le financement informel qui vient des amis et des parents des propriétaires, de même que des investisseurs existants ou providentiels. Si l'on replace les données des tableaux 6.1 et 6.2 dans le contexte de la transmission, il est révélateur qu'une étude québécoise indique qu'un peu moins de la moitié des transmissions n'utilisent aucune source externe de financement (GCEQ, 2004).

Afin d'examiner la demande de financement ou de l'accorder, les fournisseurs de financement exigent – ou non – certains documents et certaines garanties. Le tableau 6.3 présente les principaux documents et garanties exigés par le fournisseur de financement (Industrie Canada, 2004). Parmi les documents les plus souvent exigés, en plus d'une demande formelle de financement, citons les états financiers de

TABLEAU 6.1
Les types d'instruments financiers utilisés par les PME

		Pourcentage PME établies	Pourcentage PME en démarrage
Instruments formels	Marges de crédit commerciales	50 %	44 %
	Cartes de crédit commerciales	48 %	38 %
	Prêts commerciaux	44 %	45 %
	Crédit-bail	30 %	27 %
	Prêts et subventions du gouvernement	21 %	20 %
	Microcrédit	13 %	13 %
	Affacturage	13 %	–
	Fonds de capital-risque	12 %	11 %
Instruments informels	Économies personnelles des propriétaires	57 %	77 %
	Bénéfices non répartis de l'entreprise	54 %	–
	Crédit commercial des fournisseurs	52 %	42 %
	Cartes de crédit personnelles des propriétaires	50 %	52 %
	Marges de crédit personnelles des propriétaires	45 %	46 %
	Prêts personnels des propriétaires	33 %	32 %
	Prêts d'amis ou de parents des propriétaires	24 %	23 %
	Prêts d'employés	18 %	–
	Prêts d'autres particuliers	15 %	13 %
	Autres sources	15 %	13 %

Note : Comprend tous les instruments utilisés, que le crédit ait été autorisé ou obtenu au cours d'une année antérieure ou non. Les répondants pouvaient sélectionner plusieurs réponses.
Source : Industrie Canada (2004, p. 42-43).

l'entreprise ou le bilan financier personnel du propriétaire. Dans 18 % des cas, aucun document n'est requis. Dans 42 % des cas, des éléments d'actifs personnels ou de l'entreprise sont exigés en garantie par le fournisseur de financement.

Tout comme le montrent les tableaux précédents sur le financement des PME, il est reconnu que les moyens utilisés pour financer le transfert de propriété sont variés (St-Cyr *et al.*, 2005). Il est ainsi

TABLEAU 6.2
Les fournisseurs de financement approchés par les PME

		Pourcentage
Financement par emprunt	Banque à charte	63 %
	Coopérative d'épargne et de crédit et caisse populaire	23 %
	Société d'État ou institution gouvernementale	9 %
	Compagnies émettrices de cartes de crédit	1 %
	Autre fournisseur de crédit	7 %
Financement par crédit-bail	Fabricant, concessionnaire ou fournisseur	51 %
	Société de crédit-bail	34 %
	Banque à charte	7 %
Financement par capitaux propres	Ami ou parent des propriétaires	23 %
	Investisseur privé (investisseur providentiel)	22 %
	Investisseur existant	20 %
	Société d'État ou institution gouvernementale	16 %
	Société de capital-risque	7 %
	Autre investisseur	7 %
	Employés	6 %

Note : Il s'agit de PME en exercice depuis plusieurs années.
Source : Industrie Canada (2004, p. 47).

possible de résumer l'éventail des types de financements où chaque type présente certains avantages et inconvénients (voir le tableau 6.4). Il peut s'agir essentiellement d'argent comptant, de prises en charge de passifs du vendeur, de solde de prix de vente offert par le prédécesseur/cédant, de clause d'ajustement basé sur la performance, de dette garantie, de dette non garantie, de cautionnement, de garantie de prêt, d'assurance vie, d'assurance invalidité ou d'équité. Il faut noter la possibilité de combiner certains types de financements.

L'argent comptant correspond à la forme la plus simple de financement. Il s'agit pour le successeur/repreneur d'utiliser les liquidités qu'il possède. Pour les plus jeunes, cela peut représenter un obstacle important étant donné le peu de liquidités dont ils disposent. La prise en charge de passifs du vendeur permet de réduire le déboursé initial

TABLEAU 6.3
Les documents et garanties exigés par le fournisseur de financement

	Documents	*Garanties*
États financiers de l'entreprise	61 %	
Demande formelle de financement	53 %	
Bilan financier personnel	47 %	
Évaluation des actifs	26 %	
Documentation sur le flux de trésorerie	22 %	
Plan d'affaires	21 %	
Aucun document requis	18 %	
Éléments d'actifs personnels en garantie		42 %
Éléments d'actifs de l'entreprise en garantie		42 %
Cosignatures		7 %

Source : Industrie Canada (2004, p. 48).

et de différer le déboursé selon les conditions des passifs. Si les conditions des passifs présents sont favorables et le permettent selon la convention des passifs, cela permet une certaine souplesse dans le paiement.

Un solde de prix de vente offert par le prédécesseur/cédant est souvent une manière pour ce dernier de conclure la transaction. Cela lui permettra également de bénéficier d'une réserve, étalant ainsi ses impôts sur le revenu à payer. Par exemple, l'octroi d'un solde de prix de vente peut permettre de reporter sur cinq années l'inclusion du gain en capital imposable dans le calcul du revenu du prédécesseur/cédant. Une clause d'ajustement basé sur la performance peut aussi jouer le même rôle s'il n'y a pas d'entente sur les résultats financiers futurs. Selon le cas, le risque est supporté davantage par le prédécesseur/cédant ou par les deux parties.

Une dette peut être garantie ou non garantie. Il s'agit notamment d'un type de financement fourni par les institutions financières. Il peut s'agir d'un financement à court, à moyen ou à long terme. Le niveau de garantie exigé est vu par certains intervenants comme étant excessif (Senbel et St-Cyr, 2006a). Les garanties sont basées sur les actifs de l'entreprise (stocks, débiteurs, immobilisations), ce qui amène

TABLEAU 6.4
Les types de financements lors de la transmission d'entreprise

Types	Avantages	Inconvénients
Argent comptant	<ul><li>Simplicité</li><li>Aucun risque pour le prédécesseur/cédant</li></ul>	<ul><li>Disponibilité</li></ul>
Prise en charge de passifs du vendeur	<ul><li>Simplicité</li><li>Permet de réduire le déboursé initial</li><li>Permet de différer le déboursé selon les conditions des passifs</li></ul>	<ul><li>Oblige le transfert légal des passifs, s'il est permis</li></ul>
Solde de prix de vente offert par le prédécesseur/cédant	<ul><li>Simplicité</li><li>Peu dispendieux</li><li>Souplesse</li><li>Avantage fiscal en retardant l'inclusion du gain en capital</li></ul>	<ul><li>Risque assumé par le prédécesseur/cédant</li></ul>
Clause d'ajustement basé sur la performance (*earn-out*)	<ul><li>Permet de différer le déboursé</li></ul>	<ul><li>Complexité</li><li>Problèmes techniques d'implantation</li></ul>
Dette garantie	<ul><li>Garantie basée sur les actifs de l'entreprise (stocks, débiteurs, immobilisations)</li><li>Financement à court, moyen et long terme</li></ul>	<ul><li>Limites par rapport à la valeur des actifs</li></ul>
Dette non garantie (prêt participatif, dette subordonnée, débenture, dette convertible)	<ul><li>Financement à moyen et long terme</li></ul>	<ul><li>Complexité</li><li>Non garantie</li></ul>
Cautionnement	<ul><li>Facilite le financement</li></ul>	<ul><li>Risque assumé par une société externe moyennant un coût</li></ul>
Garantie de prêt	<ul><li>Facilite le financement</li></ul>	<ul><li>Risque assumé par une société externe moyennant un coût</li></ul>
Assurance vie	<ul><li>Préserve la survie de l'entreprise en cas de décès du propriétaire dirigeant</li></ul>	<ul><li>Prime possiblement élevée selon l'âge et l'état de santé</li></ul>
Assurance invalidité	<ul><li>Préserve la survie de l'entreprise en cas d'invalidité du propriétaire dirigeant</li></ul>	<ul><li>Prime possiblement élevée selon l'âge et l'état de santé</li></ul>
Équité (émission d'actions ordinaires ou privilégiées)	<ul><li>Financement à long terme</li><li>Utilisation dans le cadre d'un gel successoral</li></ul>	<ul><li>Complexité</li><li>Accessibilité réduite</li><li>Coût élevé</li><li>Partage du contrôle</li><li>Risque de fluctuation de la valeur des actions assumé par le vendeur</li></ul>

une limite face à la capacité d'emprunt par rapport à la valeur des actifs. Il est possible d'obtenir, non pas un prêt directement, mais un cautionnement ou une garantie de prêt par une troisième personne, ce qui facilite la négociation d'autres types de financements.

L'assurance vie est un type de financement utilisé en prévision d'un décès éventuel de l'un des actionnaires de l'entreprise et donc de transmission familiale (HEC-Desjardins-Acquizition.biz, 2007). Dans le même ordre d'idées, l'assurance invalidité peut jouer le même rôle en cas d'invalidité (Scarratt, 2006). L'équité ou l'émission d'actions se retrouve dans plusieurs financements. Il peut s'agir d'actions ordinaires ou privilégiées. Les caractéristiques attribuées aux actions privilégiées dépendent des objectifs visés et des résultats de la négociation. Les actions sont notamment très présentes dans le cas de gel successoral.

6.3. LES SOURCES DE FINANCEMENT

Bien que les sources de financement puissent s'entremêler et être combinées, il peut être utile de les distinguer. Bisson (2006) distingue cinq grandes sources de financement pour la transmission d'une entreprise. Il s'agit de l'acquéreur et de ses proches, du vendeur, d'une institution financière, d'une société à capital de risque et d'un appel public à l'épargne. Comme cette option ne représente pas véritablement une transmission complète selon notre définition, il n'en est pas question dans le présent ouvrage. La classification adoptée s'articule autour de la provenance du financement, c'est-à-dire selon que les liquidités proviennent de l'intérieur ou de l'extérieur de la cellule familiale et de l'entreprise elle-même ou du prédécesseur/cédant et du successeur/repreneur. La cellule familiale comprend la famille du prédécesseur/cédant et la famille du successeur/repreneur. Malgré la classification utilisée par Industrie Canada dans le tableau 6.2, les tableaux 6.5 et 6.6 résument les différentes sources de financement lors de la transmission d'entreprise, classées selon les sources externe et interne. Une étude du Groupement des chefs d'entreprise du Québec indique qu'un peu moins de la moitié des transmissions n'utilisent aucune source externe (GCEQ, 2004).

Les fournisseurs qui offrent du financement au Québec se caractérisent par quelques joueurs institutionnels de relativement grande taille mettant l'accent sur la transmission familiale, sur une difficulté à financer des plus petites transactions et sur la faible présence d'investisseurs privés (St-Cyr *et al.*, 2005).

■ 6.3.1. Les sources internes de financement

Dans le cas des trois types de transmissions (familial, interne, externe), les ressources internes peuvent se classer selon quatre sources, soit les ressources du successeur/repreneur, les ressources du cercle familial, les ressources offertes par le prédécesseur/cédant et les ressources disponibles dans l'entreprise (voir le tableau 6.5). Certaines de ces sources s'appliquent davantage aux très petites entreprises.

TABLEAU 6.5
**Les sources internes de financement
lors de la transmission d'entreprise**

Ressources du successeur/ repreneur	Ressources du cercle familial	Ressources offertes par le prédécesseur/ cédant	Ressources disponibles dans l'entreprise
• Mise de fonds personnelle	• Cautionnement • Garantie de prêt	• Solde de prix de vente • Clause d'ajustement basé sur la performance • Location de certains actifs	• Dette garantie • Dette non garantie • Fonds générés par l'exploitation • Crédit-bail

Le successeur/repreneur peut et devrait mettre à contribution ses propres ressources financières. Il faut faire attention de ne pas mettre en péril la santé financière de la famille immédiate ou du moins être conscient des risques assumés. Une mise de fonds par le successeur/repreneur est d'ailleurs souvent requise avant que d'autres prêteurs ou investisseurs ne participent à la transaction. En effet, pourquoi transmettre si le successeur/repreneur ne met pas sa tête sur le billot ? Gagnon (1991) souligne le besoin de conserver un certain coussin de sécurité en matière de liquidités pour parer aux éventualités et aux imprévus qui se présenteront forcément. Cette source est grandement utilisée même si elle particulièrement problématique pour les jeunes successeurs/repreneurs (moins de 35 ans) (Senbel et St-Cyr, 2006a). Une solution pourrait être la vente de biens immobiliers comme une résidence personnelle pour amasser la mise de fonds. Le risque financier personnel est toutefois très élevé si le projet échoue.

Le successeur/repreneur peut aussi bénéficier des ressources de son cercle familial, y compris, notamment, celles de son conjoint et de leurs familles. Il peut y avoir utilisation de garanties comme des éléments d'actifs personnels. La cosignature ou le cautionnement d'un membre de la famille peut grandement aider un jeune entrepreneur à obtenir du financement d'autres sources. Dans certaines situations, le prédécesseur/cédant est prêt à offrir certaines ressources pour faciliter la transaction. Il peut s'agir d'un solde de prix de vente offert par le prédécesseur/cédant et qui diffère sur plusieurs années le paiement du prix de vente, d'une clause d'ajustement basé sur la performance (earn-out) qui établit une partie conditionnelle du prix en fonction de la performance de l'entreprise ou d'une rémunération étalée sur plusieurs années. Le crédit accordé par le prédécesseur/cédant représente une source très utilisée, et ce, pour l'ensemble des trois formes de transmission (Senbel et St-Cyr, 2006a). Une autre option serait de ne pas transférer l'ensemble des biens immobiliers, réduisant d'autant le coût total de la transaction. Par exemple, le prédécesseur/cédant pourrait conserver l'immeuble de l'entreprise et le louer sur une certaine période.

Il existe également des ressources dans l'entreprise même. Celle-ci peut ainsi contribuer au financement par l'entremise d'un nouvel emprunt bancaire effectué par elle. Il peut y avoir utilisation de garanties comme des éléments d'actifs de l'entreprise. Il ne faut toutefois pas que cet endettement mine la santé financière de l'entreprise, nuisant ainsi à son exploitation et à sa croissance. Les fonds générés par l'entreprise peuvent ajouter aux liquidités. Ils correspondent au bénéfice net (produits moins charges) de l'entreprise, exprimés en termes de flux de trésorerie. L'entreprise peut aussi mettre à contribution des fournisseurs afin de diminuer le besoin de fonds dans l'entreprise. Un crédit-bail peut également être négocié avec un fournisseur pour l'achat de nouveaux équipements requis après la transaction.

Selon une étude de la Fédération canadienne de l'entreprise indépendante (FCEI, 2005), les avoirs, fonds et actifs personnels (30 %) représentent une source de financement prévue pour le successeur/repreneur, se situant au deuxième rang après un prêt personnel du propriétaire actuel (31 %), bien avant le gel successoral (14 %) et le prêt personnel de la famille ou d'amis (9 %). Considérant qui sont les membres de la FCEI, qui représentent davantage des très petites entreprises, il est normal de retrouver des différences avec la population générale de PME utilisée dans l'étude d'Industrie Canada et mentionnée au tableau 6.1.

■ 6.3.2. Les sources externes de financement

En plus des ressources internes, le financement peut provenir de l'externe, soit des fournisseurs de capitaux et des partenaires financiers (voir le tableau 6.6). Les fournisseurs de capitaux comprennent les institutions financières, les compagnies d'assurance et les sociétés de fiducie. Leur tâche est de prêter de l'argent. Une autre source peut être un ensemble de petits investisseurs à l'occasion d'un appel public à l'épargne. Cette source de financement ne s'applique pas aux très petites entreprises, mais uniquement aux moyennes entreprises. Les partenaires financiers correspondent à des investisseurs qui représentent quelques particuliers ou organismes désirant investir dans une entreprise afin d'en retirer un rendement financier à court ou à long terme. Une majorité d'entrepreneurs ne souhaitent pas ouvrir le capital de leur PME à des sources externes au moment de la transmission (St-Cyr *et al.*, 2005).

TABLEAU 6.6
**Les sources externes de financement
lors de la transmission d'entreprise**

Fournisseurs de capitaux	*Partenaires financiers*
• Institutions financières • Appel public à l'épargne ou premier appel public à l'épargne (bourses) • Compagnie d'assurance	• Investisseurs externes • Sociétés de capital de risque • Caisse de dépôt et placement du Québec (CDPQ) • Fonds de solidarité FTQ • Fondation CSN • Société générale de financement (SGF) • Banque de développement du Canada (BDC) • Investissement Québec • Autres organisations gouvernementales

Examinons un peu plus en détail les fournisseurs de capitaux. Il existe de nombreuses institutions financières (banque à charte, coopérative d'épargne et de crédit, caisse populaire, société de fiducie) dont la tâche est justement de prêter des fonds aux entreprises qui en ont besoin. La dette bancaire fait partie intégrante de la tradition du financement des transmissions d'entreprises (Senbel et St-Cyr, 2006a). Il s'agit essentiellement de dette à long terme, ce qui convient avec la nature à long terme de la transmission. Par comparaison, le crédit à court terme est moins fréquent et moins approprié. Les institutions financières sont de plus en plus sensibilisées aux besoins relatifs à la transmission d'entreprise. Depuis un certain temps, certaines institutions financières ont des groupes ou des programmes spécialisés pour la relève.

Une autre solution implique le recours à plusieurs investisseurs par l'entremise d'un premier appel public à l'épargne (PAPE) ou un nouvel appel public à l'épargne. Cette option est destinée particulièrement aux moyennes entreprises et aux plus grandes entreprises. Dans le cas d'un premier appel public à l'épargne (PAPE), cela requiert une plus longue préparation. Il peut y avoir les bourses régulières canadiennes ou étrangères, la Bourse de croissance TSX et le nouveau programme québécois Actions-Croissance PME. Le fait pour une société privée sous contrôle canadien (SPCC) de perdre son statut en devenant une société ouverte peut avoir des conséquences fiscales importantes et doit être planifié avec soin avec des fiscalistes (Bisson, 2006).

Comme nous l'avons déjà mentionné, l'assurance vie permet d'offrir des liquidités en cas de décès d'un actionnaire. La portion épargne à l'abri de l'impôt avec la police d'assurance vie peut aussi offrir un actif afin de payer une retraite. Une assurance invalidité pourrait également jouer un rôle en cas d'invalidité du propriétaire.

Les partenaires financiers s'ajoutent au groupe externe des fournisseurs de capitaux. Il peut s'agir de partenaires actuels ou nouveaux. Dans ce cas, ce sont des investisseurs plus actifs qui s'impliquent dans la gestion de l'entreprise, mais pas nécessairement. Il peut s'agir d'investisseurs externes qui sont des connaissances, des amis ou des relations d'affaires du successeur/repreneur ou des employés et des cadres de l'entreprise.

Les sociétés de capital de risque sont intéressées à prendre une participation en action ou à offrir un prêt participatif. La nature de ces sociétés fait que le rendement requis est souvent plus élevé. Elles sont souvent spécialisées dans un ou quelques secteurs d'activité, par

---

ENCADRÉ 6.1
Une nouvelle dynamique avec un investisseur

Avec l'ajout d'un partenaire financier ou d'un investisseur, il est possible que la dynamique de l'entreprise change, comme l'indique Miszczak (2007, p. 22) : « Amener un investisseur dans son entreprise, c'est célébrer un mariage, mais les entrepreneurs agissent plus souvent comme des célibataires. »

---

exemple le secteur de la haute technologie (Gagnon, 1991). Le capital de risque est une source peu utilisée, et c'est surtout pour les transmissions moins importantes en termes financiers (Senbel et St-Cyr, 2006a). Du côté de l'Europe, le rachat de l'entreprise par des employés ou par des investisseurs externes représente plus des deux tiers des opérations recensées des sociétés de capital de risque, en comparaison avec d'autres segments de marché comme l'expansion et le démarrage (EURADA, 2006). En France, 79 % du montant des investissements de capital-investissement réalisé en 2006 est lié à la transmission et au rachat d'entreprises, ce qui correspond au quart du nombre total des investissements et au quart des entreprises (Kateb, 2007).

Diverses institutions offrent également des programmes pour aider la relève. Au Québec, pensons notamment au programme Accès Relève de la Caisse de dépôt et placement du Québec et aux fonds de travailleurs comme le Fonds de solidarité de la FTQ, les Fonds régionaux de solidarité ou le Fondaction CSN et Desjardins Capital de risque et Roynat (St-Cyr et al., 2005). Des institutions avec une vocation particulière ont également un intérêt dans le marché du financement de la relève. Pensons ici à la Société générale de financement (SGF), à la Banque de développement du Canada (BDC) et à Investissement Québec. Il semble toutefois que les produits destinés à la relève visent davantage la transmission familiale et qu'ils sont encore peu utilisés, du moins au Québec (St-Cyr et al., 2005).

Quoique les modalités varient selon les partenaires, elles se ressemblent. L'investisseur devient un actionnaire, minoritaire au Québec et souvent majoritaire aux États-Unis et en France (St-Cyr et al., 2005). Il s'agit donc en partie ou en totalité de transmission externe. Il est prévu un versement initial au prédécesseur/cédant variant autour de 20 %-30 % de la valeur de l'entreprise. Le partenaire financier nomme un membre au conseil d'administration de l'entreprise, qui reste en poste tant que le partenaire est toujours actionnaire, et

ENCADRÉ 6.2
L'expérience de quelques acteurs dans le financement des transmissions

Depuis le lancement du programme Relève PME en 2000 par le Fonds de solidarité de la FTQ et le réseau des Fonds régionaux de solidarité FTQ, jusqu'au milieu de 2008, il y a eu 33 projets de transfert à des membres de la famille, à des cadres, à des tiers et à diverses combinaisons de ces trois types d'acheteurs. Ces dossiers représentent des investissements totalisant plus de 130 millions de dollars (Nadon, 2008). En 2005 seulement, Desjardins Capital de risque a participé dans 12 dossiers de transmissions d'entreprises représentant des investissements de 21 millions de dollars. Ainsi, en dix ans, près de 50 entreprises ont fait l'objet de transmissions d'entreprises auxquelles Desjardins Capital de risque et les 18 centres financiers aux entreprises du Mouvement Desjardins y ont participé (Gagné, 2006).

offre ainsi un soutien à la gestion de l'entreprise. Sur le plan du désengagement, il y a un rachat progressif des actions restantes du prédécesseur/cédant et des actions du partenaire financier sur une période variant entre 5 et 10 ans (Senbel et St-Cyr, 2006a).

Les modalités peuvent également combiner le financement avec des conseils comme l'analyse de l'entreprise, l'établissement d'un plan d'action en fonction des besoins, la planification de la retraite et des services d'accompagnement en général. Certains organismes de financement ne permettent que certains secteurs d'activité alors que d'autres sont plus ouverts face aux secteurs admissibles. En général, les trois types de transmissions sont admissibles, soit la transmission familiale, interne ou externe, même si les modalités peuvent être plus favorables à certaines transactions comme la transmission familiale auprès de certains organismes.

Des organisations gouvernementales peuvent également être actives dans ces domaines (St-Cyr *et al.*, 2005). Au Québec, citons : Investissement Québec, les centres locaux de développement, en particulier le programme Jeunes promoteurs – volet Relève, les Sociétés d'Investissement Jeunesse, en particulier le volet acquéreur et le volet associé, et Industrie Canada. Il existe une multitude de programmes, certains s'appliquant à certains pays et d'autres seulement à certaines provinces ou régions. Par exemple, le Centre d'aide aux entreprises de Montmagny-L'Islet au Québec présente une liste d'une vingtaine de

---

ENCADRÉ 6.3
Les entreprises agricoles, un secteur particulier

Possédant des caractéristiques particulières et des organismes d'appui différents de ceux des autres secteurs d'activité, le domaine agricole possède
certaines particularités au plan du financement. Pensons notamment à la
Financière agricole Québec et à son Programme d'appui financier à la relève
agricole qui aide les personnes pratiquant l'agriculture à temps plein et à
temps partagé. D'autres organismes, comme le Conseil canadien de la gestion
d'entreprise agricole, aident aussi par l'offre de certaines ressources pour la
transmission des entreprises agricoles. Le groupe de recherche TRAGET
Laval de la Faculté des sciences de l'agriculture et de l'alimentation de l'Université Laval a notamment pour mission de contribuer au développement
des connaissances et à leur diffusion pour le transfert de fermes. Le groupe
publie Info-Transfert, un bulletin d'information sur le transfert de ferme et
l'établissement en agriculture. Mario Handfield (2006), dans sa thèse de
doctorat, a étudié les facteurs culturels et sociaux dans l'abandon du processus
de succession au sein des entreprises agricoles familiales.

---

pages des programmes offerts dans sa région (CAEML, s.d.). Certains
secteurs ont même leurs particularités. Citons notamment les entreprises agricoles qui ont des programmes particuliers de financement
et un réseau de ressources différent.

En France et en Europe, mentionnons : le Groupe OSEO,
l'Association française des investisseurs en capital (AFIC), European
Association of Business Angels Networks (EBAN), European Private
Equity and Venture Capital Association (EVCA), France Angels, la
Banque de développement de la PME (BDPME), l'Union nationale des
investisseurs en capital pour les entreprises régionales (Unicer).

Selon une étude de la Fédération canadienne de l'entreprise indépendante (FCEI, 2005), le prêt aux entreprises provenant d'une banque
vient au troisième rang (20 %) à titre de sources de financement prévues
pour le successeur/repreneur, alors que le prêt personnel d'une banque
(13 %) et le rachat par les cadres (13 %) se situent au sixième rang. La
Banque de développement du Canada (BDC) (4 %), les programmes
financiers du gouvernement (2 %) et le capital de risque (2 %) se
trouvent en fin de peloton pour les sources de financement prévues
pour le successeur/repreneur. Selon cette même étude, le financement

du successeur/repreneur diffère peu lorsque les entreprises emploient ou non des membres de la famille. Il y a toutefois une différence selon que le successeur/repreneur est choisi ou non.

6.4. LES CRITÈRES POUR L'OBTENTION D'UN FINANCEMENT

Pour aider l'obtention du financement, la connaissance de certains critères utilisés par les institutions financières et les investisseurs permet d'étoffer le dossier présenté et d'ainsi augmenter les chances de succès. Parmi les critères, citons certains facteurs liés à l'entreprise, d'autres liés à l'environnement externe et d'autres, encore, liés plus particulièrement au successeur/repreneur (Gagnon, 1991 ; HEC-Desjardins-Acquizition.biz, 2007). Parmi les facteurs liés à l'entreprise, notons la solidité et la viabilité de l'entreprise acquise, la crédibilité du projet et la structure financière. Parmi les facteurs liés à l'environnement externe, notons le niveau des risques de l'environnement d'affaires. Ainsi, l'entreprise transmise doit présenter un potentiel réel, la structure financière doit être équilibrée entre le financement à court terme et celui à long terme et ne pas subir les contrecoups de l'environnement externe. Parmi les facteurs liés plus particulièrement

---

ENCADRÉ 6.4
Les exigences des investisseurs en capital de risque

Les investisseurs en capital de risque ont certaines exigences relatives à un investissement dans une entreprise :
- il offre un potentiel de rentabilité élevé et durable ;
- il laisse entrevoir un taux de rendement sur le capital investi proportionnel au plan de risque élevé assumé ;
- il possède un plan solide pour exploiter les produits et services ;
- il possède une équipe de gestion compétente et appuyée par d'autres personnes clés ;
- il permet aux investisseurs de suivre leur investissement par une bonne gouvernance ;
- il offre aux investisseurs une stratégie de retrait viable.

Source : Industrie Canada.

au successeur/repreneur, notons la qualité des promoteurs démontrée par la qualité du travail de préparation, la qualité prévisible de la gestion et des compétences de gestionnaires après la transmission, leur crédibilité financière, leur historique financier et la capacité de payer l'entreprise et d'appuyer son dossier par des garanties corporelles disponibles pour assurer le financement. Cette qualité et un contexte favorable augmentent les chances de succès du financement.

6.5. DES EXEMPLES DE MONTAGES FINANCIERS

Lors des transactions de transmission d'entreprise, plusieurs sources de financement sont utilisées simultanément. Ainsi, il est fréquent de retrouver deux à quatre types ou sources pour une même transaction pour les moyennes entreprises mais non les très petites entreprises (Senbel et St-Cyr, 2006a). À titre indicatif, il peut être intéressant de présenter des exemples de montages financiers utilisés lors d'une transmission d'entreprise. L'étude de Senbel et St-Cyr (2006a) auprès de professionnels du financement de la transmission d'entreprise permet de décrire trois grands types de montages financiers : le montage financier classique, le montage financier utilisant le levier du capital de risque et le montage financier familial (voir le tableau 6.7).

TABLEAU 6.7
Des exemples de montages financiers lors de la transmission d'entreprise

	Montage financier		
	Classique	*Utilisant le levier du capital de risque*	*Familial*
Mise de fonds	20 – 30 %	5 – 10 %	0 – 10 %
Dettes bancaires avec garantie	40 – 50 %	40 – 50 %	0 – 20 %
Dettes bancaires sans garantie		20 – 30 %	0 – 20 %
Balance du prix de vente	20 – 30 %		40 – 50 %
Capital de risque		20 – 30 %	
Gel successoral			0 – 100 %

Source : Adaptation de Senbel et St-Cyr (2006a).

Le montage financier classique s'applique à des transactions variant entre 500 000 $ et 5 000 000 $. Ce montage se compose d'une mise de fonds, de dettes bancaires avec garantie et d'une balance du prix de vente. Le montage financier utilisant le levier du capital de risque s'applique à des transactions de plus de 5 000 000 $ ou lorsqu'il y a un désir d'utiliser davantage l'effet de levier. Ce montage se compose d'une mise de fonds, de dettes bancaires avec et sans garantie et de capital de risque. Le montage financier familial s'applique à des transactions impliquant des membres de la famille. Ce montage se compose d'une mise de fonds, de dettes bancaires avec ou sans garantie, d'une balance du prix de vente et du gel successoral, les deux derniers éléments représentant la majorité des types utilisés lors de ce montage financier. Bien entendu, il existe d'autres exemples de montages financiers faisant appel à divers aspects créatifs. Le montant financier varie selon le montant de la transaction (OSEO, 2005) et selon le type de transmission (familiale, interne, externe). Il est

---

ENCADRÉ 6.5
Une question de patrimoine

Pour le propriétaire dirigeant, et peut-être même davantage pour ceux des plus petites entreprises, la transmission de sa PME représente une décision très importante pour sa retraite. Il doit donc réfléchir à la meilleure manière de faire les choses pour lui, pour ses proches et pour l'entreprise. « Dans les cas de relève familiale ou de transfert de l'entreprise aux cadres-employés, le chef d'entreprise doit impérativement planifier les aspects financiers à la lumière de ce qu'il veut réaliser, en fonction de ses objectifs personnels et corporatifs. Son premier devoir consiste à évaluer les sommes dont il aura besoin pour assurer sa retraite en toute quiétude. Bien souvent, l'entreprise constitue une très large portion du patrimoine du fondateur qui y a réinvesti ses profits tout au long de sa carrière » (CDPQ, 2007, p. 10). Selon un professionnel de la transmission, la richesse se retrouve pour plusieurs entrepreneurs dans l'entreprise mais pas à la banque. « Au Québec, il y a beaucoup d'entrepreneurs qui sont riches, mais sans le sou s'ils veulent prendre leur retraite parce que toute leur fortune est basée dans la valeur de leur société. Ça c'est possiblement le fait qu'on ait des entrepreneurs d'une seule génération. Les entrepreneurs ont bâti beaucoup de valeur dans leur entreprise mais elle est restée dans leur entreprise. Et vient le moment de la retraite, s'ils se retirent, ils n'ont plus de revenu courant, plus de salaire et souvent ils ont peu d'argent de côté » (Senbel et St-Cyr, 2006b, p. 25).

important de souligner la nécessité d'un équilibre dans la structure financière adoptée, soit l'équilibre entre le financement à court et à long terme (CAEML, s.d.).

Ainsi, le montage financier peut amener la remise du prix convenu au prédécesseur/cédant à la suite de la transmission de l'entreprise par le versement d'une partie du prix par le successeur/repreneur au moment de la transaction. Il est aussi possible de voir un échelonnement du paiement, notamment par le rachat par l'entreprise des actions du gel successoral du prédécesseur/repreneur, le versement de dividendes par l'entreprise ou le versement d'un salaire par l'entreprise.

6.6. UN RETOUR SUR LES STRATÉGIES DE FINANCEMENT DU TRANSFERT DE LA PROPRIÉTÉ DES PME

Le chapitre s'est attardé au financement de la transmission. À cet effet, il existe une multitude de stratégies possibles. Afin de faciliter la réflexion des acteurs engagés dans le processus de transfert de la propriété, le tableau 6.8 résume les stratégies de financement présentées du point de vue de la préférence du prédécesseur/cédant et de celle du successeur/repreneur et qui sont décrites précédemment. Étant donné la complexité des situations et l'état d'avancement de la recherche, il n'est pas possible de prescrire certaines manières de faire. En toute humilité, il est toutefois possible de souligner un intérêt plus ou moins grand face à certains types de financements ou à certaines sources. Une règle simple qui peut se dégager est celle où l'acteur est plus intéressé par une stratégie qui ne lui coûte rien, qui diminue son risque et qui accélère le paiement pour le prédécesseur/cédant ou qui le ralentit pour le successeur/repreneur.

TABLEAU 6.8
Les stratégies préférées de financement selon les formes de transmission

	Formes de transmission		
	Familiale	*Interne*	*Externe*
Stratégies préférées selon le prédécesseur/cédant			
– selon le type de financement			
Argent comptant	+	+	+
Prise en charge de passifs du vendeur	+	+	+
Solde de prix de vente offert par le prédécesseur/cédant	–	–	–
Clause d'ajustement basé sur la performance (*earn-out*)	+	+	+
Dette garantie	+	+	+
Dette non garantie	–	–	–
Cautionnement	+	+	+
Garantie de prêt	+	+	+
Assurance vie	+	+	–
Assurance invalidité	+	+	–
Équité (émission d'actions ordinaires ou privilégiées)	+	+	+
– selon la source du financement			
Ressources du successeur/repreneur et de son cercle familial	+	+	+
Ressources offertes par le prédécesseur/cédant	–	–	–
Ressources disponibles dans l'entreprise	+	+	+
Fournisseurs de capitaux	+	+	+
Partenaires financiers	+	+	+

TABLEAU 6.8 (*suite*)

	Formes de transmission		
	Familiale	Interne	Externe
Stratégies préférées selon le successeur/repreneur			
– selon le type de financement			
Argent comptant	–	–	–
Prise en charge de passifs du vendeur	–	–	–
Solde de prix de vente offert par le prédécesseur/cédant	+	+	+
Clause d'ajustement basé sur la performance (*earn-out*)	+	+	+
Dette garantie	–	–	–
Dette non garantie	+	+	+
Cautionnement	–	–	–
Garantie de prêt	–	–	–
Assurance vie	+	+	–
Assurance invalidité	+	+	–
Équité (émission d'actions ordinaires ou privilégiées)	+	+	+
– selon la source du financement			
Ressources du successeur/repreneur et de son cercle familial	–	–	-
Ressources offertes par le prédécesseur/cédant	+	+	+
Ressources disponibles dans l'entreprise	+	+	+
Fournisseurs de capitaux	+	+	+
Partenaires financiers	+	+	+

Note : + = stratégie plus intéressante, – = stratégie moins intéressante, S/O = sans objet.

Se faire accompagner dans la démarche de transmission

Selon Christensen et Klyver (2006), il est contre nature pour la majorité des propriétaires dirigeants de PME d'interagir avec des conseillers externes, notamment lorsque les questions à l'ordre du jour sont de nature stratégique. Cela ne signifie pas pour autant qu'ils n'y font pas appel. Au contraire, ils le font même régulièrement (Raymond, Blili et El Alami, 2004 ; Ribiero Soriano, 2003). Du côté des conseillers externes, il semble, par ailleurs, qu'ils aient, eux aussi, de la difficulté à établir un climat de collaboration avec les propriétaires dirigeants de PME, même lorsque ceux-ci requièrent leurs services de leur propre initiative (Hankinson, 2000). À ce propos, certains auteurs notent qu'intervenir auprès des PME est délicat, notamment pour les conseillers externes qui connaissent moins les contextes très personnalisés et centralisés dans lesquels les PME évoluent (Christensen et Klyver, 2006 ; Raymond *et al.*, 2004). Pour Raymond *et al.* (2004), cet écart entre les propriétaires dirigeants de PME et les conseillers externes s'expliquerait, entre autres, par la formation de ces derniers qui, dans la très forte majorité des cas, est principalement inspirée de théories et de concepts développés par et pour de grandes entreprises, ce qui est loin d'être représentatif du contexte des PME. Pourtant, dans une dynamique de transmission, le recours aux conseillers externes doit être considéré, tant pour le transfert de la direction que pour celui de la propriété. Cela fait d'ailleurs partie des pratiques encouragées par les experts en transmission.

Du point de vue de la Commission européenne (2006), de nombreux échecs dans les transmissions auraient pu être évités si celles-ci avaient été planifiées suffisamment à l'avance et si l'avis d'experts avait été demandé. Dans la perspective du prédécesseur/cédant, les résultats de l'enquête de la Fédération canadienne de l'entreprise indépendante (FCEI, 2005), montrent que c'est au moins 12 % des propriétaires dirigeants de PME canadiennes qui considèrent la non-disponibilité de conseils professionnels comme un obstacle à la planification de la relève. Notons que ce ne sont toutefois pas tous les propriétaires dirigeants de PME qui ressentent le besoin de planifier la transmission de leur entreprise. Il y en a même qui choisiront de laisser aller celle-ci plutôt que de la transmettre. Sur ce point, on peut lire dans le rapport d'OSEO (2007, p. 19) que «l'absence de projet de cession est également liée à la perception par le dirigeant de la rentabilité de son entreprise. Plus l'entreprise est perçue comme rentable, plus son dirigeant souhaite la céder. L'absence de projet de cession s'accompagne le plus souvent d'une absence d'investissements récents.»

Dans la perspective du successeur/repreneur, le recours aux conseillers externes est aussi favorisé, entre autres, pour les activités liées à la préparation du projet d'affaires de celui-ci. Les résultats d'une enquête menée auprès de 725 PME autrichiennes ayant été reprises entre 1996 et 2001 montrent que ce sont 80 % des repreneurs qui ont eu recours à des conseillers externes de toutes catégories (Mandl, 2004). Sur ce sujet, Picard et Thevenard-Puthod (2006, p. 15) écrivent même qu'«une approche personnalisée semble nécessaire, avec notamment le développement de davantage de services d'accompagnement dans les phases en aval pour les demandeurs d'emploi qui ne possèdent pas toujours les compétences managériales adéquates». Voilà qui explique, en partie, le bien-fondé pour le prédécesseur/cédant et pour le successeur/repreneur de se faire accompagner dans leur démarche respective et commune avant, pendant et après la transmission, et ce, quelle que soit la forme envisagée. Mais, avant d'aller plus à fond dans le sujet, voyons ce qu'il en est des habitudes d'utilisation des ressources externes par les propriétaires dirigeants lorsqu'il s'agit d'assurer la continuité de leur entreprise par le biais d'une transmission.

7.1. LES PROPRIÉTAIRES DIRIGEANTS DE PME FACE AUX RESSOURCES EXTERNES

Ayant pour objectif la réussite de leur projet, les propriétaires dirigeants en processus de transmission ou les nouveaux entrepreneurs en processus de reprise cherchent conseil, qu'il s'agisse d'assurer le transfert de la propriété ou celui de la direction. Voici donc, dans les prochaines pages, les résultats de quelques études ayant porté sur ce sujet et permettant de connaître les services-conseils ainsi que les autres ressources externes utilisées par les prédécesseurs/cédants et les successeurs/repreneurs.

■ 7.1.1. Les services-conseils

Pour connaître les habitudes d'utilisation des ressources externes des propriétaires dirigeants de PME préoccupés par la transmission ou par la reprise de leur entreprise, plusieurs études ont été menées auprès de ceux-ci. Parmi ces études, nous retenons une enquête à laquelle ont participé 683 PME françaises de tous les secteurs d'activité (APCE, 2003) et révélant que, chez les prédécesseurs/cédants et les successeurs/repreneurs, ce sont des professionnels comme le comptable agréé, le banquier, le notaire et l'avocat qui sont favorisés pour les accompagner et les conseiller dans leur éventuelle opération de transmission ou de reprise. De plus petite envergure, une récente enquête menée auprès de 146 entreprises manufacturières et de services québécoises révèle les mêmes « patterns » d'utilisation des ressources externes chez les propriétaires dirigeants (Cadieux et Morin, 2008). Comme l'illustre la figure 7.1, les résultats de cette enquête montrent que ceux-ci consultent, en ordre d'importance : le comptable agréé, et ce, dans 95,1 % des cas, le fiscaliste, dans 79,9 % des cas, le notaire, pour 65,3 % des répondants, et le banquier, l'avocat, le courtier en assurances, le planificateur financier dans une proportion plus petite. Viennent ensuite le coach ou le mentor, le conseiller en management, le conseiller en gestion des ressources humaines, le conseiller gouvernemental, le conseiller en développement organisationnel, le psychologue industriel, le psychologue personnel et le psychologue de la famille pour moins du quart des propriétaires dirigeants ayant participé à l'étude. Ce qui révèle, à première vue, une tendance lourde chez les propriétaires dirigeants à utiliser plus fréquemment des ressources externes reconnues pour intervenir dans le transfert de la propriété que dans celui de la direction (Cadieux et Morin, 2008).

FIGURE 7.1
Les différents types de conseillers utilisés par les propriétaires dirigeants de PME

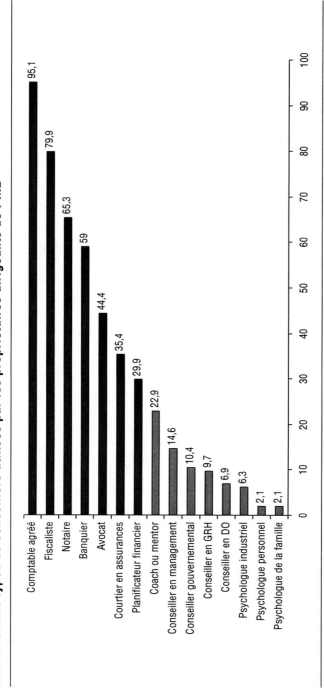

Source : Cadieux et Morin (2008).

Nous aimerions rappeler que, dans une transmission, le transfert de la propriété concerne plus particulièrement les aspects légaux, dont la finalité est la possession du capital-actions ou des actifs par le successeur/repreneur. À cet égard, seront traités des thèmes comme la valeur de l'entreprise, le mode de vente ou de rachat du capital-actions ou des actifs de l'entreprise ou, encore, les modes de financement. Quant au transfert de la direction, il s'intéresse au changement du leadership. Pour le mener à terme, il faut par exemple savoir reconnaître les personnes responsables de la gestion de l'entreprise, tant au plan opérationnel que stratégique. Ce qui se distingue par des besoins plus particuliers en matière d'utilisation des ressources externes. Pensons, entre autres à l'identification du successeur/repreneur, à l'évaluation de ses compétences, au plan de formation et de préparation de celui-ci, à la capacité du prédécesseur/cédant de laisser sa place ou à l'ouverture des membres de la famille ou de l'entreprise à accepter un nouveau dirigeant (Cadieux, 2006b; Cadieux et Brouard, 2006).

Pourtant, il existerait une certaine cohérence dans le comportement des propriétaires dirigeants vis-à-vis des ressources utilisées en fonction du type de transfert. Le tableau 7.1 révèle, en effet, que lorsque les propriétaires dirigeants font appel à des conseillers ils les utilisent plus souvent pour leurs compétences respectives. Cela s'explique, d'abord, par le fait que 34,7 % des répondants ont eu recours à un ou des conseillers en transfert de direction pour les aider dans le transfert de la direction, comparativement à 29,2 % qui ont utilisé ces mêmes conseillers pour le transfert de la propriété. Et, ensuite, par le constat que 90,3 % d'entre eux ont eu recours à au moins un conseiller en transfert de la propriété, mais que c'est 77,1 % de ces mêmes répondants qui les ont utilisés pour les aider dans le transfert de la direction (Cadieux et Morin, 2008).

TABLEAU 7.1
Les types de ressources externes utilisés selon le type de transfert

Pourcentage de répondants qui ont utilisé au moins une ressource	*Total*	
	Direction	*Propriété*
Un ou des conseillers en transfert de direction	34,7	29,2
Un ou des conseillers en transfert de propriété	77,1	90,3

Source: Cadieux et Morin (2008).

Malgré une certaine cohérence dans le comportement des propriétaires dirigeants, à la lumière de ce que nous venons de présenter, nous observons sans surprise toujours une forte tendance chez ceux-ci pour l'utilisation des services de conseillers spécialisés en transfert de la propriété plutôt que de conseillers en transfert de la direction. Cela corrobore les résultats d'autres enquêtes comme celle de la Fédération canadienne de l'entreprise indépendante (FCEI, 2005) montrant que les conseillers dont l'assistance est le plus souvent demandée pour élaborer un plan de relève – lorsqu'il y en a un – sont, dans 59 % des cas, les comptables agréés et, dans 37 % des cas, les avocats. Ce que nous expliquons, du coup, par le lien de confiance déjà existant entre le propriétaire dirigeant de PME et le conseiller externe (Cadieux et Morin, 2008 ; Gooderham, Tobiassen, Doving et Dordhaug, 2004 ; Kay et Hamilton, 2004), surtout lorsqu'il s'agit de discuter de sujets personnels comme ce qu'il advient du patrimoine familial, du partage de celui-ci ou, plus simplement, de ses propres besoins financiers une fois retiré de ses activités professionnelles. Ce que nous nous permettons de rappeler comme étant les principales préoccupations du propriétaire dirigeant lorsqu'il est question de la transmission de son entreprise et dont nous avons parlé de manière plus détaillée au chapitre 2 (Cadieux, 2006b).

Aucun conseiller externe ne peut prétendre cumuler toutes les compétences nécessaires pour intervenir dans un contexte de transmission d'entreprise. Sur ce point, certains experts favorisent même une approche multidisciplinaire impliquant plusieurs conseillers qui possèdent des compétences complémentaires et qui interviennent à différents moments tout au long du processus (Bork *et al.*, 1996 ; Brouard et Cadieux, 2006 ; Hilburt-Davis et Dyer, 2003 ; Lescarbeau, Payette et St-Arnaud, 2003). Plusieurs firmes spécialisées et reconnues dans ce domaine ont d'ailleurs adopté cette approche depuis bon nombre d'années, même si ce ne sont pas toutes les PME qui ont les ressources financières pour s'offrir plus d'un conseiller externe.

Comme le détaille le tableau 7.2, les résultats d'une étude menée auprès de propriétaires dirigeants de la MRC de Drummond révèlent que, parmi ceux qui font appel à des conseillers externes, 35 % ne le font qu'auprès d'un seul conseiller, 31 % en consultent au moins deux et 34 % voient entre trois et six conseillers externes (Cadieux, 2006a). Ces chiffres montrent une ouverture chez ceux-ci à utiliser plus qu'une ressource externe lorsqu'il est question d'assurer la transmission de leur entreprise. Sur ce dernier point, notons que plus l'entreprise est de grande taille (en nombre d'employés et chiffre d'affaires annuel), plus les propriétaires dirigeants consultent un grand nombre de conseillers

TABLEAU 7.2
Le nombre de conseillers utilisés par les propriétaires dirigeants de PME manufacturières

	Artisans 1 à 5 employés		Petites 6 à 25 employés		Moyennes 26 à 100 employés		Total	
	Nbre	%	Nbre	%	Nbre	%	Nbre	%
1 conseiller	8	14	9	16	3	5	20	35
2 conseillers	2	4	9	16	6	11	17	31
3 conseillers	3	5	2	4	4	7	9	16
4 conseillers	0	0	4	7	2	4	6	11
5 conseillers	0	0	2	4	1	2	3	5
6 conseillers	0	0	0	0	1	2	1	2
Total	13	23	26	46	17	31	56	100

Source : Cadieux (2006a).

externes. Cela n'étonne guère, hormis le fait que les conseillers engagés dans la démarche sont le plus souvent des experts en transfert de la propriété plutôt qu'en transfert de la direction (Cadieux, 2006a).

■ 7.1.2. Les autres ressources externes

Vu le temps que peut prendre la transmission et l'importance d'une réflexion stratégique de la part des deux principaux protagonistes, soit le prédécesseur/cédant et le successeur/repreneur, d'autres formes de ressources externes peuvent être considérées. Il peut, par exemple, s'agir des collèges et des universités, des organismes publics ou des associations d'affaires auxquelles ils appartiennent et qui proposent des services ou des produits en matière de relève d'entreprise. De notre point de vue, tous ces organismes, qu'ils soient privés, publics ou parapublics, ont un travail d'accompagnement et de formation à effectuer auprès des propriétaires dirigeants soucieux d'assurer la transmission de leur entreprise et des candidats à la relève désireux de reprendre une entreprise déjà bien établie.

À ce propos, les résultats de l'étude à laquelle ont participé 146 propriétaires dirigeants québécois, et qui sont illustrés à la figure 7.2, montrent que 52,7 % d'entre eux utilisent leurs réseaux de contacts comme autres ressources externes. Ici, il est possible de penser

FIGURE 7.2
Les autres ressources utilisées par les propriétaires dirigeants de PME

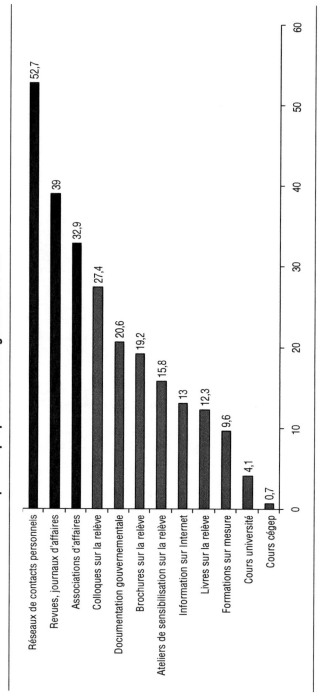

Source : Cadieux et Morin (2008).

aux amis, aux collègues ou aux membres d'associations, de quelle que nature que ce soit, auxquelles ils appartiennent ou aux professionnels avec qui ils font déjà des affaires. Les revues et les journaux d'affaires sont la deuxième source d'information la plus utilisée, pour une proportion de 39,0 % des répondants. Tandis que les associations d'affaires arrivent bonne troisième, pour une proportion de 32,9 %. Viennent ensuite les colloques sur la relève, pour 27,4 % des propriétaires dirigeants ayant participé à l'étude, et les documents provenant des divers gouvernements pour 19,2 % d'entre eux (Cadieux et Morin, 2008).

Notons, du reste, que seuls 15,8 % de l'ensemble des répondants participent à des ateliers de sensibilisation sur la relève, alors qu'il s'agit d'une stratégie répandue et grandement utilisée pour informer les propriétaires dirigeants des différents aspects de la problématique de la transmission ou de la reprise d'entreprise depuis les dernières années. La très faible proportion d'entre eux qui s'inscrivent à des formations sur mesure (9,6 %) ou offertes dans les universités (4,1 %) et les cégeps (0,7 %) est aussi surprenante puisque, là aussi, plusieurs formations sont offertes sur une base régulière, et ce, un peu partout au Québec et au Canada. Enfin, nous avons remarqué qu'en ce qui concerne les « autres » ressources externes utilisées dont nous venons de parler, ce sont les prédécesseurs/cédants qui les utilisent le plus souvent, dans une proportion de 22,4 % contre 13,9 % chez les successeurs/repreneurs. Ce qui nous permet de croire qu'en général le propriétaire dirigeant préoccupé par la continuité de son entreprise est plus enclin à chercher de l'information variée sur la problématique que le candidat à la relève soucieux de se lancer en affaires, par le biais d'une reprise.

■ 7.1.3. Les critères de choix utilisés par les prédécesseurs/cédants et les successeurs/repreneurs

Dans leur enquête, Cadieux et Morin (2008) ont voulu connaître ce qui motive ces derniers dans le choix des ressources externes qu'ils utilisent. C'est ce que présente la figure 7.3. Parmi les résultats, nous retenons que 84 % des propriétaires dirigeants choisissent un conseiller externe pour les aider dans leur démarche parce qu'ils font déjà affaire avec ce professionnel. Alors que 54,8 % des propriétaires dirigeants font affaire avec lui parce qu'ils le connaissent déjà. Ce qui explique, en partie, que ce soit le comptable agréé qui se trouve parmi les conseillers

FIGURE 7.3
Motivations des choix en matière de ressources externes utilisées par les propriétaires dirigeants de PME

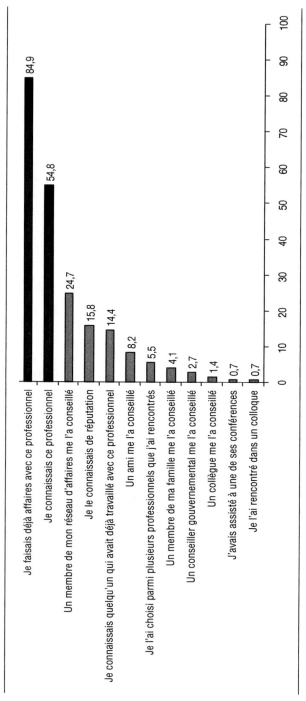

Source: Cadieux et Morin (2008).

les plus sollicités, étant celui qui est le plus susceptible d'intervenir auprès du propriétaire dirigeant de PME depuis qu'il s'est lancé en affaires. Notons, de plus, que d'autres motivations sont exprimées par un peu moins du quart des répondants. Parmi celles-ci, nous retenons la recommandation d'un membre du réseau d'affaires du propriétaire dirigeant, dans 24,7 % des cas, et le fait que ce dernier le connaissait de réputation dans 15,8 % des cas.

Grosso modo, les résultats de cette étude récente, à laquelle ont participé des propriétaires dirigeants d'entreprises québécoises préoccupés par la transmission, nous permettent de dire que ceux-ci font, d'abord et avant tout, affaire avec des conseillers externes de leur entourage immédiat et avec qui ils ont établi un lien de confiance certain. Ils s'adressent ensuite à ceux dont ils ont déjà entendu parler ou qui sont recommandés par des personnes de leur entourage immédiat. Cela laisse croire que, lorsqu'il est question de choisir des ressources externes, le propriétaire dirigeant de PME priorise le lien de confiance au dépend d'autres facteurs pourtant considérés comme importants dans la documentation savante et professionnelle (Bork *et al.*, 1996 ; Hillburt-Davis et Dyer, 2003). Pensons, par exemple, à la formation ou à l'expérience du conseiller externe en transmission d'entreprise ou à toute autre compétence liée à son champ d'expertise, comme la capacité de donner des conseils sur la manière dont le propriétaire dirigeant doit préparer ses employés aux changements qui surviendront dès le moment où le candidat à la relève sera clairement désigné.

D'autant plus que, comme l'illustre la figure 7.4, la majorité des propriétaires dirigeants qui ont participé à l'étude sur les ressources externes disent trouver difficile, en ordre d'importance, de connaître les compétences à rechercher chez les professionnels devant les accompagner dans leur démarche, de connaître les bons professionnels en matière de transmission et d'avoir toute l'information disponible sur les ressources existantes. Viennent ensuite des difficultés moins prioritaires comme trouver des personnes de confiance et compétentes pour les conseiller (Cadieux et Morin, 2008)[1]. Laissant ainsi supposer que le propriétaire dirigeant de PME préoccupé par la transmission

---

1. Les répondants devaient estimer le degré de difficulté ressenti sur une échelle de 1 à 5 (1 étant très facile et 5 très difficile).

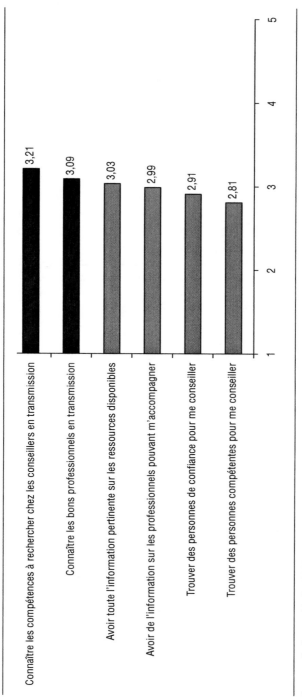

FIGURE 7.4
Difficultés relatives aux ressources externes perçues par les propriétaires dirigeants de PME

Source: Cadieux et Morin (2008).

de son entreprise trouve, principalement autour de lui, les ressources externes dont il a besoin, mais sans nécessairement savoir s'il s'agit des bonnes. Sur ce dernier point, notons que, dans la très forte majorité des cas, les propriétaires dirigeants se disent satisfaits des ressources externes qu'ils utilisent, et ce, assez pour les recommander fortement à leur entourage (Cadieux et Morin, 2008). Ce qui indique, encore une fois, combien le lien de confiance existant entre le propriétaire dirigeant et le conseiller est jugé plus important que les compétences à rechercher chez ce dernier. Plus simplement, à partir du moment où il se sent en confiance, le propriétaire dirigeant est susceptible de porter un jugement positif sur les compétences de la personne auprès de qui il va chercher conseil.

Maintenant que nous connaissons mieux le contexte des ressources externes utilisées par le propriétaire dirigeant de PME, voyons ce qu'il en est de celles qui sont offertes sur le marché et en quoi ces ressources peuvent être utiles. À cet effet, nous verrons les catégories de conseillers externes, de même que leurs principaux champs d'intervention, selon leurs compétences particulières. Pour ensuite voir les contextes d'intervention ainsi que certains critères de choix pouvant être utilisés par le propriétaire dirigeant de PME désireux de se faire accompagner dans sa démarche.

7.2. LES RESSOURCES EXTERNES DISPONIBLES

Sur le marché, il existe un nombre impressionnant et un large éventail de professionnels pouvant aider le propriétaire dirigeant d'une PME dans son projet de transmission. Une recherche rapide sur Internet montre, en effet, la variété des services et des ressources disponibles en matière de transmission et de reprise d'entreprise. Mais, même informé de l'éventail des ressources disponibles, comment un propriétaire dirigeant de PME peut-il avoir l'assurance qu'il fait affaire avec le bon conseiller? Et comment peut-il savoir si ce dernier répondra à ses besoins en matière de relève? Pour aider le propriétaire dirigeant dans une telle réflexion, nous verrons, dans les prochaines pages, ce qui distingue les conseillers pour ensuite faire un survol de comment et quand chacun peut intervenir le plus efficacement possible.

■ 7.2.1. Les catégories de conseillers externes

Dans la documentation professionnelle et savante consultée, il est rapidement possible de distinguer deux grandes catégories de conseillers externes auprès de qui un propriétaire dirigeant de PME peut chercher conseil. La première catégorie inclut les conseillers favorisant une approche dite d'experts. Tandis que la deuxième concerne les conseillers arborant une approche dite processuelle (Bork *et al.*, 1996 ; Cadieux et Brouard, 2006 ; Christensen et Klyver, 2006 ; Lescarbeau *et al.*, 2003). Les deux approches – que l'on peut voir comme des paradigmes – résultent en très grande partie de la formation scolaire et professionnelle de chacun des conseillers, qu'ils soient experts en transmission ou non. Pensons, par exemple, au fiscaliste qui est plus susceptible d'aborder un problème selon la perspective fiscale. Et à un conseiller en développement organisationnel qui, pour sa part, est plus enclin à regarder le même problème dans sa dimension humaine. Abordant le même problème sous des angles différents, il est fort à parier que chacun apportera des solutions originales, selon ses biais personnels. Sur ce point, et comme le résume le tableau 7.3, les conseillers faisant partie de la catégorie des « experts » se préoccupent presque exclusivement du contenu, c'est-à-dire de la nature du problème à résoudre et des solutions adéquates à apporter. Dans cette perspective, le conseiller agit comme un expert auprès de qui le propriétaire dirigeant prend conseil. À ce titre, il analyse le problème, pose un diagnostic et fait les recommandations au meilleur de ses connaissances. Plus concrètement, lorsque le propriétaire dirigeant fait appel à ce type de conseiller, il suppose que ce dernier connaît les meilleures pratiques d'affaires permettant de résoudre le problème posé et qu'il sait comment les appliquer dans les entreprises où il intervient. Il va de soi que la réussite d'un tel type d'intervention dépend de la volonté du propriétaire dirigeant à mettre en œuvre les recommandations proposées.

Pour leur part, les conseillers favorisant une approche processuelle agissent comme des agents de changement. Selon leur perspective, ils accompagnent le propriétaire dirigeant de PME dans sa propre résolution de problème. La finalité est de le rendre autonome, tant dans l'analyse du problème que dans la recherche de solutions lui paraissant optimales. Pour ce faire, et comme le montre le tableau 7.4, les conseillers dits de processus endossent différents rôles permettant un accompagnement personnalisé tout au long de la démarche.

TABLEAU 7.3
Les deux catégories de conseillers

Conseillers favorisant l'approche « d'experts »	Conseillers favorisant l'approche « processuelle »
Le rôle du conseiller	
▪ Assumer un rôle d'expert ▪ Trouver la ou les solutions aux problèmes soulevés par le « client »	▪ Assumer différents rôles, dont ceux d'enseignant, de guide ou de coach ▪ Établir une relation d'aide à travers laquelle il cherche à développer la capacité du « client » à résoudre lui-même ses problèmes
Les tâches du conseiller	
▪ Poser un diagnostic ▪ Faire des recommandations dont il possède la maîtrise et qui sont susceptibles de corriger les déficiences dépistées ▪ Avancer des solutions en privilégiant l'utilisation d'outils ayant fait leurs preuves et proposer une démarche structurée	▪ Aider le « client » à trouver ses propres solutions ▪ Aider le « client » à devenir autonome dans la résolution de problèmes
Le rôle du « client » *Propriétaire dirigeant, prédécesseur/cédant, successeur/repreneur*	
▪ Fournir les informations demandées et s'efforcer à appliquer les solutions proposées par le conseiller ▪ Le client développe ses compétences par rapport à la définition du problème et au produit utilisé ▪ Le client et le conseiller croient que l'objectif est de trouver la bonne réponse au problème ▪ Exiger que le « client » soit convaincu de la mise en place de la solution	▪ S'engager dans toute la démarche ▪ Le client accroît ses compétences en analyse et en résolution de problèmes ▪ Le client acquiert la capacité de s'aider lui-même ▪ Lorsque le client trouve une solution, il l'applique et comprend les raisons pour lesquelles il le fait
Les retombées pour le « client » *Propriétaire dirigeant, prédécesseur/cédant, successeur/repreneur*	
▪ Développement de ses compétences par rapport à la définition du problème et au produit utilisé	▪ Accroissement de ses compétences en analyse et en résolution de problèmes ▪ Acquisition de la capacité de s'aider lui-même ▪ Engagement à l'égard de la solution trouvée
Les facteurs de contingence de l'approche	
▪ Dépend de la formulation du problème, de l'adéquation entre le produit et le problème et de la capacité du client à accepter et à appliquer les solutions recommandées	▪ Dépend de la relation de collaboration entre le client et le conseiller ainsi que de la disponibilité du client et de sa capacité à s'interroger sur ses problèmes

Sources : Bork *et al.* (1996) ; Christensen et Klyver (2006) ; Lescarbeau *et al.* (2003).

TABLEAU 7.4
Certains des rôles assumés par le conseiller favorisant une approche processuelle

Rôles	Fonctions liées au rôle
Aidant	▪ À titre d'aidant, le conseiller répond aux besoins du propriétaire dirigeant de PME qui désire, par exemple, résoudre un problème personnel, prendre une décision, liquider des tensions accumulées, planifier une action difficile, accepter un échec ou modifier un comportement ▪ À titre d'aidant, le conseiller peut recommander d'autres conseillers, comme un thérapeute familial, un orienteur ou tout autre professionnel jugé utile
Agent de changement	▪ Comme agent de changement, le conseiller encourage les efforts démontrés et encourage le changement
Agent de feedback	▪ Le conseiller joue un rôle d'agent de feedback lorsque, au cours d'une intervention, il utilise une méthode éprouvée pour recueillir de l'information dans un système, pour organiser cette information et pour la retourner au système de sorte à enrichir et à valider les données, puis à s'entendre sur les suites à donner
Coach	▪ À titre de coach, le conseiller aide le propriétaire dirigeant de PME à se fixer des objectifs personnels et à comprendre dans quelle mesure ceux-ci correspondent aux objectifs de l'entreprise
Enseignant	▪ C'est à titre d'enseignant que le conseiller renseigne sur les meilleures pratiques d'affaires en transmission ou dans d'autres domaines connexes
Médiateur/ facilitateur	▪ Comme médiateur ou facilitateur, le conseiller travaille avec les employés ou les membres de la famille qui ont le plus de difficulté à travailler ensemble ou à communiquer entre eux, y compris le propriétaire dirigeant de PME

Sources : Hilburt-Davis et Dyer (2003) et Lescarbeau *et al.* (2003).

Parmi ces rôles, c'est sur celui de coach qu'on a écrit le plus dans les publications professionnelles au cours des dernières années. Rappelons que, lorsqu'il assume son rôle de coach, le conseiller aide le propriétaire dirigeant à se fixer des objectifs personnels et professionnels, en même temps qu'il l'épaule dans l'atteinte de ceux-ci. Le conseiller en « processus » est reconnu pour son expérience en accompagnement et il devient, au fil de son intervention, un acteur parmi tant d'autres ayant permis de trouver les solutions aux problèmes perçus par le propriétaire dirigeant de PME. Parmi les facteurs clés de la réussite de cette deuxième approche, notons le lien de confiance qui doit s'établir entre le conseiller et le propriétaire dirigeant, de même que la volonté de ce dernier à s'impliquer dans toute la démarche de résolution de problème, cela du début à la fin du processus d'intervention.

■ 7.2.2. La nature des interventions des conseillers externes

Dans une démarche de transmission, les deux grandes catégories de conseillers identifiées préalablement ont leur raison d'être. D'une part, il y a des conseillers qui peuvent intervenir à titre d'« experts », donc de manière plus ponctuelle. Pensons, ici, au fiscaliste auprès de qui le propriétaire dirigeant cherche conseil principalement pour l'aider à prendre des décisions de cette nature. D'autre part, il y a des conseillers pouvant s'impliquer dans la démarche dans une perspective « processuelle », donc plus dynamique. Ces conseillers seront, par exemple, engagés dans certains dossiers exigeant d'eux qu'ils endossent certains des rôles que nous avons présentés précédemment, comme ceux de coach ou d'aidant.

Bien que certains professionnels puissent intervenir dans différentes dimensions et selon différentes perspectives, il nous est tout de même possible de les positionner, selon la nature des services et des conseils pour lesquels ils sont principalement reconnus. Par exemple, comme l'indique le tableau 7.5, lorsqu'il s'agit de prodiguer des conseils ou de faire des interventions pour des problématiques liées au transfert de la propriété, nous retenons le comptable agréé, le fiscaliste, les juristes (notaire ou avocat), le banquier, le courtier en assurances et le planificateur financier. De notre point de vue, ce sont en effet les professionnels reconnus comme les plus compétents en matière de planification fiscale et successorale, de planification financière, d'évaluation de l'entreprise, de formulation des contrats ou de conventions entre actionnaires ou de modalités pour le transfert légal des titres de la propriété. Pour le transfert de la direction, les conseillers qui sont les plus susceptibles d'intervenir sont le coach ou le mentor, le conseiller en management, le conseiller en gestion des ressources humaines, le conseiller en développement organisationnel, le psychologue industriel, le psychologue de la famille et le psychologue personnel. Puisque ce sont ces professionnels qui, toujours selon notre point de vue, ont les champs de compétences les plus reconnus pour donner des conseils, entre autres, en gestion des relations interpersonnelles, en gestion des conflits familiaux ou en changements organisationnels.

TABLEAU 7.5
La nature des interventions ou conseils selon les professionnels

Professions	Interventions ou conseils
Transfert de la propriété	
Comptable agréé	• Peut préparer et vérifier les états financiers de l'entreprise • Peut préparer un bilan personnel pour les individus • Peut effectuer une vérification diligente lors de l'achat/vente • Peut évaluer et comparer les performances de l'entreprise • Peut conseiller sur les sources de financement • Peut évaluer l'entreprise
Fiscaliste	• Peut évaluer les conséquences fiscales des transactions envisagées • Peut suggérer des moyens de réduire le fardeau fiscal • Peut effectuer une planification successorale et de la retraite
Juriste (avocat, notaire)	• Peut informer des aspects juridiques des actions posées ou à poser • Peut rédiger des contrats (convention entre actionnaires, testament, mandat en cas d'inaptitude, achat/vente, mariage, structure juridique de l'entreprise, établissement de conseils) • Peut formaliser légalement les décisions prises
Banquier	• Peut conseiller sur les sources de financement • Peut fournir du financement
Courtier en assurances	• Peut évaluer et combler les besoins d'assurance pour payer les impôts au décès ou pour racheter les parts des partenaires à leur décès ou pour amoindrir le niveau de risque
Planificateur financier	• Peut conseiller sur les questions concernant la retraite et le patrimoine • Peut préparer un bilan personnel pour les individus • Peut préparer et implanter la planification financière personnelle
Transfert de la direction	
Coach ou mentor	• Peut accompagner les protagonistes dans leurs démarches respectives (personnelles et professionnelles) • Peut encourager la bonne communication entre les parties prenantes
Conseiller en management	• Peut évaluer les processus de gestion • Peut fournir des conseils d'affaires sur la gestion de l'entreprise
Conseiller en gestion des ressources humaines	• Peut évaluer les besoins de personnel • Peut fournir des conseils sur la rémunération des individus • Peut fournir des conseils sur la répartition des tâches ou sur les procédures de dotation ou d'embauche du personnel
Conseiller en développement organisationnel	• Peut fournir des conseils sur la manière d'amener le changement dans l'organisation (mise en place du candidat à la relève, annonce aux employés et aux parties prenantes)
Psychologue industriel	• Peut déterminer et évaluer les compétences des candidats à la relève • Peut intervenir dans les plans de formation ou de carrière des candidats à la relève
Psychologue de la famille	• Peut intervenir auprès d'un ou de plusieurs membres de la famille • Peut aider dans la gestion des conflits familiaux • Peut faciliter la communication entre les membres de la famille
Psychologue personnel	• Peut faciliter le processus de désengagement du prédécesseur/cédant et la mise en poste du successeur/repreneur

Dans le cas où plusieurs conseillers sont considérés dans la démarche, ce qui est fortement recommandé, il peut être utile d'en avoir un qui assume le rôle de «porteur de dossier». De par son rôle, celui-ci coordonne l'ensemble du travail fait par tous les intervenants impliqués dans le projet de transmission, lequel, selon la forme, peut durer en moyenne entre un et dix ans. Le rôle de porteur de dossier peut, par exemple, être dévolu au conseiller qui a réussi à établir un lien de confiance solide avec le propriétaire dirigeant (Gooderham *et al.*, 2004 ; Kay et Hamilton, 2004).

Selon les résultats que nous avons présentés au début de ce chapitre, nous comprenons, par ailleurs, les fortes probabilités que ce rôle soit endossé par le conseiller avec lequel le propriétaire dirigeant fait déjà affaire. Retenons, toutefois, qu'assumer un tel rôle inclut la capacité du porteur de dossier à mettre son propre réseau de contacts et de ressources à la disposition du propriétaire dirigeant de PME qu'il accompagne. Dans la foulée, cela inclut son ouverture à collaborer avec d'autres professionnels ayant parfois une tout autre manière d'aborder la problématique. L'important à retenir pour le propriétaire dirigeant soucieux d'assurer la continuité de son entreprise par l'intermédiaire d'une transmission est que certains conseillers ont des domaines de compétences particuliers en transfert de propriété, ce qui leur permet de prodiguer des conseils sur les aspects financiers de l'entreprise. Tandis que d'autres sont plus spécialisés dans les dimensions liées au transfert de la direction, ce qui leur permet d'intervenir dans des sphères dites plus humaines de la problématique.

Cela ne signifie pas pour autant que les professionnels doivent intervenir uniquement dans leurs domaines particuliers de compétences et pour lesquels ils sont reconnus. Au contraire. Nous avons vu au début de ce chapitre que le propriétaire dirigeant est porté à utiliser les ressources externes avec lesquelles il fait affaire pour les deux contextes, soit celui de la propriété et celui de la direction. Toutefois, de notre point de vue, il demeure important que le propriétaire dirigeant garde en mémoire que certains conseillers externes ont des champs de compétences particuliers leur permettant d'être plus efficaces dans certains types de conseils ou d'interventions, ce qui leur permet d'en consulter plusieurs, selon la nature des problèmes à résoudre.

7.3. LE CONTEXTE D'INTERVENTION

Dans une perspective systémique, l'intervention dans un cas de transmission, qu'elle soit familiale, interne ou externe, doit faire appel à certains principes de base, notamment s'il s'agit d'une PME où le propriétaire dirigeant, les membres de sa famille, les employés et les acteurs de l'environnement externe sont fortement susceptibles d'évoluer dans des sphères très imbriquées les unes dans les autres. Pour ce faire, le conseiller doit accepter de travailler avec deux principaux sous-systèmes, soit l'entreprise et la famille. Ensuite, il doit comprendre les impacts qu'auront ses interventions sur plusieurs catégories d'acteurs, qu'il s'agisse du propriétaire dirigeant lui-même, de ses associés ou partenaires d'affaires, des membres de la famille, des employés cadres ou non, des membres du conseil d'administration ou de toute autre personne jugée importante qui permette d'assurer la réussite du projet de continuité de l'entreprise. La figure 7.5 – dont la conception a été inspirée des travaux de Gersick *et al.* (1997), de Hillburt-Davis et Dyer (2003) et de Hugron (1998) – illustre les trois principales dimensions à prendre en compte dans la dynamique de transmission, de même que les groupes de facteurs inhérents à chacun des sous-systèmes (Cadieux, 2006b).

Le conseiller externe qui intervient auprès d'une PME en processus de transmission doit reconnaître et comprendre la différence des enjeux selon chacun des sous-systèmes avec lesquels il travaille, soit la famille, l'entreprise et les acteurs, y compris les points de convergence et de divergence existant entre ceux-ci. Dans cette perspective, il doit, par exemple, reconnaître et comprendre dans quelle mesure les valeurs familiales influencent celles qui sont véhiculées au sein de l'organisation ou reconnaître et comprendre jusqu'à quel point les mécanismes de gestion de conflits familiaux sont transposés au sein de l'entreprise dans le cas où plusieurs membres de la famille travaillent dans la PME. Il est à remarquer que, pour chacun des sous-systèmes, on trouve des groupes de facteurs semblables, mais qui demeurent distincts, selon le sous-système dans lequel ils sont considérés. Par exemple, le cycle de vie, que l'on retrouve dans les trois sous-systèmes présentés, est un groupe de facteurs pouvant être pris en compte dans la perspective de l'entreprise, au même titre qu'il peut être considéré dans la perspective familiale et individuelle. Voyons brièvement, dans les prochaines pages, comment cela peut se faire.

FIGURE 7.5
FIGURE 7.5
L'intervention en transmission : une approche intégrée

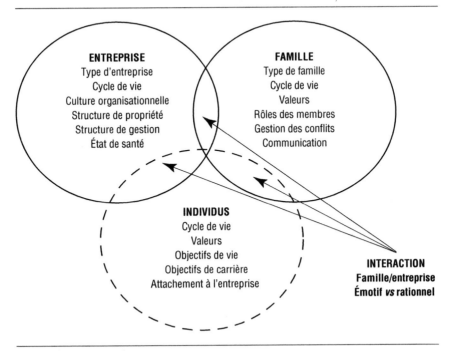

■ 7.3.1. Le conseiller et l'entreprise

Lors de son intervention, une des premières tâches du conseiller consiste à comprendre la dynamique de l'entreprise. Dans un souci d'efficacité, il peut poser différentes questions, dont plusieurs sont usuelles. Pensons au chiffre d'affaires de l'entreprise, au nombre d'employés, aux profits qu'elle génère, à son champ d'activité particulier ou aux caractéristiques du secteur dans laquelle elle fait des affaires. Toutefois, le conseiller doit s'intéresser à d'autres facteurs. Par exemple, il peut s'interroger sur l'état de santé de l'entreprise puisque, selon certains, cela peut avoir un impact sur les conseils à prodiguer avant d'amorcer le processus de la transmission (Deschamps et Paturel, 2005 ; Lambert *et al.*, 2003). Au même titre qu'il peut se demander s'il s'agit d'une PME plus orientée vers les affaires ou vers la famille, ce qui, comme le résume le tableau 7.6, peut également avoir des répercussions sur la nature des conseils à prodiguer.

TABLEAU 7.6
Les types de PME et les formes de transmission envisagées

PME orientée vers la famille	PME orientée vers les affaires

←——————————————————————————————————→

Favorise la continuité de l'entreprise	Favorise la croissance de l'entreprise
La finalité de l'entreprise est d'avoir des revenus suffisants pour procurer un style de vie intéressant au propriétaire dirigeant et aux membres de sa famille	La finalité de l'entreprise est de procurer une qualité de vie (luxe) au propriétaire dirigeant et aux membres de sa famille au-delà de ce qui serait possible autrement
Tous les membres de la famille peuvent travailler dans l'entreprise	L'entreprise est sélective lors de l'embauche des membres de la famille
Le propriétaire dirigeant est principalement intéressé par les activités opérationnelles et l'atteinte des objectifs fixés	Le propriétaire dirigeant est principalement intéressé par les activités stratégiques et le développement de nouveaux marchés
Le propriétaire dirigeant a un style de gestion réactif	Le propriétaire dirigeant a un style de gestion proactif
L'ardeur au travail, l'honnêteté, l'indépendance et la famille sont des valeurs importantes pour le propriétaire dirigeant	L'accomplissement, l'ambition, le pouvoir, la croissance personnelle sont des valeurs importantes pour le propriétaire dirigeant
Le propriétaire dirigeant priorise sa vie personnelle et familiale	Le propriétaire dirigeant priorise sa vie professionnelle
Le propriétaire dirigeant a une scolarité plus faible (primaire, secondaire, cégep)	Le propriétaire dirigeant a une scolarité plus élevée (secondaire, cégep, universitaire)

	Transmission familiale
Transmission familiale ←	Transmission interne
	Transmission externe

Par exemple, dans **une PME plus orientée vers la famille**, il y a de fortes probabilités pour que le propriétaire dirigeant et les membres de sa famille aient développé des liens particuliers par rapport à l'entreprise. Dans leur perception, l'entreprise est, d'abord, un moyen de faire vivre la famille. Et tant mieux si cela leur permet de bien vivre, dans la mesure où les besoins de chacun sont satisfaits correctement. Ce sont d'ailleurs des entreprises où les membres de la famille ne font aucune distinction entre les deux sous-systèmes dans lesquels ils interagissent, soit la famille et l'entreprise. Dans ce type d'entreprise, tous les membres de la famille sont les bienvenus, indépendamment de leur capacité à faire correctement le travail qu'on attend d'eux. Dans une telle perspective, assurer la continuité par la mise en place de la progéniture du propriétaire dirigeant est l'ultime récompense pour le temps et les efforts qu'il y a consacrés. En d'autres mots, pour le conseiller externe, cela signifie comprendre dans quelle mesure la transmission familiale sera privilégiée dans ce type de PME, où la majorité des membres font partie de la famille.

ENCADRÉ 7.1
Les propriétaires dirigeants de PME et la transmission

Les résultats d'une étude menée par Hankinson (2000) auprès de 90 propriétaires dirigeants de PME anglaises montrent que ceux-ci accordent la priorité à leur besoin d'indépendance. Leur besoin de pouvoir, de même que la possibilité de contribuer à l'économie nationale et à la création d'emplois, est moins préoccupant pour ces mêmes propriétaires dirigeants. Ce qui, selon l'auteur, peut avoir un impact sur la croissance d'une PME, puisque les répondants disaient préférer rester à la tête d'entreprises de petite taille générant peu de profits plutôt que de perdre leur indépendance.

Dans les autres types de PME, soit **celles qui sont plus orientées vers les affaires,** il est plus probable que le propriétaire dirigeant envisage d'autres options que la relève familiale pour assurer la continuité de l'entreprise. De son point de vue, la relève peut être assurée par un membre de la famille, par un employé ou par une personne venant de l'extérieur, pour autant que cela ait des conséquences positives sur toutes les parties prenantes. L'important est de faire fructifier l'entreprise afin de procurer à tous les membres de sa famille un style de vie d'une qualité difficile à trouver autrement, même par la transmission externe de celle-ci. Nous comprenons, dès lors, que malgré l'existence d'un lien d'attachement à l'entreprise, celui-ci est moins fortement ressenti chez le propriétaire dirigeant et les membres de sa famille. Ce qui explique une plus grande ouverture à envisager d'autres options de transmission, cela même s'il s'agit d'une entreprise de première génération.

Cela n'est pas sans nous rappeler la typologie de Julien et Marchesnay (1996), dont nous avons parlé au chapitre 1, et qui détermine deux principales logiques d'actions stratégiques chez les propriétaires dirigeants de PME, soit celle favorisant, dans l'ordre, la pérennité, l'indépendance et la croissance (PIC) et celle priorisant la croissance, l'autonomie et la pérennité de l'entreprise (CAP). À ce sujet, il est possible de se reporter à d'autres typologies sur les entrepreneurs pour mieux comprendre à quel point certaines caractéristiques liées à leurs traits de personnalité, à leurs valeurs, à leurs compétences ou à leurs comportements de gestion peuvent avoir une influence sur la forme de transmission envisagée.

ENCADRÉ 7.2
Le profil stratégique du propriétaire dirigeant de PME et la transmission

Les résultats d'une étude américaine menée auprès de femmes propriétaires dirigeantes révèlent qu'il existerait deux principaux profils stratégiques au regard de la transmission. Alors que les propriétaires dirigeantes montrant un profil plus «orienté vers la croissance» préfèrent vendre l'entreprise à un très bon prix, les autres favorisent la transmission familiale (Morris, Miyasaki, Watters et Coombes, 2006).

Parmi ces différents facteurs, nous retenons le degré de scolarisation du propriétaire dirigeant (Garcia-Alvarez et Lopez-Sintas, 2001; Lee et Tsang, 2001); ses principaux intérêts dans les activités de l'entreprise: certains propriétaires dirigeants de PME étant principalement intéressés par les activités opérationnelles et d'autres par les activités plus stratégiques (Cadieux, 2004; Cadieux, 2007b); son style de gestion pouvant aller de réactif à proactif (Gundry et Welsch, 2001; Kotey et Meredith, 1997; Sadler-Smith *et al.* 2003); ses valeurs (Garcia-Alvarez et Lopez-Sintas, 2001; Kotey et Meredith, 1997); ses priorités dans ses différentes sphères de vie (Getz et Petersen, 2005; Gundry et Welsch, 2001); et la principale raison d'être de son entreprise. À ce propos, les auteurs scientifiques que nous avons consultés en matière de profils types existant chez les propriétaires dirigeants de PME s'entendent. Pour eux, il est clair que certains ont une entreprise principalement pour avoir un style de vie leur permettant de faire ce qu'ils aiment et de passer du temps avec leur famille. Tandis que d'autres propriétaires dirigeants ont une entreprise d'abord parce qu'elle leur procure une qualité de vie qu'ils ne sauraient avoir autrement (Garcia-Alvarez et Lopez-Sintas, 2001; Gray, 2002; Getz et Petersen, 2005; Reijonen et Komppula, 2007).

En ce qui concerne la propriété, le contexte général de l'entreprise est aussi important. Pensons au système fiscal et juridique dans lequel opère l'entreprise. La fiscalité, par exemple, influence le transfert de propriété en augmentant ou en diminuant les sommes requises ou obtenues à la suite du transfert. Même s'il n'est pas expert en la matière, le conseiller doit donc s'informer de la forme juridique de l'entreprise ou de la situation financière de celle-ci, en plus de la mission, des objectifs et des stratégies, de la structure ; de la culture, de la composition du conseil d'administration, des processus de gestion, des processus de prise de décision et de ses grandes étapes de développement. Sur ce dernier point, le tableau 7.7 montre certaines particularités de chacun des stades de développement d'une PME, en fonction de l'âge de l'entreprise, de son caractère, de sa structure, de ses processus de gestion ainsi que des priorités du propriétaire dirigeant et des membres de sa famille (Catry et Buff, 1996 ; Churchill et Lewis, 1983 ; Greiner, 1998).

Bien sûr, comme nous l'avons souligné précédemment, ce ne sont pas tous les propriétaires dirigeants de PME qui ont la croissance pour objectif. Dans la documentation scientifique que nous avons consultée, nous avons même noté que plusieurs propriétaires dirigeants préfèrent rester à la tête d'entreprises de très petite ou de petite taille sous prétexte que cela leur permet de conserver leur indépendance personnelle et professionnelle, donc un style de vie auquel ils aspirent lorsqu'ils se lancent en affaires (Cliff, 1998 ; Getz et Petersen, 2005 ; Lee et Tsang, 2001 ; Reijonen et Kimppula, 2007 ; Walker et Brown, 2004). Ce qui signifie que ce ne sont pas, non plus, toutes les PME qui ont besoin d'un conseil de famille, d'un conseil d'administration actif ou d'une formalisation des processus de gestion. Toutefois, comprendre certaines des particularités des PME avec lesquelles le conseiller externe interagit est déjà, pour lui, un pas dans la bonne direction.

■ 7.3.2. Le conseiller et la famille

Dans une perspective intégrée d'intervention, le conseiller externe doit aussi comprendre la dynamique de la famille avec laquelle il interagit, notamment dans le cas des PME où plusieurs membres de la famille sont parties prenantes (Cadieux, 2006a). Pour ce faire, malgré sa formation professionnelle particulière, il peut se permettre de poser certaines questions qui peuvent, *a priori*, sembler indiscrètes aux yeux du propriétaire dirigeant de PME. Par exemple, il peut vouloir connaître

TABLEAU 7.7
L'évolution de la gestion dans une PME familiale ou non

	Stade 1	Stade 2	Stade 3
Âge de l'entreprise	0 à 5 ans	10 à 20 ans	20 à 30 ans
Caractère de l'entreprise	Petite, dynamique	Plus large et complexe	Stagnante
Stade de développement	Survie	Maturité	Renouvellement stratégique
Motivation du propriétaire dirigeant	Réussite de son affaire	Contrôle et stabilité dans sa vie personnelle et professionnelle	Recherche de nouveaux intérêts et de nouveaux défis
Planification	Informelle/ prévisions financières	Opérationnelle	Opérationnelle et stratégique
Structure	Informelle	Début de formalisation de certaines fonctions	Formelle
Gestion	Simple/supervision directe		Délégation
Conseil d'administration	Habituellement inactif		Formel et incluant la participation des membres externes
Comité de gestion	Habituellement informel		Formel et incluant la participation des employés clés
Attentes financières de la famille	Besoins de base	Besoins de confort et d'éducation	Besoins de sécurité et de générosité
Priorités du propriétaire dirigeant et de sa famille	Réussite de l'entreprise	Croissance et épanouissement des enfants	Harmonie et unité familiale
Conseil de famille	Informel		Formel
Implication de la famille dans les décisions stratégiques de l'entreprise	Réunions informelles entre les membres de la famille nucléaire		Réunions plus formelles entre les membres de la famille nucléaire élargie : constitution du conseil de famille, dans les cas de PME familiales

qui, parmi les membres de la famille, fait partie de l'entreprise. Et qui n'en fait pas partie[2]. Il peut également poser certaines questions sur les jeux de pouvoir existant parmi les membres de la famille, comprenant que, dans certaines familles, c'est la mère qui est le personnage central, alors que dans d'autres c'est le père ou l'aîné qui a le leadership de la famille. Ou bien il peut vouloir comprendre comment les membres de la famille gèrent leurs conflits lorsqu'ils sont dans leur milieu familial et dans leur milieu professionnel.

Les conflits familiaux sont souvent présents dans les entreprises où plusieurs membres de la même famille interagissent. Il existe d'ailleurs deux écoles de pensée sur ce sujet qui est très présent dans la documentation sur les entreprises familiales. Pour les tenants de la première école – dite conflictuelle –, l'entreprise et la famille sont considérées comme des environnements distincts. Sous prétexte que chacun des sous-systèmes a des objectifs et des règles qui lui sont propres, les membres de la famille doivent se donner des règles précises leur permettant de distinguer leurs rôles respectifs, selon qu'ils interagissent dans leur environnement familial ou professionnel (Dyer et Handler, 1994 ; Kaslow et Kaslow, 1992 ; Kenyon-Rouvinez et Ward, 2004 ; Kets de Vries, 1993). Tandis que pour les tenants de la seconde école – dite intégrée –, l'entreprise et la famille sont perçues comme des environnements indissociables et fortement imbriqués. Selon cette école de pensée, les objectifs des membres de la famille, leurs valeurs, leurs modes de vie étant automatiquement transposés en contexte organisationnel, vouloir en faire une dichotomie est presque impossible (Davis et Stern, 1980 ; Kepner, 1983 ; Whiteside et Brown, 1991).

De notre point de vue, chacune de ces écoles de pensée a sa place, en fonction, notamment, du type de PME (orientée vers la famille ou vers les affaires), de son âge ou de sa taille. Plus l'entreprise est de grande taille ou plus elle avance en nombre de générations, plus les membres de la famille devront distinguer les moments où ils se retrouvent dans leur sphère professionnelle et ceux où ils se retrouvent dans leur sphère familiale. Cela leur permettra, dans la foulée, d'adapter

---

2.   Une firme d'experts-conseils en transmission fort connue, que nous désirons garder anonyme, exige de rencontrer les ex-conjoints en cours de démarche. Selon le propriétaire fondateur de la firme-conseil, cela leur permet d'avoir accès à un maximum d'information et, dans la foulée, de prodiguer des services d'une qualité à laquelle peut s'attendre le client soucieux d'assurer la continuité de son entreprise.

leurs comportements de manière à assurer une certaine harmonie entre les deux sous-systèmes dans lesquels ils évoluent au fur et à mesure que la dynamique se complexifie.

Parmi les principales sources de conflits pouvant exister au sein des membres de la famille, nous retenons la présence d'un «favori» au sein de la famille, la perception d'injustice ou d'iniquité pour certains membres de la famille, l'absence d'un code de conduite ou de règles claires ou de détermination des rôles de chacun des membres de la famille travaillant dans l'entreprise, les différences entre les valeurs de l'ancienne et de la nouvelle génération, l'impression de ne pas être pris au sérieux par les autres membres de la famille ou le manque de confiance ou de communication entre les membres. Notons que toutes les sources de conflits que nous venons de nommer peuvent avoir des répercussions sur le déroulement du processus de la transmission, et ce, quelle que soit la forme envisagée. Soucieux de la dynamique familiale, le conseiller doit aussi comprendre qui fait partie de la famille. Pour certaines familles, seuls les membres de la famille nucléaire sont pris en compte, tandis que pour d'autres le conseiller doit inclure tous les membres de la famille élargie (Hugron, 1998) au même titre qu'il doit s'intéresser à son développement. Pour ce faire, il peut utiliser le modèle de Carter et McGoldrick (1999), lequel, comme le résume le tableau 7.8, explique l'évolution d'une famille selon six principales phases.

Le modèle de Carter et McGoldrick (1999) suppose que le cycle de vie d'une famille débute lorsqu'un individu quitte sa famille pour devenir autonome et il se termine quand cette personne est grand-parent ou arrière-grand-parent. Parmi les phases les plus significatives, nous en retenons une principale, celle qui correspond au moment où les enfants quittent la maison et que le couple se retrouve face à face. De notre point de vue, ce moment correspond à la période au cours de laquelle le propriétaire dirigeant peut réfléchir à son projet de transmission. Bien que ce modèle illustre comment une famille «normale» peut évoluer, il comporte certaines limites que nous ne pouvons passer sous silence. Parmi les principales, notons que de plus en plus de familles doivent faire face à de nouvelles réalités. Par exemple, comme nous l'avons souligné au chapitre 3, depuis la génération des baby-boomers de plus en plus de couples divorcent, de plus en plus de familles sont monoparentales ou sont reconstituées. Ce qui, dans une dynamique de transmission, complexifie la compréhension du sous-système familial.

TABLEAU 7.8
Les cycles de vie de la famille

	Particularités de la phase	*Changements requis durant la phase*
Jeune adulte	Devient responsable de soi (émotionnellement et financièrement)	• Différenciation de soi *vs* la famille • Développement de relations intimes avec d'autres personnes • Début de l'indépendance personnelle et professionnelle
Nouveau couple	Engagement dans un nouveau système	• Formation d'un nouveau système marital • Intégration de la belle-famille et de nouveaux amis
Famille avec jeunes enfants	Acceptation de nouveaux membres (enfants) dans le système	• Ajustement du couple face à l'arrivée des enfants (vie de couple et familiale) • Ajustement des parents du couple pour assumer leur nouveau rôle de grands-parents
Famille avec adolescents	Élargissement des frontières familiales	• Ajustement du rôle parental permettant aux enfants de développer leur autonomie • Adaptation des parents face à leur vie personnelle, familiale et professionnelle (mitan)
Famille avec enfants sortant du nid	Acceptation de plusieurs sorties et entrées dans le système familial	• Retour au couple (sans enfants) • Relation adulte avec les enfants • Ajustement avec les nouveaux membres de la famille (brus, gendres, petits-enfants) • Ajustement avec les parents qui vieillissent (prise en charge des aînés)
Famille du troisième âge	Acceptation de nouveaux rôles générationnels	• Maintien du couple face aux nouveaux défis (vieillissement, maladie, etc.) • Fréquence des deuils (amis, parents, conjoint, etc.)

Source : Carter et McGoldrick (1999).

▣ 7.3.3. Le conseiller et les acteurs

Comme nous l'avons déjà souligné, la transmission d'une PME touche plusieurs catégories d'acteurs. Dans une approche intégrée, le conseiller doit, par conséquent, tenir compte de chacune d'entre elles, qu'il s'agisse du prédécesseur/cédant, du successeur/repreneur, des membres de la famille, qu'ils travaillent ou non dans l'entreprise, et des acteurs clés des environnements interne et externe de l'entreprise. Selon ce que nous comprenons de la documentation consultée, chacun de ces groupes d'acteurs peut avoir certaines résistances à l'égard de la transmission et ainsi nuire à son bon déroulement. Le tableau 7.9 résume quelques résistances pour chaque catégorie d'acteurs retenue.

TABLEAU 7.9
Les sources possibles de résistance

Catégorie d'acteurs	*Résistances possibles*
Prédécesseur/cédant	▪ Perception d'être encore trop jeune ▪ Perception d'être encore en bonne santé ▪ Absence de centres d'intérêt diversifiés ▪ Fort degré d'identification à l'entreprise ▪ Dépendance face aux revenus provenant de l'entreprise
Successeur/repreneur	▪ Manque d'intérêt pour l'entreprise ou le secteur d'activité ▪ Absence de motivation pour reprendre une entreprise ▪ Absence de plan de carrière ▪ Perception de ne pas avoir les compétences requises pour la carrière entrepreneuriale
Membres de la famille	▪ Fort degré d'identification à l'entreprise ▪ Manque de confiance envers le successeur/repreneur ▪ Absence de plan de carrière en dehors de l'entreprise
Employés ou autres parties prenantes dans l'environnement interne	▪ Fort attachement au prédécesseur/cédant ▪ Fort attachement à l'entreprise ▪ Absence d'un plan de carrière dans l'entreprise ▪ Absence d'un plan de carrière en dehors de l'entreprise ▪ Peu habitués à vivre des changements organisationnels ▪ Manque de confiance envers le successeur/repreneur
Parties prenantes de l'environnement externe	▪ Fort lien de confiance existant avec le prédécesseur/cédant ▪ Manque de confiance envers le successeur/repreneur ▪ Absence de communication entre les parties prenantes ▪ Fermeture d'esprit face à la transmission

Parmi les résistances, les plus fortement reconnues dans la documentation professionnelle et savante sont celles qui peuvent venir du prédécesseur/cédant lui-même. Par exemple, comme nous l'avons déjà souligné au chapitre 2, celui-ci ayant, au fil des ans, développé des liens d'attachement et un sentiment d'identification significatifs vis-à-vis de son entreprise, il y a de fortes chances qu'il appréhende la mise en œuvre du projet de transmission de son entreprise, que la forme envisagée soit familiale, interne ou externe (Bah, 2008 ; Christensen, 1979 ; Kets de Vries, 1993 ; Lansberg, 1988 ; Pailot, 2000 ; Peay et Dyer, 1989 ; Sonnenfeld, 1988). Bien sûr, le prédécesseur/cédant peut se sentir encore trop jeune ou trop en santé pour vouloir se retirer de son entreprise. Mais il est aussi probable qu'ayant consacré le plus clair de son temps à ses activités professionnelles il n'ait jamais eu l'occasion de développer d'autres centres d'intérêt. Ce qui, en définitive, peut avoir un impact sur sa volonté de se retirer de la gestion courante ou stratégique de son entreprise (Handler et Kram, 1988). Enfin, ayant appris à subvenir à ses besoins et à ceux des membres de sa famille principalement par l'entremise de ses activités d'affaires, le prédécesseur/cédant, désireux de transmettre son entreprise, aurait une principale préoccupation, celle de maintenir le niveau de qualité de vie atteint grâce à ses activités d'affaires, même après en avoir quitté la gouvernance (FCEI, 2005 ; Maynard, 2000 ; Potts *et al.*, 2001a ; Potts *et al.*, 2001b). Ce qui, de notre point de vue, peut constituer un frein important dans la capacité et la volonté de celui-ci de se retirer de la gouvernance de son entreprise. Plus la qualité de vie du prédécesseur/cédant est dépendante des revenus qu'il retire de ses activités d'affaires, moins celui-ci est susceptible de vouloir se retirer complètement de son entreprise.

Certaines résistances peuvent aussi provenir du successeur/repreneur. Par exemple, le manque d'intérêt de sa part pour l'entreprise ou le secteur d'activité dans lequel elle œuvre (OSEO, 2005) peut être suffisant pour freiner la transmission, notamment lorsqu'elle est familiale ou interne. Au même titre que peut l'être son manque de motivation à reprendre l'entreprise familiale ou à entreprendre une carrière entrepreneuriale. Du reste, comme nous l'avons aussi souligné au chapitre 2, l'arrivée du successeur/repreneur dans l'entreprise peut déplaire à certains employés ou aux membres du conseil d'administration (Hugron et Dumas, 1993), qui adopteront parfois des comportements susceptibles de nuire au bon déroulement de la transmission. Sur ce point, Handler et Kram (1988) soutiennent que dans les entreprises où les employés sont habitués aux changements le processus de la transmission est plus facile à planifier et que son évolution est plus harmonieuse. Cela explique que la culture d'entreprise aurait un impact sur le bon déroulement du processus de la transmission. Finalement, au même titre que le prédécesseur/cédant crée des liens avec son personnel, il en crée avec ses fournisseurs, ses clients, ses banquiers et, selon la manière dont l'intégration du successeur est faite, il est possible que ceux-ci fassent preuve de résistance (Lansberg, 1988).

Pour assurer le bon déroulement du processus de la transmission, comprendre les préoccupations de chacun des groupes d'acteurs identifiés est d'une importance capitale pour le conseiller externe. Dans cette perspective, il doit donc comprendre la perception de chacun des acteurs, qu'ils soient familiaux ou non. En plus de s'intéresser aux membres de la famille, dans le cas où certains employés clés seraient essentiels à la bonne marche de l'entreprise le conseiller doit, pour eux aussi, connaître leurs objectifs de vie et de carrière et voir comment ils perçoivent les changements qui les attendent. Toutes les catégories d'acteurs que nous avons identifiées ont un rôle à jouer et les intégrer dans la démarche ne fait que bonifier les chances de réussite de la transmission de l'entreprise. Enfin, le conseiller externe doit comprendre la nature des interactions entre le prédécesseur/cédant et les acteurs avec qui il a créé des liens de confiance depuis qu'il est en affaires. Pensons aux employés, aux membres du conseil d'administration, aux clients ou aux fournisseurs avec qui il aura su entretenir des liens d'amitié au fil des ans et qui seront certainement réfractaires à la venue du successeur/repreneur.

7.4. SE FAIRE ACCOMPAGNER : LES FACTEURS À CONSIDÉRER SELON LA FORME DE TRANSMISSION

Comme nous l'avons vu dans les chapitres précédents, chacune des formes de transmission a ses particularités. Parmi celles-ci, nous retenons le temps que le processus peut durer. Par exemple, dans une transmission familiale (phase du règne-conjoint) il est possible d'envisager, en moyenne, une dizaine d'années au cours desquelles le prédécesseur et le successeur travailleront côte à côte dans le but précis d'assurer les transferts de la direction et de la propriété (Cadieux, 2004 ; Hugron, 1991). Tandis qu'il faut prévoir environ cinq ans pour une transmission interne (phase de cohabitation) et entre six mois et un an pour une transmission externe (phase de transition) lorsqu'elles sont faites dans les règles prescrites par les experts (Deschamps et Paturel, 2005 ; Lambert *et al.*, 2003). Les transferts de la propriété et de la direction, bien que présents dans les trois formes de transmission, ne se présentent pas nécessairement non plus au cours des mêmes périodes.

Par exemple, dans une transmission familiale, le transfert de la direction peut se faire bien avant le transfert de la propriété, alors que c'est tout à fait le contraire dans une transmission externe. D'autant plus que, techniquement, il est beaucoup plus simple de vendre son entreprise à un tiers que de la transmettre au personnel ou à un membre de la famille. Cela signifie donc que le contexte d'intervention peut être différent, selon le type de transmission envisagé par le propriétaire dirigeant. Cela n'exclut pas le besoin d'accompagnement pour les phases en amont ou en aval des processus présentés au chapitre 1. Au contraire. Toutefois, il est possible de croire que plus le processus de transmission dure longtemps, plus il y a de chances que le contexte global soit complexe, augmentant ainsi le nombre de conseillers externes susceptibles d'intervenir dans différentes dimensions de la problématique. Afin de faciliter la réflexion des propriétaires dirigeants à l'égard des ressources externes qu'ils peuvent utiliser pour les aider dans leur démarche de transmission, le tableau 7.10 résume les groupes de facteurs à considérer selon les trois formes proposées : familiale, interne et externe.

Pour les facteurs signalés, nous avons indiqué dans quelle mesure chacun peut avoir un impact sur la qualité de l'intervention. Prenons en exemple un propriétaire dirigeant qui désire transmettre son entreprise à un ou à plusieurs de ses enfants. Pour lui, l'important est de s'assurer que toute la famille encourage cette décision, ce qui se fera, entre autres, en s'impliquant dans la démarche. Dans ce contexte, il est clair que le conseiller externe devra tenir compte de la dynamique familiale (++). Ce même facteur aura un impact important dans le cas d'une relève interne (+), mais beaucoup moins important dans le cas d'une relève externe (−). Tout cela considérant d'autres facteurs, comme l'ouverture du propriétaire dirigeant à impliquer sa famille dans sa réflexion ou à en faire part à son conseiller externe.

TABLEAU 7.10
Les facteurs d'accompagnement à considérer selon la forme de transmission

	Formes de transmission		
	Familiale	Interne	Externe
Facteurs liés aux compétences du conseiller			
Est reconnu pour son expertise en transfert de la propriété	+	+	++
Est reconnu pour son expertise en transfert de la direction	++	+	−
A une formation lui permettant d'intervenir dans les problématiques liées au transfert de la propriété	+	+	++
A une formation lui permettant d'intervenir dans les problématiques liées au transfert de la direction	++	+	−
Est déjà intervenu dans des problématiques liées au transfert de la propriété	+	+	++
Est déjà intervenu dans les problématiques liées au transfert de la direction	++	+	−
Prend en compte les facteurs liés à l'entreprise (taille, c.a., etc.)	+	+	+
Prend en compte les facteurs liés au secteur d'activité de l'entreprise	+	+	+
Comprend et prend en considération les facteurs liés à la dynamique de l'entreprise (culture, structure, etc.)	++	++	++
Prend en compte les facteurs liés à la famille (taille, membres, etc.)	++	+	-
Comprend et prend en considération la dynamique de la famille (gestion des conflits, communication, etc.)	++	+	−
Comprend et prend en considération l'interaction existant entre l'entreprise et la famille	++	+	−
Comprend les préoccupations du prédécesseur/cédant	++	++	++
Comprend les préoccupations du successeur/repreneur	+	+	+
Comprend les préoccupations des employés	+	+	+
Comprend les préoccupations des acteurs externes (fournisseurs, clients, etc.)	+	+	+
Autres facteurs à considérer dans le choix d'un conseiller			
Fait partie d'un ordre professionnel	++	++	++
Sait établir un climat de confiance	++	++	++
Travaille avec une équipe de professionnels complémentaires	++	+	−
Connaît les autres ressources externes en transmission	++	+	−

Conclusion

Conclure un ouvrage comme celui-ci, c'est faire une synthèse de ce que nous comprenons des perspectives et enjeux de la transmission des PME. L'ouvrage se voulant un exercice de sensibilisation aux problématiques soulevées par le phénomène complexe et hétérogène de la transmission, il est entendu que certains concepts ne peuvent faire l'objet d'autant d'explications qu'il serait nécessaire pour y inclure toutes les nuances (s'il est possible de tout connaître d'un sujet). Par exemple, la transmission peut s'effectuer dans des contextes très variés (Scarratt, 2006). Le premier contexte auquel on pense est le retrait normal du propriétaire dirigeant de son entreprise. Il s'agit sans doute du contexte le plus fréquent et, volontairement, celui qui a été le plus souvent examiné dans notre ouvrage, puisque, de notre point de vue, la transmission doit être intégrée dans la vision et la planification stratégique à long terme du propriétaire dirigeant de PME, quelle que soit la taille de l'entreprise. Mais il existe d'autres contextes de transmission, comme l'invalidité ou le décès du propriétaire dirigeant. De telles circonstances peuvent plonger subitement la PME dans un état de crise, surtout si aucune relève ou aucun plan de transmission n'est officiellement envisagé par le propriétaire dirigeant. Enfin, un autre contexte dont on parle dans la documentation consultée concerne l'éventuel besoin de partenaires externes pour assurer la croissance de la PME à court terme, incluant une transmission possible à plus long terme. Ce qui représente souvent la préoccupation des propriétaires dirigeants à la tête de PME de plus grande taille. Il va de soi que ces différents contextes peuvent être associés à différents déclencheurs qui amènent ou accélèrent une réflexion sur la transmission.

À l'aide de tableaux et de schémas synthèses que l'on trouve tout au long de ce livre, au terme de leur lecture les principaux intéressés devraient mieux comprendre l'ensemble de la problématique et s'interroger sur leur propre situation afin de prendre des décisions plus éclairées. Tout au moins nous l'espérons, puisque ce livre est principalement basé sur des résultats de recherches scientifiques et professionnelles plutôt que sur des perceptions ou des expériences personnelles. Du reste, conscients de nos limites et de la perpétuelle évolution de la recherche, nous nous sommes quelquefois retrouvés dans l'impossibilité de répondre à toutes les questions pouvant se poser dans les différents contextes de la transmission des PME, simplement à l'aide de la documentation scientifique et professionnelle consultée. Cela explique pourquoi il nous a été nécessaire d'extrapoler, selon nos expériences respectives dans le domaine, mais cela avec réserve et, nous l'espérons, d'une manière éclairée.

Fondamentalement, assurer la pérennité d'une PME oppose à la fois le changement et la continuité. Tout au long de la démarche, il faut, en effet, procéder à des changements importants, dont les principaux sont liés à la mise en place progressive d'un nouveau propriétaire dirigeant et au désengagement de celui qui est à la barre depuis bon nombre d'années. La démarche étant faite dans les règles de l'art, nous sommes convaincus que sa réussite aura des répercussions positives sur la PME transmise et sur son environnement immédiat. Pensons, par exemple, au maintien ou au renouvellement des produits et services existants ou au maintien des emplois, du moins pour les PME qui en procurent à plusieurs. Notons enfin que la problématique de la transmission trouve une part de sa complexité dans ce que nous comprenons aussi des PME, puisqu'il existe, là aussi, une hétérogénéité qui dépend, entre autres, des différentes tailles des PME, des différents secteurs d'activité dans lesquels elles évoluent, de la composition des équipes de gestion, de leur évolution et de leurs orientations stratégiques, lesquelles sont fortement influencées par leur propriétaire dirigeant.

1. LES ENJEUX DE LA TRANSMISSION EN PERSPECTIVE

À notre connaissance, cet ouvrage est parmi les premiers à intégrer les différentes perspectives de transmission, qu'il s'agisse des formes, des types de transferts ou des différentes catégories d'individus engagés dans la démarche. Pour ce faire, au **chapitre 1**, trois principales formes de transmission sont identifiées: familiale, interne et externe. La distinction entre celles-ci s'établit selon les liens existant ou non entre le prédécesseur/cédant et le successeur/repreneur de la PME. Vitement, chaque forme représente approximativement le tiers de l'ensemble des transmissions; la transmission familiale étant à la baisse et la transmission externe à la hausse (Cadieux, 2006a; OSEO, 2005; Transregio, 2005). Chacune des formes de transmission identifiées dans ce livre présente un processus distinct et des avantages et inconvénients qui lui sont propres. Dans la transmission familiale, le propriétaire dirigeant envisage la continuité de son entreprise par au moins un membre de sa famille appartenant à la nouvelle génération. Le processus est plus long et souvent plus subtil que dans les autres cas de transmission. Dans la transmission interne, le propriétaire dirigeant favorise la continuité de son entreprise par une relève composée de cadres ou d'employés. À ce sujet, la taille de la PME et le secteur d'activité dans lequel celle-ci fait des affaires auront des impacts sur le type de repreneur interne. Dans la transmission externe, le propriétaire dirigeant assure la continuité de son entreprise par la vente à des personnes n'ayant aucun lien direct ni avec la famille, ni avec l'entreprise. Dans ce dernier cas de figure, plusieurs types de repreneurs peuvent être considérés, comme un concurrent, un fournisseur ou toute autre personne n'ayant jamais eu de contacts avec l'entreprise au préalable. Notons que chacune des formes de transmission est de différente durée, notamment pour ce qui est de la phase la plus cruciale de la démarche, celle au cours de laquelle le prédécesseur/cédant et le successeur/repreneur doivent interagir dans le but ultime d'assurer la transmission effective de l'entreprise. Par exemple, dans les cas d'une transmission familiale, la phase du règne-conjoint peut durer plus d'une dizaine d'années, alors que la phase de transition est relativement courte pour une transmission externe (6 mois) et que celle de cohabitation se situe entre les deux pour une transmission interne (5 ans).

Parmi les facteurs de contingence pouvant avoir un impact positif ou négatif sur la transmission, nous avons retenu ceux qui concernent la préparation des différents acteurs engagés dans la démarche. Le **chapitre 2** porte donc sur ces éléments, entre autres en ce qui regarde le prédécesseur/cédant, le successeur/repreneur, les membres de la famille, les employés et les acteurs de l'environnement externe avec qui le propriétaire dirigeant doit interagir régulièrement. Selon notre compréhension de la problématique, plus large est l'éventail des acteurs préparés à l'avance et plus les protagonistes interagissent dans un environnement empreint de respect et de confiance mutuels, meilleures sont les chances de réussite. À ce sujet, le **chapitre 3** met en évidence les difficultés pouvant provenir de la gestion des relations intergénérationnelles. Par exemple, le prédécesseur/cédant et le successeur/repreneur étant de générations différentes, ils voient le monde des affaires selon leur perspective propre. De notre point de vue, cela peut poser quelques problèmes d'ajustement aux deux parties. À ce sujet, il est possible de recenser quatre générations différentes pour nos contemporains, soit les traditionalistes, les baby-boomers, les X et les Y. Les cycles de vie, le style de gestion privilégié, la valeur dominante, l'attitude face au travail et l'interaction famille-travail diffèrent selon les générations et ne concordent pas nécessairement pour chacune d'elles. Les préoccupations de chacun étant différentes, il est clair que cela peut générer certains conflits qui ne sont pas nécessairement nouveaux, nous devons l'admettre.

Lorsqu'il est question des formes de transfert de la propriété, plusieurs thèmes touchant les dimensions juridique, fiscale et financière doivent être abordés, ainsi qu'on l'a vu au **chapitre 4**. Des décisions doivent être prises face à divers choix qui se présentent, chacun des choix comportant des avantages et des inconvénients. Tout d'abord, il s'agit de choisir s'il y a une transmission des actifs ou des actions de la PME. La vente des actions permet possiblement de bénéficier d'une déduction de gain en capital qui s'élève à 750 000 $ dans un contexte canadien et québécois, diminuant ainsi les impôts à payer pour le prédécesseur/cédant. La transmission dépend du mode de détention et du mode d'acquisition selon que la PME se présente avant et après la transaction sous une entreprise personnelle, une société en nom collectif ou une société par actions et qu'elle appartient à une seule personne ou à plusieurs. Le transfert peut se faire en totalité ou partiellement, s'effectuer en une seule transaction ou en plusieurs transactions graduelles au fil des années. Il peut y avoir cession, par une donation aux membres de la famille ou par une vente aux membres de la famille, aux employés et aux repreneurs externes ou un gel successoral avec l'utilisation d'une fiducie ou non. Le gel successoral privilégié pour une transmission familiale, mais possible dans les autres cas, peut se faire de diverses manières impliquant une ou plusieurs autres sociétés par actions que la PME à transmettre. Il existe plusieurs techniques de gels à l'interne et gels à l'externe. La transaction inclut aussi un choix de contrepartie qui comprend une combinaison d'argent comptant, de dettes et d'actions représentant la juste valeur marchande et le respect de certaines conditions qui peuvent s'ajouter au gré des volontés du prédécesseur/cédant et du successeur/repreneur.

Dans le cadre de la transmission de PME et plus particulièrement du transfert de propriété, une dimension importante est la négociation du prix et des conditions de la transaction, ainsi qu'il apparaît au **chapitre 5**. Il s'agit de déterminer le prix entre le prédécesseur/cédant et le successeur/repreneur, basé sur une estimation de la juste valeur. Cette juste valeur est déterminée par un processus d'évaluation d'entreprise fondé sur certains principes et utilisant un ensemble de méthodes pour arriver à la meilleure opinion possible sur la juste valeur. Les principales méthodes d'évaluation s'inscrivent dans trois grandes catégories, soit celles axées sur l'exploitation, celles axées sur les actifs et celles axées sur le marché. En plus des analyses quantitatives, une analyse qualitative doit être prise en compte pour faire intervenir l'environnement économique, l'industrie, la situation financière de la PME et la gestion de l'entreprise.

Parallèlement à la négociation du prix, le successeur/repreneur doit s'assurer de mettre en place un montage financier permettant la transmission. Tel qu'il est décrit au **chapitre 6**, le recours à diverses stratégies de financement offre une variété d'instruments financiers pour financer la transmission. Il peut s'agir d'argent comptant, de prise en charge de passifs du vendeur, de solde de prix de vente offert par le prédécesseur/cédant, de clause d'ajustement basé sur la performance, de dette garantie, de dette non garantie, de cautionnement, de garantie de prêt, d'assurance vie, d'assurance invalidité et d'équité (actions ordinaires ou privilégiées). Ces types de financements peuvent provenir de différentes sources internes (ressources offertes par le successeur/repreneur ou son cercle familial, par le prédécesseur/cédant ou disponibles dans l'entreprise) ou de sources externes (fournisseurs de capitaux et partenaires financiers).

Enfin, pour assurer la réussite du projet de transmission (pour le prédécesseur/cédant) ou de reprise (pour le successeur/repreneur), nous croyons que les protagonistes doivent être accompagnés. Comme le détaille le **chapitre 7**, plusieurs pratiques et ressources en matière d'accompagnement sont disponibles. Parmi celles-ci, nous avons retenu les experts en transfert de la propriété, comme les fiscalistes, les comptables agréés ou les courtiers en assurance, et les experts en transfert de la direction, comme les conseillers en développement organisationnel ou les psychologues de la famille, si ce type d'intervention s'avérait nécessaire.

2. UNE VISION GLOBALE À L'AIDE D'UN MODÈLE SYNTHÈSE

Afin d'avoir une vision globale de la transmission, un modèle synthèse pour la transmission des PME est proposé. Ce modèle s'appuie sur la documentation consultée et reprend les éléments clés discutés dans les chapitres précédents. Ce modèle offert au prédécesseur/cédant, au successeur/repreneur, à leur famille, à l'entreprise et aux intervenants, qu'ils soient des conseillers externes ou des conseillers gouvernementaux, se veut une intégration des éléments clés. Ce modèle synthèse peut permettre au lecteur de situer ses actions dans le processus global de transmission de PME. Cette présentation schématique devrait contribuer à mieux rappeler les préoccupations des autres acteurs et parties prenantes et ainsi mieux guider ses propres actions et décisions. Enfin, les étudiants en administration et les décideurs de politiques publiques y trouveront une synthèse et des éléments pour pousser plus loin la réflexion.

Adoptant une approche basée sur la théorie des systèmes, le modèle synthèse de la transmission des PME est présenté à la figure C.1. Il se compose de trois grands systèmes. D'une part, il y a le processus proprement dit qui se situe au cœur du modèle et, d'autre part, deux contextes majeurs sont en relation, soit l'environnement interne et l'environnement externe. Ces deux environnements influencent à des degrés divers le prédécesseur/cédant et le successeur/repreneur. Il faut noter la dimension dynamique du processus qui adopte souvent une réalité cyclique plutôt que linéaire, ce qui peut être difficile à représenter sur le plan graphique.

Dans le premier système, au cœur du modèle, il y a la volonté de passer avec la transmission d'une situation initiale à une nouvelle situation, idéalement celle qui est désirée. Ainsi, la PME passe du prédécesseur/cédant au successeur/repreneur. Ainsi que nous l'avons décrit au chapitre 1, les différentes formes de transmission se composent de diverses phases, en général quatre, autant au plan de la direction que de la propriété. Le processus de négociation du transfert de propriété (décrit au chapitre 5) précise un certain nombre d'étapes comprises dans les phases. Ces transferts de la direction et de la propriété s'opèrent dans l'une des formes de transmission, soit familiale, interne ou externe. Pour uniformiser le modèle, malgré les nuances requises selon les différentes formes de transmission des PME, ces différentes phases sont maintenant remplacées par cinq phases dans notre modèle. Il s'agit de l'amorce, de la mise en œuvre,

FIGURE C.1
Modèle synthèse de la transmission des PME

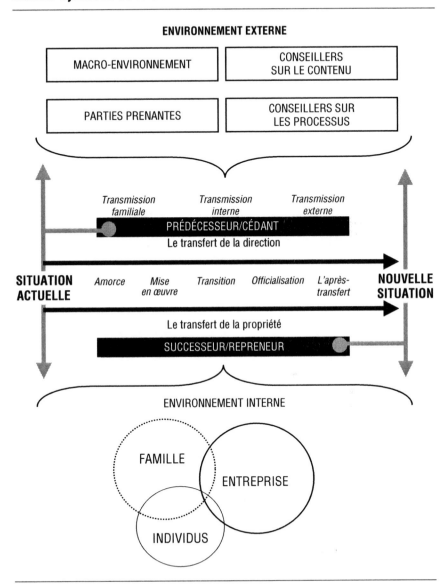

de la transition, de l'officialisation et de l'après-transfert. Ces phases proviennent principalement d'une synthèse des travaux de Cadieux (2004), de Deschamps (2000), de Gagnon (1991), de Hess (2006), de Hugron (1991), de Kenyon-Rouvinez et Ward (2005), de Paturel (2000) et de St-Cyr et Richer (2003).

L'amorce est la première phase, qui se caractérise par une initiation du successeur/repreneur et par un début de planification stratégique par le prédécesseur/cédant face à la transmission. Avec l'amorce, il y a, au plan du transfert de la direction, la sensibilisation à la transmission, la réflexion préliminaire, l'éducation et la prise d'expérience des successeurs/repreneurs potentiels, l'initiation des successeurs/repreneurs, le diagnostic de l'entreprise, la clarification des valeurs et des principes. Sur le plan du transfert de la propriété, il y a l'analyse préliminaire des options, la préparation d'un sommaire de l'entreprise à vendre et l'enquête préliminaire.

La deuxième phase est la mise en œuvre, qui se caractérise par l'intégration du successeur/repreneur et la consultation d'experts par le prédécesseur/cédant. Avec la mise en œuvre, il y a, au plan du transfert de la direction, l'identification des successeurs, la préparation des acteurs, l'intégration, la formation et la prise d'expérience du successeur/repreneur, le mentorat/coaching, la consultation de conseillers et d'intervenants sur le changement de direction et, au plan du transfert de la propriété, la consultation de conseillers et d'intervenants sur le montage juridique, fiscal et financier possible, l'analyse des options disponibles et l'invitation plus formelle des acheteurs potentiels.

La troisième phase est la transition, qui se caractérise par un règne conjoint ou une cohabitation entre le prédécesseur/cédant et le successeur/repreneur et des choix qui se précisent. Avec la transition, il y a, au plan du transfert de la direction, l'élaboration et l'adoption du cheminement de carrière pour le successeur/repreneur, la mise en place des ressources, l'établissement d'un échéancier, la communication aux parties prenantes et la prise en charge progressive de la PME par le successeur/repreneur. Sur le plan du transfert de la propriété, il y a les choix entre les actions ou les actifs, celui du mode de transfert, du mode d'acquisition, l'engagement de confidentialité, la négociation de la transaction, la rédaction d'une lettre d'intention, l'évaluation de l'entreprise, la fixation du prix, l'établissement d'un montage financier, la rédaction de l'offre d'achat, la période de pré-clôture et la vérification diligente.

L'officialisation est la quatrième phase. Elle se caractérise par le désengagement et le retrait progressif ou définitif du prédécesseur/cédant et l'arrivée d'un nouvelle direction avec l'installation du successeur/repreneur et la sanction officielle de la transmission. Avec l'officialisation, il y a, au plan du transfert de la direction, le ralentissement ou le changement de rôle, tant pour le prédécesseur/cédant que pour le successeur/repreneur, le plan de transition, le plan de communications internes et externes et, sur le plan du transfert de la propriété, l'échange de la contrepartie, la rédaction du contrat de vente, la signature des documents juridiques et la clôture de la transaction de cession. La cinquième et dernière phase est l'après-transfert. Dans cette phase, il s'agit d'examiner les clauses conditionnelles de la transaction de cession. Par exemple, il pourrait s'agir de clauses liées à la performance, au rachat échelonné du rachat des actions.

Dans le deuxième système, au bas du modèle, l'environnement interne d'une PME se divise en trois sous-systèmes : l'entreprise, la famille et les individus. On l'a vu au chapitre 2, la préparation des acteurs est essentielle. En premier lieu, il y a la préparation du prédécesseur/cédant et du successeur/repreneur. Le prédécesseur/cédant doit céder sa place et passer à d'autres projets que sa PME ; tandis que le successeur/repreneur doit être accepté par les autres acteurs en ayant la crédibilité et la légitimité pour y parvenir. En deuxième lieu, il y a aussi les membres de la famille, en particulier le conjoint et les enfants impliqués ou non dans l'entreprise. Pour alimenter la réflexion, il est souhaitable que ces différents acteurs établissent leurs objectifs de vie personnelle, professionnelle, sociale, familiale, de couple et interpersonnelle. Ensuite, ils peuvent comparer leurs besoins personnels (nouveaux défis, reconnaissance, utilité, accomplissement, style et qualité de vie) et leurs attentes face à leur entourage, tout en considérant les freins (ressources financières, compétences, expérience, relations interpersonnelles), les résistances (âge, traits de personnalité, état de santé, attachement à sa PME, centres d'intérêt à l'extérieur de la PME) et leurs motivations (équité, intérêt pour l'entreprise et la carrière entrepreneuriale). Les modifications des habitudes à la suite de la transmission entraînent le besoin d'une réflexion individuelle et d'une réflexion commune sur le couple du prédécesseur/cédant. Après tout, tant pour un conjoint que pour l'autre, il y aura des changements dans la routine et les habitudes. Il faut donc s'y préparer.

Enfin, en troisième lieu, il y a les membres du personnel et les autres acteurs de l'environnement externe, comme les clients, les fournisseurs et les conseillers d'affaires (comptable agréé, juriste, banquier).

La résistance au changement est typique du monde du travail et l'habitude ou non des changements aura un impact sur l'acceptation plus facile ou non de la transmission par les employés et partenaires. De nouvelles alliances et connivences doivent s'établir entre les acteurs. Il y a donc des stratégies de préparation des acteurs, qui peuvent tourner autour des stratégies de préparation individuelles, celles qui sont liées aux changements de rôles, les stratégies d'accompagnement, celles qui sont liées à la communication et, enfin, les stratégies permettant de conserver la réputation de l'entreprise.

Dans le troisième système, en haut du modèle, l'environnement externe distingue le macro-environnement, les parties prenantes et les intervenants qui prodiguent des conseils sur les processus et sur le contenu. L'environnement externe amène des changements et de l'incertitude. Le macro-environnement se compose des dimensions démographique, économique, technologique, politique, juridique, écologique, géophysique et socioculturel. Les parties prenantes peuvent se référer aux clients, les fournisseurs, mais aussi aux gouvernements, aux médias, aux groupes de pression et aux associations.

L'accompagnement concerne autant les transferts de la direction que ceux de la propriété et l'on trouve des intervenants qui prodiguent des conseils sur les processus et sur le contenu. Comme on l'a vu au chapitre 7, il existe une multitude de conseillers, certains connaissant mieux les aspects du transfert de la direction et d'autres, ceux du transfert de la propriété. Il y a également un besoin pour un porteur de dossier qui fait le lien entre tous les conseillers et qui possède une vision globale. Les facteurs à considérer pour choisir un conseiller dépendent de la forme de transmission (familiale, interne, externe); certaines compétences étant davantage requises pour une forme de transmission que pour une autre. Il est possible de dégager une tendance voulant qu'il y ait actuellement plus de conseils portant sur le transfert de la propriété que sur celui de la direction. Les comptables agréés et les fiscalistes se situent aux premiers rangs et le fait de déjà faire affaire avec ces professionnels jouent un rôle certain (Cadieux et Morin, 2008).

Même si la transmission est préoccupante pour plusieurs propriétaires dirigeants de PME, il ne s'agit pas d'un phénomène uniquement canadien ou québécois. En effet, la transmission est une problématique présente dans l'ensemble des pays industrialisés ou en voie de l'être. L'ampleur du phénomène de la transmission s'explique notamment par le vieillissement de la population des propriétaires dirigeants de PME actuellement en poste et par l'arrivée de nouveaux entrepreneurs prêts à relever de nouveaux défis susceptibles, entre autres, de donner un nouveau souffle à certaines PME pleines de potentiel, et ce, quelle que soit leur taille.

En raison de son importance de plus en plus grande, la recherche sur la transmission devrait se poursuivre. Le transfert de la propriété devrait faire davantage l'objet de recherches. Tout comme cela se fait pour le transfert de direction, il y a lieu de mieux comprendre le transfert de la propriété et d'obtenir des statistiques provenant d'études empiriques qui font état du pourquoi et du comment cela devrait se faire. Ainsi, il sera possible de dégager des meilleures pratiques à ce sujet. Malgré l'importance du sujet, il ne s'agit pas non plus d'être alarmiste quant à l'urgence d'agir. Espérons que notre ouvrage permettra d'enrichir le débat, la réflexion et l'action pour voir de plus en plus de transmissions se faire le plus sereinement possible.

Bibliographie

ALLOUCHE, J. et AMANN, B. (1998). « La confiance : une explication des performances des entreprises familiales », *Économies et sociétés,* vol. 8, n° 9, p. 129-154.

APCE (2003). *La reprise et la transmission d'entreprises,* <www.apce.com/upload/fichiers/observatoires/etudes/INFOPtransmission2003.pdf>, consulté le 15 janvier 2008.

ARONOFF, C.E. et WARD, J.L. (1992a). « Family Business Succession : The Final Test of Greatness », *Family Business Leadership Series,* n° 1.

ARONOFF, C.E. et WARD, J.L. (1992b). « Another Kind of Hero : Preparing Successors for Leadership », *Family Business Leadership Series,* n° 3.

ARSENAULT, P.M. (2004). « Validating Generational Differences : A Legitimate Diversity and Leadership Issue », *The Leadership & Organization Development Journal,* vol. 25, n° 2, p. 124-141.

ASHFORTH, B.E. (2001). *Role Transitions in Organizational Life : An Identity-Based Perspective,* Mahwah, New Jersey, Lawrence Erlbaum Associates Publishers.

ASTRACHAN, J. et MCMILLAN, K.S. (2003). « Conflict and Communication in the Family Business », *Family Business Leadership Series,* n° 16.

ASTRACHAN, J.H. et SHANKER, M.C. (2003). « Family Businesses' Contribution to the U.S. Economy : A Closer Look », *Family Business Review,* vol. XVI, n° 3, p. 211-219.

ATCHLEY, R.C. (1976). *The Sociology of Retirement,* Cambridge, Shenkman Publishing Co.

AUDET, J. (2008). « La relève est-elle au rendez-vous ? Le cas de l'industrie forestière de récolte du Québec », IAE, Valenciennes, *6ᵉ Journée franco-québécoise de la recherche sur le thème de la transmission,* 20 juin 2008.

AUDET, M. (2004). « La gestion de la relève et le choc des générations », *Revue internationale de gestion*, vol. 29, n° 3, p. 20-26.

BAH, T. (2008). « La transition cédant-repreneur : une approche par la théorie du deuil », *Actes du congrès annuel de l'AIMS*, Nice.

BARBOT, M.-C. et DESCHAMPS, B. (2004). « Reprise d'entreprises saines ou en difficulté : l'accompagnement des repreneurs », *Académie de l'entrepreneuriat, Actes du 4e colloque*, <www.entrepreneuriat.com>.

BARBOT, M.-C. et RICHOMME-HUET, K. (2007). « Pilotage de la reprise et de la succession dans le cas des entreprises artisanales », *Économies et Sociétés*, vol. 16, n° 1, p. 57-90.

BARNES, L.B. et HERSHON, S.A. (1976). « Transferring Power in Family Business », *Harvard Business Review*, p. 105-114.

BAUM, J.R. et LOCKE, E.A. (2004). « The Relationship of Entrepreneurial Traits, Skill and Motivation to Subsequent Venture Growth », *Journal of Applied Psychology*, vol. 89, n° 4, p. 587-598.

BÉGIN, L. (2007). « Motivations et freins à la reprise de l'entreprise familiale en Suisse romande », *Économies et Sociétés*, vol. 16, n° 1, p. 11-36.

BERGSTROM, T.C. (1989). « A Fresh Look at the Rotten Kid Theorem – and Other Household Mysteries », *Journal of Political Economy*, vol. 97, n° 5, p. 1138-1159.

BERT, D. (2007). « Rachat d'entreprise par les cadres : d'abord une transaction d'affaires », *Québec inc.*, mars-avril, p. 28.

BIRD, B., WELSH, H., ASTRACHAN, J.H. et PISTRUI, D. (2002). « Family Business Research : The Evolution of an Academic Field », *Family Business Review*, vol. XV, n° 4, p. 337-350.

BIRLEY, S., NG, D. et GODFREY, A. (1999). « The Family and the Business », *Long Range Planning*, vol. 32, n° 6, p. 598-608.

BISSON, G. (2006). « Structures d'acquisition d'entreprise », *Congrès 2005, Association de planification fiscale et successorale*, Montréal, vol. 14, p. 1-64.

BJUGGREN, P.O. et SUND, L.G. (2005). « Organization of Transfers of Small and Medium-Sized Entreprises within the Family : Tax Law Considerations », *Family Business Review*, vol. XVIII, n° 4, p. 305-319.

BONNEAU, J., KERJOSSE, R. et VIDAL, G. (2007). *Reprise d'entreprise au départ en retraite du dirigeant, PME/TPE en bref*, Paris, Ministère des petites et moyennes entreprises, du commerce, de l'artisanat et des professions libérales, n° 22, février.

BORK, D., JAFFE, D.T., LANE, S.H., DASHEW, L. et HEISLER, Q.G. (1996). *Working with Family Businesses : A Guide for Professionals*, San Francisco, Jossey-Bass Publishers.

BOUSSAGET, S. (2007). « Réussir son entrée dans l'entreprise : le processus de socialisation organisationnelle du repreneur », *Économies et Sociétés*, vol. 16, n° 1, p. 145-164.

BOUSSAGET, S., LOUART, P. et MANTIONE-VALERO, G. (2004). « Mesure de la socialisation organisationnelle d'un repreneur de poste ou d'entreprise », *AGRH, Montréal*, Montréal, Université du Québec à Montréal.

BROUARD, F. et CADIEUX, L. (2007). « La transmission des PME : vers une meilleure compréhension du contexte », *Académie de l'entrepreneuriat*, Sherbrooke, 4-5 octobre.

BRUCE, D. et PICARD, D. (2006). « Making Succession a Success : Perspectives from Canadian Small and Medium-Sized Enterprises », *Journal of Small Business Management*, vol. 44, n° 2, p. 306-309.

BUESCHKENS, M.A. (2007). « Trusts : Practical Issues, Uses, and Pitfalls », *Conference Report 2006*, Toronto, Canadian Tax Foundation, vol. 34, p. 1-33.

BÜHLER, S. (2006). « Assurer la continuité : la succession d'entreprise par le management buyout (MBO) », *Infos PME*, Crédit Suisse, juillet.

CABERA-SUAREZ, K. (2005). « Leadership Transfer and the Successor's Development in the Family Firm », *The Leadership Quarterly*, vol. 16, n° 1, p. 71-96

CADIEUX, L. (2004). *La succession dans les entreprises familiales : une étude de cas sur le processus de désengagement du prédécesseur*, Trois-Rivières, Université du Québec à Trois-Rivières. Thèse de doctorat.

CADIEUX, L. (2005a). « La succession dans les PME familiales : proposition d'un modèle de réussite du processus de désengagement du prédécesseur », *Revue internationale PME*, vol. 18, n°s 3-4, p. 31-50.

CADIEUX, L. (2005b). « La succession dans les PME familiales : vers une compréhension plus spécifique de la phase du désengagement », *Journal of Small Business and Entrepreneurship*, vol. 18, n° 3, p. 343-355.

CADIEUX, L. (2006a). *Étude sur la situation de la relève dans les entreprises manufacturières de la MRC de Drummond*, Trois-Rivières, Centre universitaire PME, Université du Québec à Trois-Rivières. Rapport de recherche.

CADIEUX, L. (2006b). « La transmission d'une entreprise familiale : une approche intégrée d'intervention », *Revue Organisations et Territoires*, vol.15, n° 3, p. 15-22.

CADIEUX, L. (2007a). «La succession dans les PME familiales: vers une approche intégrée du processus de préparation du successeur», *Économies et Sociétés*, vol. 16, n° 1, p. 37-56.

CADIEUX, L. (2007b). «Succession in Small and Medium Sized Family Businesses: Toward A Typology of Predecessor Roles during and after Instatement of the Successor», *Family Business Review*, vol. XX, n° 2, p. 95-109.

CADIEUX, L. (2007c). «The Attributes of Successors in Small Family Businesses: An Exploratory Study», *Council for Small Business, ICSB*, Turku, Finlande, juin.

CADIEUX, L. et BROUARD, F. (2006). «La transmission des entreprises familiales et le rôle des différents conseillers», *Actes de colloque des 1res Journées Georges Doriot, Deauville*, 16-17 mars.

CADIEUX, L., DENIS, U. et GERMAIN, O. (2007). «Une lecture de la transmission d'entreprise: le cas Guy Degrenne», *Académie de l'entrepreneuriat*, Sherbrooke, octobre.

CADIEUX, L. et MORIN, M. (2008). *La transmission des PME: une enquête sur les habitudes d'utilisation des ressources externes chez les prédécesseurs/cédants et les successeurs/repreneurs*, Trois-Rivières, Institut de recherche sur les PME, Université du Québec à Trois-Rivières. Rapport de recherche.

CAEML (s.d.). *Le transfert d'une entreprise*, Montmagny, Centre d'aide aux entreprises de Montmagny-L'Islet.

CARRASCO-HERNANDEZ, A. et SANCHEZ-MARIN, G. (2007). «The Determinants of Employee Compensation in Family Firms: Empirical Evidence», *Family Business Review*, vol. XX, n° 3, p. 215-228.

CARTER, B. et MCGOLDRICK, M. (1999). *The Expanded Family Life Cycle: Individual, Family and Social Perspectives*, 3e éd., Needham Heights, Allyn et Bacon.

CATRY, B. et BUFF, A. (1996). *Le gouvernement de l'entreprise familiale*, Paris, PubliUnion.

CDPQ (2007). *Le transfert d'entreprise: une démarche structurée*, Montréal, Caisse de dépôt et placement du Québec (CDPQ).

CE (2006). *Communication de la Commission au Conseil, au Parlement européen, au Comité économique et social et au Comité des régions*, Bruxelles, 14 mars, <www.ceder-reprendre-une-entreprise.com>, consulté le 12 avril 2007.

CEB (2003). *La relève d'entreprise en Beauce-Sartigan: résultats du sondage*, Saint-Georges, Conseil économique de Beauce (CEB). Rapport de recherche.

CGA-QUÉBEC. (1994). *L'évaluation d'entreprise*, Montréal, Ordre des comptables généraux licenciés du Québec, série Pro gestion.

CHAREST, S. et GRÉGOIRE, S. (2005). « Planification fiscale pour l'actionnaire dirigeant », *Congrès 2004, Association de planification fiscale et successorale*, Montréal, vol. 2, p. 1-30.

CHRISMAN, J.J., CHUA, J.H. et SHARMA, P. (1998). « Important Attributes of Successors in Family Businesses : An Exploratory Study », *Family Business Review*, vol. XI, n° 1, p. 19-34.

CHRISTENSEN, C.R. (1979[1953]). *Management Succession in Small and Growing Enterprises*, Boston, Arno Press.

CHRISTENSEN, P.R. et KLYVER, K. (2006). « Management Consultancy in Small Firms : How Does Interaction Work ? », *Journal of Small Business and Enterprise Development*, vol. 13, n° 3, p. 299-313.

CHU, L., FELTHAM, G. et MATHIEU, R. (2001). « The Deferral Value of Estate Freezes », *Canadian Tax Journal*, vol. 49, n° 2, p. 345-367.

CHUA, J.H., CHRISMAN, J.J. et SHARMA, P. (1999). « Defining the Family Business by Behaviour », *Entrepreneurship Theory and Practice*, vol. 23, n° 4, p. 19-36.

CHUNG, W.W.C. et YUEN, K.P.K. (2003), « Management Succession : A Case for Chinese Family-Owned Business », *Management Decision*, vol. 41, n° 7, p. 643-655.

CHURCHILL, N.C. et HATTEN, K.J. (1987). « Non-Market Based Transfers of Wealth and Power : A Research Framework for Family Businesses », *American Journal of Small Business*, vol. 11, n° 3, p. 51-64.

CHURCHILL, N.C. et LEWIS, V.L. (1983). « Les cinq stades de l'évolution d'une PME », *Harvard L'Expansion*, p. 51-63.

CLÉMENT, L. (2007). « Étapes préliminaires à l'acquisition d'une entreprise », *Congrès 2006, Association de planification fiscale et successorale*, Montréal, vol. 1, p. 1-43.

CLIFF, J.E. (1998). « Does One Size Fit All ? Exploring the Relationship Between Attitudes Towards Growth, Gender and Business Size », *Journal of Business Venturing*, vol. 13, n° 5, p. 523-542.

COLLINS, C.J., HANGES, P.J. et LOCKE, E.A. (2004). « The Relationship of Achievement Motivation to Entrepreneurial Behaviour : A Meta-Analysis », *Human Performance*, vol. 17, n° 1, p. 95-117.

COUNOT, S. et MULIC, S. (2004). *Le rôle économique des repreneurs d'entreprise*, INSEE Première, n° 975, <www.ceder-reprendre-une-entreprise.com>, consulté le 12 avril 2007.

CUNNINGHAM, J.-G. et HO, J. (1994). « Succession in Entrepreneurial Organizations : A Comparison of Successful and Less Successful Cases », *Journal of Small Business and Entrepreneurship*, vol. 11, n° 3, p. 79-96.

DAVIS, J.A. et TAGIURI, R. (1989). « The Influence of Life Stage on Father-Son Work Relationship in Family Companies », *Family Business Review*, vol. II, n° 1, p. 47-74.

DAVIS, J.B., PAWLOWSKI, S.D. et HOUSTON, A. (2006). « Work Commitments of Baby-Boomers and Gen-Xers in the Profession : Generational Differences or Myth ? », *Journal of Computer Information Systems*, vol. 46, n° 3, p. 43-49.

DAVIS, P. et STERN, D. (1980). « Adaptation, Survival and Growth of the Family Business : An Integrated System Perspective », *Human Relations*, vol. 34, n° 4, p. 207-224.

DCASPL (2007). *Étude sur les causes de la reprise ou de la non-reprise des entreprises individuelles suite au départ en retraite de leur dirigeant*, Paris, Direction du commerce, de l'artisanat, des services et des professions libérales, en partenariat avec l'INSEE, janvier. Étude réalisée par TMO régions.

DESCHAMPS, B. (2000). *Le processus de reprise d'entreprise par les entrepreneurs personnes physiques*, Grenoble, Université Pierre-Mendès-France. Thèse de doctorat en sciences de gestion.

DESCHAMPS, B. (2003). « Reprise d'entreprise par les personnes physiques : conduite du changement et réactions des salariés », *Revue de gestion des ressources humaines*, n° 48, p. 49-60.

DESCHAMPS, B. (2007). « Ne dit-on pas des cordonniers qu'ils sont les plus mal chaussés ? », *5ᵉ congrès de l'Académie de l'entrepreneuriat*, Sherbrooke, 4-5 octobre.

DESCHAMPS, B. et CADIEUX, L. (2008). « La théorie de la transition de rôle dans la compréhension du processus de la transmission/reprise externe des PME : une ouverture ? », *6ᵉ Journée franco-québécoise de la recherche sur le thème de la transmission*, IAE, Valenciennes, 20 juin.

DESCHAMPS, B. et PATUREL, R. (2005). *Reprendre une entreprise saine ou en difficulté*, 2ᵉ éd., Paris, Dunod.

DESJARDINS, S. (2006a). « Savoir où l'on veut aller ! », *Québec Inc.*, octobre, p. 18-19.

DESJARDINS, S. (2006b). « S'ouvrir aux conjoints et aux enfants », *Québec Inc.*, octobre, p. 26-27.

DESJARDINS, S. et THERRIEN, S. (2006). « Communiquer ses valeurs aux dauphins », *Québec Inc.*, octobre, p. 20-24.

DUBUC, R. (dir.). (1993). *Vocabulaire essentiel de l'évaluation d'entreprise*, Montréal, Ordre des comptables agréés du Québec – Comité de terminologie française.

DUGUAY, P. et FORTIER, M. (2007). « Générations : un leader pour tous ! », *Revue Effectif, ORHRI*, vol. 10, n° 1, janvier/février, <www.accent-carrière. com>, consulté le 2 décembre 2007.

DUNCAN, R.B. (1972). « Characteristics of Organizational Environments and Perceived Environmental Uncertainty », *Administrative Science Quarterly*, vol. 17, n° 3, p. 313-327.

DUPLAT, C.-A. (2007). *Reprendre ou céder une entreprise*, 2e éd., Paris, Vuibert.

DUPRAS, A.-M., GUESTIER, M. et LAPOINTE, C. (2007). « Achat d'une société par ses cadres (Management Buy-Out) », *Congrès 2006, Association de planification fiscale et successorale*, Montréal, vol. 2, p. 1-69.

DYER, G. et HANDLER, W.C. (1994). « Entrepreneurship and Family Business : Exploring the Connections », *Entrepreneurship Theory and Practice*, vol. 19, n° 1, p. 71-83.

EBAUGH, H.R. (1988). *Becoming an EX : The Process of Role Exit*, Chicago, The University of Chicago Press.

EISNER, S.P. (2005). « Managing Generation Y », *SAM Advanced Management Journal*, vol. 70, n° 4, p. 4-15.

EURADA (2006). *Toutes les sources de financement ne sont pas identiques ! Accès au financement par les PME : guide à l'intention des décideurs publics et organismes intermédiaires*, Bruxelles, European Association of Development Agencies, juillet.

FAMILIES AND WORK INSTITUTE (2002). *Generation & Gender in the Workplace, The American Business Collaboration*, <www.familiesandwork. org>, consulté le 15 octobre 2007.

FCEI (2005). *La relève : la clé de la réussite*, Toronto, Fédération canadienne de l'entreprise indépendante (FCEI), <www.cfib.ca/researchf/reports/ rr3007f.pdf>, document de recherche.

FCEI (2006). *Investir dans votre avenir : élaborer un plan de relève*, Toronto, Fédération canadienne de l'entreprise indépendante (FCEI), octobre.

FELDMAN, D.-C. (1994). « The Decision to Retire Early : A Review and Conceptualization », *Academy of Management Review*, vol. 19, n° 2, p. 285-311.

FELTHAM, G., FELTHAM, T. et MATHIEU, R. (2003). « The Use Estate Freezes by Family Businesses », *Canadian Tax Journal*, vol. 51, n° 4, p. 1520-1541.

FIEGENER, M.K., BROWN, B.M., PRINCE, R.A. et FILE, K.M. (1996). « Passing on Strategic Vision », *Journal of Small Business Management,* vol. 34, nº 3, p. 15-26.

FILE, P. et PRINCE, R.A. (1996). « Attributions for Family Business Failure : The Heir Perspective », *Family Business Review,* vol. 9, nº 2, p. 171-184.

FORTIER, L. et ROYAL, N. (2007). « Revue des éléments à considérer lors de la vente d'une entreprise », *Congrès 2006, Association de planification fiscale et successorale,* Montréal, vol. 3, p. 1-33.

FORTIER, M. (2006). « Les générations dans le milieu de travail : conflits ou synergie ? », *VigieRT,* nº 7, avril, <www.accent-carrière.com>, consulté le 2 décembre 2007.

FORTIER, M. (2007). *Les générations dans le milieu de travail : conflits ou synergie ?,* Montréal, Ordre des CRHA et CRIA du Québec.

FRIEDMAN, S.-D. (1991). « Sibling Relationship and Intergenerational Succession in Family Firms », *Family Business Review,* vol. IV, nº 1, p. 3-20.

FROMENT, D. (2007). « Les médaillés de la relève : et pourquoi ne pas acheter une entreprise ? La retraite des baby-boomers crée de nombreuses occasions d'affaires pour les jeunes », *Les Affaires, cahier spécial,* samedi le 26 mai, p. A10.

GAGNÉ, J.-P. (2006). « Desjardins a participé à 12 transferts d'entreprises en 2005 », *Les Affaires,* 25 mars, p. 24.

GAGNÉ, R. (2007). « Acquisition de contrôle », *Congrès 2006, Association de planification fiscale et successorale,* Montréal, vol. 7, p. 1-27.

GAGNÉ, R., LAPOINTE, C., FRÉCHETTE, J.-L. et CÔTÉ, M.-F. (2004). « Étude de cas B – Achat d'une entreprise », *Congrès 2003, Association de planification fiscale et successorale,* Montréal, vol. 60, p. 1-122.

GAGNON, J.-H. (1991). *Comment acheter une entreprise – Planification, négociation, stratégie,* Montréal, Publications Transcontinental.

GARCIA-ALVAREZ, E. et LOPEZ-SINTAS, J. (2001). « A Taxonomy of Founders Based on Values : The Root of Family Business Heterogeneity », *Family Business Review,* vol. XIV, nº 3, p. 209-230.

GCEQ (2004). *Financement du transfert de l'entreprise à la relève,* Drummondville, Groupement des chefs d'entreprise du Québec (GCEQ), Synthèse Chefs en ligne, décembre.

GERSICK, K.E., DAVIS, J.A., MCCOLLOM HAMPTON, M. et LANSBERG, I. (1997). *Generation to Generation : Life Cycles of the Family Business,* Boston, Harvard Business School Press.

GETZ, D. et PETERSEN, T. (2005). «Growth and Profit-Oriented Entrepreneurship among Family Business Owners in the Tourism and Hospitality Industry», *International Journal of Hospitality Management,* vol. 24, p. 219-242.

GIANCOLA, F. (2006). «The Generation Gap: More Myth than Reality», *Human Resource Planning,* vol. 29, n° 4, p. 32-37.

GIROUX, F. (2008). «Les clauses d'ajustement de prix remplacent-elles une évaluation?», *Congrès 2007, Association de planification fiscale et successorale,* Montréal, vol. 19, p. 1-27.

GOODERHAM, P.N., TOBIASSEN, A., DOVING, E. et NORDHAUG, O. (2004). «Accountants as Sources of Business Advice for Small Firms», *International Small Business Journal,* vol. 22, n° 1, p. 5-22.

GRANT THORNTON (2002). *PRIMA Global Research Report,* Londres, Grant Thornton.

GRAY, C. (2002). «Entreneurship, Resistance to Change and Growth in Small Firms», *Journal of Small Business and Entreprise Development,* vol. 9, n° 1, p. 61-72.

GREENBERG, J. (1987). «A Taxonomy of Organizational Justice Theories», *Academy of Management Review,* vol. 12, n° 1, p. 9-22.

GREINER, L.E. (1998). «Evolution and Revolution as Organizations Grow», *Harvard Business Review,* mai-juin, p. 37-46.

GUNDRY, L.K. et WELSCH, H.P. (2001). «The Ambitious Entrepreneur: High Growth Strategies of Women-Owned Enterprises», *Journal of Business Venturing,* vol. 16, p. 453-470.

HANDFIELD, M. (2006). *Étude des facteurs culturels et sociaux dans l'abandon du processus de succession au sein des entreprises agricoles familiales: analyse des logiques et des stratégies des partenaires à partir de la perspective des prédécesseurs familiaux,* Rimouski, Université du Québec à Rimouski. Thèse de doctorat.

HANDLER, W.C. (1989). *Managing the Family Firm Succession Process: The Next-Generation Family Member's Experience,* Boston, Université de Boston, UMI Dissertation Services. Thèse de doctorat.

HANDLER, W.C. et KRAM, K.E. (1988). «Succession in Family Firms: The Problem of Resistance», *Family Business Review,* vol. 1, n° 4, p. 361-381.

HANKINSON, A. (2000). «The Key Factor in the Profiles of Small Firm Owner-Managers That Influence Performance. The South Coast Small Firm Survey 1997-2000», *Industrial and Commercial Training,* vol. 32, n° 3, p. 94-98.

HEC-DESJARDINS-ACQUIZITION.BIZ (2007). *Guide: Comment acheter une PME*, Montréal, HEC Montréal, Desjardins & Cie – Acquizition.biz.

HESS, E.D. (2006). *The Successful Family Business – A Proactive Plan for Managing the Family and the Business*, Westport, Praeger.

HILBURT-DAVIS, J. et DYER, G. Jr. (2003). *Consulting to Family Businesses: A Practical Guide to Contracting, Assessment, and Implementation*, San Francisco, Jossey-Bass/Pfeiffer.

HOLLAND, P.G. et BOULTON, W.R. (1984). «Balancing the Family and the Business in Family Business», *Business Horizons*, vol. 27, n⁰ 2, p. 16-21.

HOLLAND, P.G. et OLIVER, J.E. (1992). «An Empirical Examination of the Stages of Development of Family Business», *Journal of Business and Entrepreneurship*, vol. 4, n⁰ 3, p. 27-38.

HOUDE, R. (1995). *Des mentors pour la relève*, Montréal, Les Éditions du Méridien.

HOUDE, R. (1999). *Les temps de la vie: le développement psychosocial de l'adulte*, 3ᵉ éd., Montréal, Gaëtan Morin.

HUGRON, P. (1991). *L'entreprise familiale: modèle de réussite du processus successoral*, monographie, Montréal, Institut de recherches politiques et les Presses HEC.

HUGRON, P. (1993). *Les fondements du champ de recherche sur les entreprises familiales (1953-1980)*, Montréal, École des Hautes Études commerciales, Groupe de recherche sur les entreprises familiales. Cahier de recherche n⁰ GREF-93-01B.

HUGRON, P. (1998). «La régie d'entreprises familiales», *Revue internationale de gestion*, vol. 23, n⁰ 3, p. 37-40.

HUGRON, P. et DUMAS, C. (1993). *Modélisation du processus de succession des entreprises familiales québécoises*, École des Hautes Études commerciales, Groupe de recherche sur les entreprises familiales. Cahier de recherche n⁰ GREF-93-07.

HUNT, J.M. et HANDLER, W.C. (1999). «The Practices of Effective Family Firm Leaders», *Journal of Developmental Entrepreneurship*, vol. 4, n⁰ 2, p. 135-151.

IGOPP (2008). *Pour développer des entreprises championnes*, Institut sur la gouvernance d'organisation privées et publiques (IGOPP), <www.igopp. org>, consulté le 3 juin 2008. Rapport du groupe de travail sur la gouvernance des PME au Québec.

INDUSTRIE CANADA (2004). *Statistiques sur le financement des PME – 2004*, Ottawa, Gouvernement du Canada.

INDUSTRIE CANADA (2006). *Principales statistiques relatives aux petites entreprises: juillet 2006: combien y a-t-il d'entreprises au Canada?*, <www.ic.qc.ca>, consulté le 20 février 2008.

JULIEN, P.-A. et MARCHESNAY, M. (1996). *L'entrepreneuriat*, Paris, Economica.

KASLOW, F.W. et KASLOW, S. (1992). « The Family That Works Together: Special Problems of Family Business », dans Zedec Sheldon (dir.), *Work, Families and Organizations*, San Francisco, Jossey-Bass, p. 312-361.

KATEB, A. (2007). « Note thématique n° 1 – Private Equity », *Bulletin de la Banque de France*, n° 165, p. 115-117.

KAYE, K. et HAMILTON, S. (2004). « Roles of Trust in Consulting to Financial Families », *Family Business Review*, vol. XVII, n° 2, p. 151-163.

KENYON-ROUVINEZ, D. et WARD, J.L. (2004). *Les entreprises familiales*, Paris, Presses universitaires de France, coll. « Que sais-je ? ».

KENYON-ROUVINEZ, D. et WARD, J.L. (2005). *Family Business Key Issues*, New York, Palgrave McMillan.

KEPNER, E. (1983). « The Family and the Firm: A Coevolutionary Perspective », *Organizational Dynamics*, vol. 12, n° b, p. 57-70.

KETS DE VRIES, M.F. (1993). « The Dynamics of Family Controlled Firms: The Good and the Bad News », *Organizational Dynamics*, vol. 21, p. 59-71.

KOTEY, B. et MEREDITH, G.G. (1997). « Relationships among owner/manager personal values, business strategies and enterprise performance », *Journal of Small Business Management*, vol. 35, n° 2, p. 37-64.

KUNREUTHER, F. (2003). « The Changing of the Guard: What Generational Differences Tell Us about Social-Change Organizations », *Non profit and Voluntary Sector Quarterly*, vol. 32, n° 3, p. 450-457.

LAJOIE, A. (1994). *Approche pratique à l'évaluation d'entreprises*, Île-des-Sœurs, Lajoie.

LAMBERT, J.-C., LAUDIC, J. et LHEURE, P. (2003). *Céder son entreprise: quand et comment?*, Paris, Dunod.

LANSBERG, I. (1988). « The Succession Conspiracy », dans C. Aronoff, J. Astrachan et J. Ward, *Family Business Sourcebook II*, Georgia, Omnigraphics, p. 70-86.

LANSBERG, I. (1989). « Social Categorization, Entitlement, and Justice in Organizations: Contextual Determinants and Cognitive Underpinnings », *Human Relations*, vol. 41, n° 12, p. 871-899.

LANSBERG, I. (1999). *Succeeding Generations: Realizing the Dream of Families in Business*. Boston, Harvard Business School Press.

LANSBERG, I. et ASTRACHAN, J.H. (1994). « Influence of Family Relationships on Succession Planning and Training : The Importance of Mediating Factors », *Family Business Review*, vol. VII, n° 1, p. 39-59.

LEBRETON-MILLER, I., MILLER, D. et STEIER, L.P. (2004). « Towards an Integrative Model of Effective FOB Succession », *Entrepreneurship Theory and Practice*, vol. 28, n° 4, p. 305-328.

LEE, D.Y. et TSANG, E. (2001). « The Effects of Entrepreneurial Personality, Background and Network Activities on Venture Growth », *Journal of Management Studies*, vol. 38, n° 4, p. 583-602.

LESCARBEAU, R., PAYETTE, M. et ST-ARNAUD, Y. (2003). *Profession : consultant*, 4e éd., Montréal, Gaëtan Morin.

LINDBO, T.L. et SCHULTZ, K.S. (1998). « The Role of Organizational Culture and Mentoring in Mature Worker Socialization toward Retirement », *Public Productivity and Management Review*, vol. 22, n° 1, p. 49-59.

L.I.R. *Loi de l'impôt sur le revenu du Canada*, Montréal, CCH.

LONGENECKER, J.G. et SCHOEN, J.E. (1978). « Management Succession in the Family Business », dans Aronoff, C., Astrachan, J. et Ward, J., *Family Business Sourcebook II*, Georgia, Omnigraphics, p. 87-92.

LOUIS, D. et PRASAD, S. (2006). *Implementing Estate Freezes*, 2e éd., Toronto, CCH Canadian Limited.

LOUIS, D. et PRASAD, S. (2007). *Tax and Family Business Succession Planning*, 2e éd., Toronto, CCH Canadian Limited.

MALINEN, P. (2004). « Problems in Transfer of Business Experienced by Finnish Entrepreneurs », *Journal of Small Business and Enterprise Development*, vol. 11, n° 1, p. 130-139.

MANDL, I. (2004). *Business Transfers and Successions in Austria*, Austrian Institute for SME research, <www.kmuforschung.ac.at/de/Forschungs-berichte/Vortr%C3%A4ge/Business%20Transfers%20and%20Successions %20in%20Austria.pdf>.

MARCHESNAY, M. (2007). « La cession-reprise d'une toute petite entreprise : le mode d'emploi », dans Alain Fayolle (dir.), *L'art d'entreprendre*, Paris, Pearson Education, p. 226-233.

MARTEL, L. (2003). « Fiducie dans un contexte de transmission d'entreprise », *Congrès 2002, Association de planification fiscale et successorale*, Montréal, vol. 30, p. 12-27.

MARTEL, L. (2004). « Les techniques de gel successoral », *Congrès 2003, Association de planification fiscale et successorale*, Montréal, vol. 4, p. 1-121.

MARTEL, L. (2006). « Convention entre actionnaires dans un contexte de relève d'entreprise », *Congrès 2005, Association de planification fiscale et successorale*, Montréal, vol. 13, p. 1-63.

MARTEL, L. et CHEVALIER, G. (2007). « Équité et transmission d'entreprise, le dilemme de l'équilibre du patrimoine : comment éviter que certains enfants soient plus égaux que d'autres », *Congrès 2006, Association de planification fiscale et successorale*, Montréal, vol. 37, p. 1-22.

MASSÉ, J.-P. et PANAGIS, N. (1987). *L'évaluation d'entreprises*, Montréal, Samson Bélair.

MAYNARD, P. (2000). « Planning for a Business Owner's Special Needs in Retirement », *Financial Services Advisor*, vol. 143, n° 3, p. 15-16.

MCGOWAN, L., WEIGL, C., WILTON, D.L. et ALDRIDGE, K. (2006). *Succession Planning Toolkit for Business Owners*, Toronto, Canadian Institute of Chartered Accountants.

MDEIE (2006). *Les PME au Québec en 2005 : diagnostics et tendances*, Québec, Direction de l'analyse économique et des projets spéciaux, ministère du Développement économique, de l'Innovation et de l'Exportation.

MDEIE (2007). *Qu'est-ce qu'une coopérative ? Caractéristiques, création, fonctionnement*, Québec, ministère du Développement économique, de l'Innovation et de l'Exportation (MDEIE), coll. « outils », <www.mdeie. gouv.qc.ca>, consulté le 25 juin 2007.

MEDEF (2007). *Transmettre son entreprise : se préparer pour réussir*, <www. ceder-reprendre-une-entreprise.com>, consulté le 12 avril 2007.

MÉNARD, L. (1994). *Dictionnaire de la comptabilité et de la gestion financière*, Montréal, Institut canadien des comptables agréés.

MICKELSON, R.E. et WORLEY, C. (2003). « Acquiring a Family Firm : A Case Study », *Family Business Review*, vol. XVI, n° 4, p. 251-268.

MIGNON, S. (2001). *Stratégie de pérennité d'entreprise*, Paris, Vuibert.

MISZCZAK, B. (2007). « Avez-vous dit recapitalisation ? », *Magazine PME*, vol. 23, n° 7, p. 19-22.

MORRIS, M.H., MIYASAKI, N.N., WATTERS, C.E. et COOMBES, S.M. (2006). « The Dilemma of Growth : Understanding Venture Size Choices of Women Entrepreneurs », *Journal of Small Business Management*, vol. 44, n° 2, p. 221-244.

MORRIS, M.H., WILLIAMS, R.O., ALLEN, J.A. et AVILA, R.A. (1997). « Corre-lates of Success in Family Business in Transition », *Journal Of Business Venturing*, vol. 12, n° 5, p. 385-401.

MORRIS, M.H., WILLIAMS, R.W. et NEL, D. (1996). «Factors Influencing Family Business Succession», *International Journal of Entrepreneurial Behavior and Research,* vol. 2, n° 3, p. 68-81.

MOULINE, J.-P. (2000). «Dynamique de la succession managériale dans la PME familiale non cotée», *Finance Contrôle Stratégie,* vol. 3, n° 1, p. 197-222.

NADON, G. (2008). Courriel personnel, 3 juillet.

NAHAS, J.-M. (2007a). «Quand le promis s'en va», *Journal de Montréal,* samedi le 13 octobre, cahier spécial PME: La relève, p. 6.

NAHAS, J.-M. (2007b). «Garder le personnel clé», *Journal de Montréal,* samedi le 13 octobre, cahier spécial PME: La relève, p. 4.

O'BANNON, G. (2001). «Managing Our Future: The Generation X Factor», *Public Personnel Management,* vol. 30, n° 1, p. 95-109.

OCAQ (1998). *L'évaluation d'entreprises,* Montréal, Ordre des comptables agréés du Québec (OCAQ).

OSBORNE, R.-L. (1991). «Second-generation Entrepreneurs: Passing the Baton in the Privately Held Company», *Management Decision,* vol. 29, n° 1, p. 42-46.

OSEO (2005). *La transmission des petites et moyennes entreprises: l'expérience d'OSEO bdpme.* <www.oseo.fr/IMG/pdf/Oseo_transmission.pdf>.

OSEO (2007). *PME 2007: Rapport OSEO sur l'évolution des PME,* OSEO Éditions. <www.oseo.fr>.

PAILOT, P. (2000). «De la difficulté de l'entrepreneur à quitter son entreprise», dans T. Verstraete (dir.), *Histoire d'entreprendre: les réalités de l'entrepreneuriat,* Cédex, Éditions EMS Management et Société, p. 275-286.

PALIARD, R. (2007). «Un défi pour l'acheteur: l'évaluation de la cible», dans Alain Fayolle (dir.), *L'art d'entreprendre,* Paris, Pearson Education, p. 217-225.

PANAGIS, N. (2006). «Établissement de la valeur d'une entreprise», *Congrès 2005, Association de planification fiscale et successorale,* Montréal, vol. 17, p. 1-27.

PANAGIS, N. et DEMANCHE, J. (1990). «La notion de juste valeur en évaluation d'entreprises», *Revue de planification fiscale et successorale,* vol. 12, n° 4, p. 629-636.

PANAGIS, N. et GAGNON, H. (1983). «Méthodes d'évaluation d'entreprises basées sur la rentabilité», *Revue de planification fiscale et successorale,* vol. 5, n° 2, p. 357-370.

PANAGIS, N. et TARDIF, P. (1983). «Définitions et principes d'évaluation d'entreprises», *Revue de planification fiscale et successorale*, vol. 5, nº 1, p. 169-184.

PAQUETTE, A. (2007). «Clause d'ajustement basée sur la performance (*Earn-Out*)», *Congrès 2006, Association de planification fiscale et successorale*, Montréal, vol. 9, p.1-15.

PATUREL, R. (2000). «Reprise d'entreprise par une personne physique – Une pratique de l'entrepreneuriat», dans T. Verstraete (dir.), *Histoire de l'entrepreneuriat*, Paris, Éditions EMS Management & Société, p. 187-197.

PEAY, R.T. et DYER, G. (1989). «Power orientations of entrepreneurs and succession planning», *Journal of Small Business Management*, vol. 27, nº 1, p. 47-52.

PEISER, R.B. et WOOTEN, L.M. (1983). «Life-cycle changes in small family business», *Business Horizons*, p. 58-65.

PELLAND, J.-F. (2007). «Les clauses de non-concurrence dans un contexte de vente d'entreprise», *Congrès 2006, Association de planification fiscale et successorale*, Montréal, vol. 8, p. 1-38.

PETTERSEN, N. (2006), «Leadership et PME: comment être un bon chef?», *Revue internationale de gestion*, vol. 30, nº 4, p. 43-50.

PETTKER, J.D. et CROSS, A.D. (1989). «The New Anti-Freeze Law: A Meltdown for the Family Firm?», *Family Business Review*, vol. II, nº 2, p. 153-172.

PICARD, C. et THEVENARD-PUTHOD, C. (2004). «La reprise de l'entreprise artisanale: spécificités du processus et conditions de réussite», *Revue internationale PME*, vol. 17, nº 2, p. 93-121.

PICARD, C. et THEVENARD-PUTHOD, C. (2006). «La reprise d'entreprise: quelles difficultés pour quels repreneurs?» *Congrès international francophone en entrepreneuriat et PME* (CIFEPME), octobre 2006.

PLANTE, A. et GRISÉ, J. (2005), «Successions dans les PME familiales», *Organisations et Territoires*, vol. 14, nº 1, p. 11-18.

POTTS, T.L., SCHOEN, J.E., LOEB, M.E. et HULME, F.S. (2001a). «Effective Retirement for Family Business Owner-Managers: Perspectives of Financial Planners, Part I», *Journal of Financial Planning*, vol. 14, nº 6, p. 102-115.

POTTS, T.L., SCHOEN, J.E., LOEB, M.E. et HULME, F.S. (2001b). «Effective Retirement for Family Business Owner-Managers: Perspectives of Financial Planners, Part II», *Journal of Financial Planning*, vol. 14, nº 7, p. 86-96.

POULAIN-REHM, T. (2006). « Qu'est-ce qu'une entreprise familiale ? Réflexions théoriques et prescriptions empiriques », *La Revue des sciences de gestion,* vol. 219, nº 41, p. 77-89.

POZA, E. et MESSER, T. (2001), « Spousal Leadership and Continuity in the Family Firm », *Family Business Review,* vol. XIV, nº 1, p. 25-36.

RACETTE, L. et HINSE, D. (2002). « Le *pricing* dans un contexte d'acquisition », *Journée tendances 2002,* 1er mai.

RAYMOND, L., BLILI, S. et EL ALAMI, D. (2004). « L'écart entre le consultant et les PME : analyse et perspectives », *Revue internationale de gestion,* vol. 28, nº 4, p. 52-60.

REIJONEN, H. et KOMPPULA, R. (2007). « Perception of Success and Its Effect on Small Firm Performance », *Journal of Small Business and Enterprise Development,* vol. 14, nº 4, p. 689-701.

REVENU CANADA (1989). *Circulaire d'information 89-3, « Exposé des principes sur l'évaluation de biens mobiliers »,* 25 août.

RIBIERO SORIANO, D. (2003). « The Impact of Consulting Service on Spanish Firms », *Journal of Small Business Management,* vol. 41, nº 4a, p. 409-415.

RODRIGUEZ, R.O., GREEN, M.T. et REE, M.J. (2003). « Leading Generation X : Do the Old Rules Apply ? », *Journal of Leadership & Organizational Studies,* vol. 9, nº 4, p. 67-75.

SADLER-SMITH, E., HAMPSON, Y., CHASTON, I. et BADGER, B. (2003). « Managerial Behaviour ; Entrepreneurial Style, and Small Firm Performance », *Journal of Small Business Management,* vol. 41, nº 1, p. 47-67.

SAMBROOK, S. (2005). « Exploring Succession Planning in Small, Growing Firms », *Journal of Small Business and Enterprise Development,* vol. 12, nº 4, p. 579-594.

SAMSON BÉLAIR (s.d.). *Évaluation d'entreprises,* Montréal, Samson Bélair.

SANSING, R.C. et KLASSEN, K.J. (2003). *Dynamic Tax Planning with an Application to Estate Freezes,* Tuck School of Business at Dartmouth. Document de travail nº 03-31.

SCARRATT, M.T. (2006). *The Advisor's Guide to Business Succession Planning,* 3e éd., Toronto, CCH Canadian Limited.

SCHERMERHORN, J.R., HUNT, J.G. et OSBORN, R.N. (2003). *Comportement humain et organisation.* 2e éd., Saint-Laurent, Éditions du Renouveau pédagogique.

SCLES, L., WESTAD, P. et BURROWS, A. (2008). « Family Firm Succession : The Management Buy-Out and Buy-In Routes », *Journal of Small Business and Enterprise Development,* vol. 15, n° 1, p. 8-30.

SEBASTIANI, K. (2008). « Les clauses de non-concurrence », *Congrès 2007, Association de planification fiscale et successorale,* Montréal, vol. 37, p. 1-21.

SENBEL, D. et ST-CYR, L. (2006a). *Analyse du transfert de propriété et de son financement au travers de 20 cas de relève d'entreprises,* Montréal, Chaire de développement et de relève de la PME, HEC Montréal, cahier de recherche n° 06-01, janvier.

SENBEL, D. et ST-CYR, L. (2006b). *Paroles d'entrepreneurs et de professionnels – dans un contexte de relève d'entreprise,* Montréal, Chaire de développement et de relève de la PME, HEC Montréal, cahier de recherche n° 06-02, avril.

SENBEL, D. et ST-CYR, L. (2007). « La transmission d'entreprise : un éclairage sur son financement », *Économies et Sociétés,* vol. 16, n° 1, p. 91-120.

SHARMA, P. (2004). « An Overview of the Field of Family Business Studies : Current Status and Directions for the Future », *Family Business Review,* vol. XVII, n° 1, p. 1-34.

SHARMA, P., CHRISMAN, J. et CHUA, J. (2003). « Succession Planning as Planned Behaviour : Some Empirical Results », *Family Business Review,* vol. XVI, n° 1, p. 1-15.

SHARMA, P. et IRVING, P.G. (2005). « Four Bases of Family Business Successor Commitment : Antecedents and Consequences », *Entrepreneurship Theory & Practice,* vol. 29, n° 1, p. 13-33.

SMITH, D.-B. et MOEN, P. (1998). « Spousal Influence on Retirement : His, Her and Their Perception », *Journal of Marriage and the Family,* vol. 60, n° 3, p. 734-744.

SONNENFELD, J. (1988). *The Hero's Farewell : What Happens when CEOs Retire,* New York, Oxford University Press.

ST-CYR, L. et RICHER, F. (2003a). *Préparer la relève – Neuf études de cas sur l'entreprise au Québec,* Montréal, Presses de l'Université de Montréal.

ST-CYR, L. et RICHER, F. (2003b). *Stratégies de transmission réussie des PME québécoises.* HEC Montréal, Chaire de développement et de relève de la PME. Cahier de recherche n° 03-01.

ST-CYR, L., RICHER, F., LANDRY, S. et FRANCOEUR, C. (2005). *Étude sur l'établissement des meilleures pratiques pour la transmission des entreprises au Québec: aspects financiers et fiscaux.* HEC Montréal, Chaire de développement et de relève de la PME, décembre. Rapport présenté au ministère du Développement économique et régional, Cahier de recherche n° 05-02.

STEIER, L. (2001). «Next-generation Entrepreneurs and Succession: An Exploratory Study of Modes and Means of Managing Social Capital», *Family Business Review*, vol. XIV, n° 3, p. 259-276.

ST-JEAN, E. et AUDET, J. (2007). «Le mentorat de l'entrepreneur novice: identification des facteurs menant à la satisfaction du mentoré», *Académie de l'entrepreneuriat*, Sherbrooke, octobre.

TATOGLU, E., KULA, V. et GLAISTER, K.W. (2008). «Succession Planning in Family-owned Businesses», *International Small Business Journal*, vol. 26, n° 2, p. 155-180.

TAYLOR, J.E. et NORRIS, J.E. (2000). «Sibling Relationships, Fairness, and Conflict over Transfer of the Farm», *Family Relations*, vol. 49, n° 3, p. 277-283.

TAYLOR, M.A. et COOK, K. (1995). «Adaptation to Retirement: Role Changes and Psychological Resources», *The Career Development Quarterly*, vol. 44, n° 1, p. 67-83.

TRAGET LAVAL (2005). «Quelle est la définition de l'équité dans votre famille?», *Info-Transfert*, vol. 5, n° 2, p. 4.

TRANSREGIO (2005). *Enquête sur la transmission d'entreprise dans sept pays européens*, <www.transregio.org>.

UQAH (1993). *Les entreprises familiales en Outaouais – Problèmes ou défis*, Hull, Université du Québec à Hull – Centre de la PME, juin.

VACHON, P. (2005). *Janvier 2051: un regard sur le passé … – 2005-2051: démographie et relève d'entreprise: deux enjeux et défis majeurs pour les PME.*

VAN DER HEYDEN, L., BLONDEL, C. et CARLOCK, R.S. (2005). «Fair Process: Striving for Justice in Family Business», *Family Business Review*, vol. XVIII, n° 1, p. 1-21.

VENTER, W.P., KRUGER, S. et HERBST, F.J. (2004). «A Proposed Conceptual Familiness Transmission of Capital Model», *South African Journal of Business Management*, vol. 38, n° 3, p. 1-14.

WALKER, E. et BROWN, A. (2004). «What Success Factors Are Important to Small Business Owners?», *International Small Business Journal*, vol. 22, n° 6, p. 577-594.

WALSH, G. (2007). *Family Business Succession Managing the All-Important Family Component*, Ottawa, KPMG LLP.

WANG, Y., WATKINS, D., HARRIS, N. et SPICER, K. (2004). « The Relationship between Succession Issue and Business Performance: Evidence from UK Family SMEs », *International Journal of Entrepreneurial Behaviour & Research*, vol. 10, n⁰ˢ 1/2, p. 59-84.

WHITESIDE, M.F. et BROWN, F.H. (1991). « Drawbacks of a Dual Systems Approach to Family Firms: Can We Expand Our Thinking? », *Family Business Review*, vol. IV, n⁰ 4, p. 383-395.

WRIGHT, M., ROBBIE, K. et ENNEW, C. (1997). « Serial Entrepreneurs », *British Journal of Management*, vol. 8, n⁰ 3, p. 251-268.

WRIGHTSMAN, L.S. (1994). *Adult Personality Development: Applications*, vol. 2, Thousand Oaks, Sage.

ZEMKE, R., RAINES, C. et FILIPCZAK, B. (2000). *Generations at Work: Managing the Clash of Veterans, Boomers, Xers, and Nexters in Your Workplace*, New York, AMA Publications.

ZHAO, H. et SEIBERT, S.E. (2006). « The Big Five Personality Dimensions and Entrepreneurial Status: A Meta-Analytical Review », *Journal of Applied Psychology*, vol. 91, n⁰ 2, p. 259-271.

Titulaire d'une maîtrise en gestion des PME (UQTR) et d'un doctorat en administration (UQTR), **Louise CADIEUX, DBA** est professeure en management à l'Université du Québec à Trois-Rivières et membre de l'Institut de recherche sur les PME. En plus d'avoir été soulignée par l'attribution de deux prix remis par l'Association canadienne des sciences de l'administration (ASAC), l'excellence de l'ensemble de ses travaux sur les entreprises familiales et sur la transmission d'entreprises lui a permis de publier dans des revues scientifiques de renommée internationale. Enfin, reconnue pour sa maîtrise du milieu des affaires, de même que de celui de la recherche, c'est à maintes reprises qu'on l'invite, depuis plusieurs années, à titre de panéliste et de conférencière dans le cadre de colloques ou d'ateliers organisés par différents organismes préoccupés par la problématique de la transmission, qu'elle soit familiale ou non.
<louise.cadieux@uqtr.ca>
<www.uqtr.ca/~cadieux/>

Titulaire d'un baccalauréat en administration des affaires (HEC Montréal), d'une maîtrise en sciences comptables (UQAM) et d'un doctorat en administration (UQTR), **François BROUARD, DBA, CA** est professeur agrégé en fiscalité et en comptabilité financière à la Sprott School of Business de l'Université Carleton à Ottawa et est membre associé de l'Institut de recherche sur les PME. L'excellence de ses travaux a été soulignée par la remise de prix attribués par l'Association internationale de recherche en entrepreneuriat et PME (AIREPME) et l'Association canadienne des professeurs de comptabilité (ACPC) et lui a permis de présenter des conférences et de publier dans des revues scientifiques de renommée internationale. En plus de la transmission des PME, ses intérêts de recherche sont la veille stratégique, l'entrepreneuriat social, la gouvernance d'entreprise, la formation professionnelle ainsi que la fiscalité et la planification financière. Il effectue aussi de la consultation sur divers sujets pour des organisations publiques et privées.

<francois_brouard@carleton.ca>
<sprott.carleton.ca/~fbrouard/>

Titulaire d'un doctorat en administration, **Bérangère DESCHAMPS** est maître de conférences à l'Université de Grenoble II et coordonnatrice de la Maison de l'entrepreneuriat de Grenoble. Auteure de plusieurs travaux sur la reprise d'entreprise, elle s'intéresse également à la gestion stratégique et à la gestion de projet.

<berangere.deschamps@upmf-grenoble.fr>

Regards sur l'évolution des pratiques entrepreneuriales
Sous la direction de Christophe Schmitt
2008, ISBN 978-2-7605-1533-8, 346 pages

Entrepreneuriat régional et économie de la connaissance
Une métaphore des romans policiers
Pierre-André Julien
2005, ISBN 2-7605-1329-7, 408 pages

La gestion du risque
Comment améliorer le financement
des PME et faciliter leur développement
Josée St-Pierre
2004, ISBN 2-7605-1304-1, 288 pages

Les décisions d'investissement dans les PME
Comment évaluer la rentabilité financière
Josée St-Pierre et Robert Beaudoin
2003, ISBN 2-7605-1214-2, 262 pages

L'entreprise-réseau
Dix ans d'expérience de la Chaire
Bombardier Produits récréatifs
*Sous la direction de Pierre-André Julien, Louis Raymond,
Réal Jacob et Georges Abdul-Nour*
2003, ISBN 2-7605-1213-4, 530 pages

Les PME à forte croissance
L'exemple de 17 gazelles
dans 8 régions du Québec
Sous la direction de Pierre-André Julien
2002, ISBN 2-7605-1181-2, 264 pages

La gestion financière des PME
Théories et pratiques
Josée St-Pierre
1999, ISBN 2-7605-1030-1, 340 pages

Entrepreneuriat et stratégie des PME
Recueil de cas
*Sous la direction de
Camille Carrier et Colette Fourcade*
1998, ISBN 2-7605-1018-2, 308 pages

De la créativité à l'intrapreneuriat
Camille Carrier
1997, ISBN 2-7605-0946-X, 154 pages

Mondialisation de l'économie et PME québécoises
Pierre-André Julien et Martin Morin
1996, ISBN 2-7605-0857-9, 218 pages

9/X90